国学经典

唐宋名家文集

王安石集

李之亮 注译

中州古籍出版社

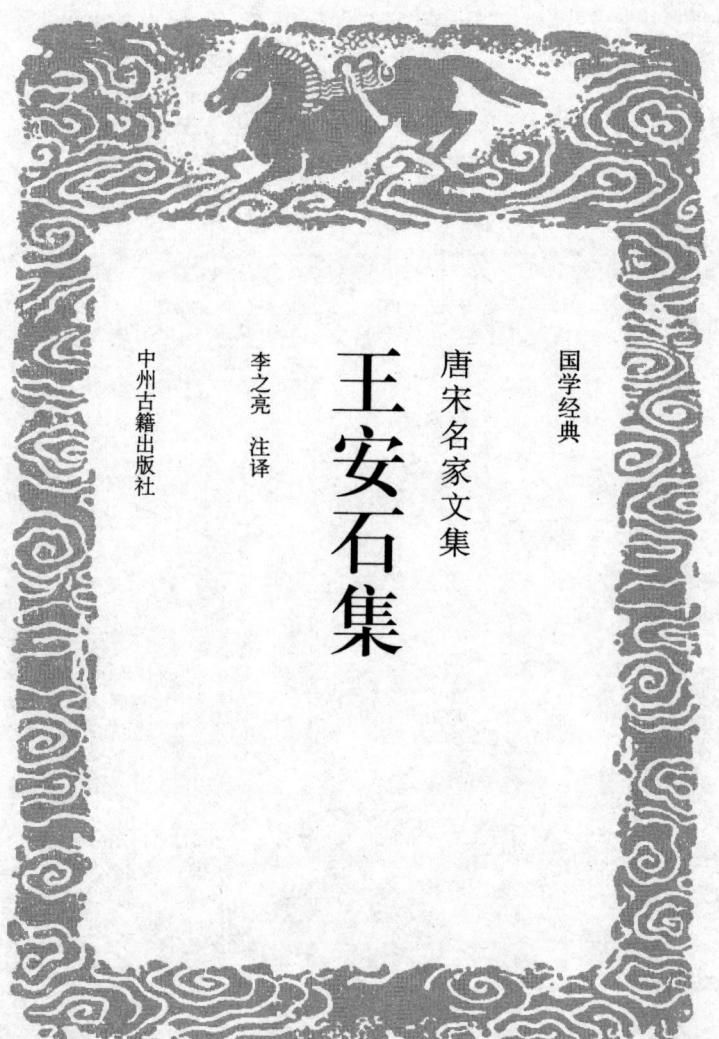

唐宋名家文集·王安石集

唐宋名家文集・王文公集

前　言

　　王安石，字介甫，晚年闲居在金陵（今江苏南京）蒋山时，自号半山老人，抚州临川（今江西抚州）人。生于宋真宗天禧五年（1021年），卒于宋哲宗元祐元年（1086年）四月，享年66岁。他庆历二年（1042年）中进士高第，先在扬州担任节度判官，不久为鄞县（今浙江宁波）知县，后升通判舒州（今安徽舒城）。至和元年（1054年），被召入朝担任群牧判官，两年后出任常州知州，移江东路提点刑狱。嘉祐三年（1058年），入为三司度支判官，此间他给仁宗皇帝献了一篇万言书，极言当世之弊政，希望朝廷尽快进行政治体制和经济体制的全面改革。当时仁宗已到晚年，又膝下无子，几乎所有的精力都用在了选择接班人上面，所以没有顾及他的建议。神宗崩逝，他也回到金陵守丧去了。英宗末年，他被就地任命为江宁府知府，不久召为翰林学士。神宗赵顼即位后，起用他推行新法。自熙宁二年（1069年）至熙宁七年（1074年）这几年，是王安石致力于变革旧政的几年，也是当时及后世对他的功过是非争议最多的几年。熙宁七年，由于变法遇到了极大的阻力，加之神宗本人也对新法产生了怀疑，王安石被迫辞去相位，以观文殿学士再任江宁府知府。一年后重新入朝为相。熙宁九年（1076年），再辞相位，复判江宁府。熙宁十年（1077年），免去知府之任，闲居于金陵，九年后因病去世。

王安石的散文,我钟爱已经很久,数年之前,就曾想着手整理笺注他全部的文章,可又自知才力疏拙,故迟迟没有动笔,只是在1996年应辽宁春风文艺出版社之约,写过一个五万多字的小册子,书名虽然叫《王安石》,但因为篇幅所限,只能就王安石在政治、文学等方面的成就大致勾勒一番,谈不上深入的研究。不过那时我已经为综合整理王安石作品暗自做着准备工作了。此后又花了几年的时间,到2004年年底,一部收集王安石全部散文并加以编年和注释的《王荆公文集笺注》(共三册,210万字)终于由四川巴蜀书社顺利出版。直到那时,我才有了一种如释重负的感觉。

以往人们对王安石散文的评价和鉴赏,大多偏重于他的政论文,这一点我也是赞同的,原因很简单:王安石首先是一位政治家,是位主管国家政务的高官,其次才是文学家。比如《中国文学史》的"王安石"一章就说:"王安石的散文以政论性的为多。这些作品,大都针对时弊,根据深刻的分析,提出明确的主张,具有极强的说服力量。"还有的专家说王安石"主张文学应当有补于世,重在适用。他写了大量富有战斗性的诗文,都和他在政治上的革新主张有着密切的关系,表现了他起民之病、治国之疵的进步思想。他的散文主要是一些有关政治和学术的论文。其特点是以拗折峭劲见称;结构谨严,说理透彻,笔力雄健,富有感情;语言朴素简洁,概括力很强"(人民文学出版社《宋文选》)。在文学理论上,人们提到最多的是他那篇《上人书》中的几句话:"所谓文者,务为有补于世而已矣;所谓辞者,犹器之有刻镂绘画也。诚使巧且华,不必适用;诚使适用,亦不必巧且华。要之以适用为本,以刻镂绘画为之容而已。"也算说到了要害之处。但如果大家都用这种传统的框架来分析古人的文章,我总感到难免雷同,甚则使读者认为再无新意,懒怠去读了。所以想换个角度来考察王安石的散文。中国古代对任何艺术门类的作品进行评论,大都集中在"气"之一字上,诗、书、画、篆,无不如此,散文的创作当然也不应该例外，而且读书读到深处，最能触动人心灵的，的确是作品中的"气"。我下面的这些文字，也就都从"气"上面说起了。

一、雄气与霸气

王安石文气之雄，在唐宋八大家中当推第一。那句"天变不足畏，祖宗不足法，人言不足恤"，千百年来，或被认定为是他祸国的罪证，或被认定为是他变法的纲领，毁誉荣辱，功过是非，大多由此而起。从思想政治的角度来看，这"三不足"的确是最值得人们关注的问题。避开政治，单纯从文气上说，这几句话也无疑是王安石文学创作的主导思想：在他眼里，王安石就是王安石，古往今来从来没有，也不可能有第二个王安石。这种气质可以说是与生俱来，不是后天修养的结果。这就决定了王安石的文章从一开始就具有一种以自我为绝对主体的独立意识，用种褒奖的意思来评价，是我们通常所说的"英雄气概"；用种贬损的意思来评价，那就是：此人过于刚愎自用，唯我独尊，几乎达到了旁若无人的地步。这个问题下面再详细论说。

先天如此的王安石，后天也非常勤于学习，而他对前哲世修的学问，持的是一种批判的、为我所取为我所用的实用态度。符合他精神追求所需的营养，他便取而用之；与他内心世界相悖违的理论，哪怕是出于六经，他也会毫不犹豫地扬弃掉，这既是他做人的风格，也是他作文的风格。惟其如此，我们才会明显地感到，读他的文章，即使是"糊名"之后，也能猜出它是否出自王安石的手笔。这种感觉看不见摸不到，但又往往十分真切。其实这也并非王安石所独有，比如李白的诗，读起来会让人感到热血冲腾、神魂颠越，迄今为止，还没有哪个人的诗能混杂于其中；再如李清照的词，清丽之中带有无尽的缠绵悱恻，连与她相濡以沫的赵明诚之作都难以杂厕其间。这说明真正卓尔不群的文学巨匠，其作品一定有着不可混淆、不可替代的特质。这个特质决定了他就是他,绝不与别人雷同。这个特质,就是我上面所说的"气"。"气"可以评论,可以感知,但却是没有办法去模仿的。我这里说的"气"是个中性词语,并不是什么神秘化的概念,比如在王安石的文章中,我们首先感受到的是充满了雄气和霸气,而有些作家的诗文,可能会让人感觉充满豪气、血气、悲壮之气,也可能充满脂粉气、媚气、妖气、阴气,甚至酸腐气。比这更糟的是很多人的作品中根本没有任何的"气"。王安石做人强项,从不服输,这与他文章中体现出来的雄气恰恰是一脉相通的。由于他做人不服输,百折不挠,所以他能一路直冲做到宰相,而且做了一个搅动天下、搅动历史长河、最雷人、最活跃的宰相,这是一种必然,因为他先天与后天都是那样的雄气十足,他绝不会被埋没。不过随之而来的就是"霸气"了,霸气使他能够颐指气使纵横捭阖于一时。同样是由于他做人不服输,所以即使官至三品,他最终也一定会被别人,或者毋宁说被历史的大手推倒在地上,因为"不挠"不等于不折,"霸气"也不可能永久维持下去。几乎所有王安石的传记里都说他"性强忮",正是由于他这种与生俱来的特殊性格,造成他既雄且霸的所有言行,包括他的文章。这种霸气不仅表现在《上神宗皇帝言事书》、《答司马谏议书》等名篇之中,就连他写的大量制词以及身处弱势被逐出京师后给神宗皇帝的大量上表,也无不流露出来。他对所有官吏都持一种傲然俯视如驱犬羊的态度,甚至对当朝皇帝,都敢动不动就甩脸子、耍态度,始终保持着极强的霸气,他丝毫没有认识到,自己最终的失败正是由这种霸气所导致的。他从来不认为自己有错,哪怕天下所有的人都错了,都是"群奸群小",只剩下一个忠良之臣,也只能是他王安石!对于这一点,苏轼是感触最深的。他说:"文字之衰,未有如今日者也,其源出于王氏。王氏之文未必不善也,而患在于好使人同己。自孔子不能使人同,颜渊之仁,子路之勇,不能以相移。而王氏欲以其学同天下。"(《文献通考·经籍考》卷六二）这话是什么意思呢？简单梳理一下，就是说当今文章又开始走下坡路了，造成这种状况的祸首就是王安石。王安石的文章并不是不好，问题出在他总想强迫别人赞同自己的意见。连孔老夫子都没有强迫弟子们处处与他相同，比如颜渊的仁义、子路的忠勇，孔子都无意去影响他们，而王安石却想让天下人的文章都以他为标尺。在这里，深通文道的苏轼首先认可王安石的文章"未必不善"，他只是感到文章应该载的是古圣贤之道，而不是载他王安石的一家之道。其实苏轼的说法和一般学者所说的"具有极强的说服力量"、"笔力雄健"云云大致上都是吻合的，也就是说，读过他文章的人，都会强烈地感觉到那股无法掩抑的灼人眼目的雄气和霸气，只是在褒贬上却出现了巨大的分歧。

于是我自然要想到：该怎么来看待王安石散文中的雄气与霸气呢？思索许久，才悟出来：他从一开始就是个雄气十足的人，后来由于种种机遇当上了宰相，于是那种令人敬服的雄气就很自然演变成了让人憎恨的霸气。可悲的是，当他的霸气显露无遗、世人皆知，多少师友同僚给他提出来的时候，他却没有丝毫的觉悟，这就是我们读他的散文，为什么截止到《答司马谏议书》还感觉良好，而读到他罢相后的诸多上表和杂著时，便有些厌恶的原因了。

二、俊朗气和儒学气

除了政论文之外，王安石还有不少文字刚健俊朗，这也是人们所公认的，几乎是千百年来的定论。然而这个结论在我看来并不全面，也就是说，人们过分强调了他的俊朗之气，忽视了他的腐气。其实在他的文集中，像《游褒禅山记》、《读孟尝君传》、《芝阁记》、《度支副使厅壁题名记》、《答司马谏议书》等疏拔之作并不算太多，大量其他作品中所透出的，则是玩儒经于股掌之中的作品。或许有人说我这是"没见到王安石的创作主流"，我倒要申辩一句：王安石文章创作的主流恰恰是那些充满儒学气的作品,而清新刚健之作,不过是其支脉而已,千百年来,我们只是把他的支脉夸大了而已。司马光的《涑水纪闻》里记载着这样一个小故事:"韩魏公知扬州,介甫以新进士佥判官事。韩公虽重其文学,而不以吏事许之。介甫数以古义争公事,其言迂阔,韩公多不从。介甫秩满去。会有上韩公书者,多用古字,韩公笑曰:'惜乎王廷评不在此,此人颇识难字。'"这里提到的韩魏公,是北宋名相、当时任扬州知州的韩琦。司马光是个以良史名世的谨重大儒,想来必是实有此事。从这则故事里我们能发现什么迹象呢?首先,年纪轻轻的王安石动辄便援引"古义"来争论公事,说明他打小儿就是个钻在儒经里的"书蛀虫"。其次,那些难字,当然就是指儒家经典当中的"疑难杂字"。王安石"颇识难字"的名声早就传遍士林,这类证据几乎比比皆是。当时学者邢恕说他"年三十九,已号通儒"(蔡上翔《王荆公年谱考略》卷八)。罗大纲《鹤林玉露》卷五说:"王荆公少年,不可一世士,独怀刺候濂溪,三及门而三辞焉。荆公恚曰:'吾独不可自求之六经乎!'乃不复见。"可见其于经书之笃爱异乎常人,且非常自信。而这里所谓的"通儒",又是他在"颇识难字"之后的大积累。正是基于这种饕餮式的积累,所以朝廷召他担任知制诰时,他认为自己当之无愧,不像司马光那样辞以"不通四六"。他写的大量制词,是真正意义上的"引经据典",那些淹于文词之中的经典词语,让所有人都感到眼花缭乱,悚惧愧服。这些制词的风格,是王安石雄、霸二气交融汇合的最典型的作品群,因为他那时候正处在地位上由雄到霸的转折点上。衍至后来的变法,除了经济、军事等方面之外,他对科举的内容也做了重要改革。《宋史·选举志》卷一载苏轼与王安石在科举问题上的对立意见,就很能说明问题。按照苏轼的看法,传统科举制度已经十分完美,无须变革,而王安石却说:"古之取士,皆本学校,道德一于上,习俗成于下,其人才皆足以有为于世。今欲追复古制,则患于无渐。宜先除去声病偶对之文,使学者得专意经术,以俟朝廷兴建学校,然后讲求三代所以教育选举之法,施于天下,则庶几可以复古矣。"由此看来,王安石对儒学经术的重视,几乎到了无以复加的地步。他对经义的理解,绝不像有些人所说的浅尝辄止或妄加改动,不过是对某些经解提出不同看法罢了,用现在的话说,属于"学术争鸣"性质,不过他争得比较强硬。其实所有研究儒经的学者莫不如此,只不过事情出在王安石身上,就成了一条罪状,因为他是个充满变革思想、想从儒家经典当中寻求到理论根据的务实宰相。从他的文章中可以看出,他对经典的运用非常之圆熟,而且得心应手,左右逢源。这种饕取经义而为己用的情况,在宋人乃至后人的著作中是极少见到的。这就出现了两个问题:一是说明他是个极重经术的人,无论是做人还是作文都是如此。二是他的文风,因为他身体力行地大量运用经文故典,几乎所有经书中的词语,用在他的文章当中,都像是信手拈来,这就形成了他大部分作品实际上都成了对经学的研究、翻刻和普及,从而使他的散文无处不散发出极强的儒学之气。这种儒学气太厚了,厚到超出唐、宋其他大家千里之远。对这种儒气究竟应该如何看待,又很难用一个"好"或"不好"来做出评价,就如同评论红烧肉好吃还是炒鸡蛋好吃是同样的道理。不过有一点请读者放心,王安石那些儒气过重的文章,本书一篇也没有选入。以上的评论和分析,无非是想力求客观全面,对古人的作品既不过分诣谀也不妄加贬抑。作为精选的读本,当然无须良莠杂陈。

说到选注的标准,这里有必要说明几句:按照中州古籍出版社编辑先生的基本要求,这本小书的文章应主要从《唐宋八大家文钞》中选取。其实这是毫无问题的,换言之,任何人选注这八大家的散文,都不可能离开《唐宋八大家文钞》而自出机杼,因为《唐宋八大家文钞》选的肯定是他们最好的文章。但古文选编的根本宗旨,是要把作家最优秀的作品精选出来展示给读者,未必一定要限定在一个固有的框架之内，况且我耗费数年时间所作的《王荆公文集笺注》，已将王安石所有散文详详细细研究过一遍，应该比当年茅坤读得更苦，自然会有不少新的和更真切的体会，所以本书在选择篇目时，既遵照了出版社的要求，又增选了数篇我认为相当精彩的文章添入其中。比如本书开篇的《龙赋》，还有《诫励诸道转运使经画财利宽恤民力制》等赋、制词一类文体，就是《唐宋八大家文钞》没有给予关注的；与此相反，《唐宋八大家文钞》所选大量的章、表，今天读来实在没有太大的意义，所以一篇也没有选入，特此说明。总而言之，与《唐宋八大家文钞》时隔数百年后的今天，古文选注的标准和尺度肯定会有一些不同。我增选的数篇文字，都是在今天看来还颇有实际意义、值得我们认真思考和借鉴的上佳之作。本书"题解"的部分，有不少处说明了文章写作的具体年代和他当时所任的官职。这样做的目的是想让读者对文章的背景有个更准确的了解和把握。我教书几十年，历来不主张就文章论文章，那样的论述说它是空中楼阁，说它是无源之水都不过分。阅读古文必须结合文章的写作背景，包括大的社会背景和小的个人背景来进行综合考察，才能得出比较信实的结论。加之我曾对王安石的所有散文进行过编年，有这个便利条件，何不多加几句，给读者更多的参考呢。尽管我已经把王安石的所有文章都进行过编年和注释，但古文今译我是头一次作，这实在是一项非常艰难的工作，不敢奢求信、达、雅，但愿出现的错误不至于太多就算谢天谢地了。如有翻译失真之处，诚恳地希望读者提出宝贵意见。

李之亮

2010年2月

目 录

龙赋	15
伍子胥庙碑	17
上仁宗皇帝言事书（节选）	20
上本朝百年无事札子	36
上时政疏	45
进戒疏	50
拟上殿札子	53
上五事札子	59
乞改科条制札子	64
诫励诸道转运使经画财利宽恤民力制	67
谏官论	70
伯夷论	75
材论	79
三不欺	85
勇惠	89
仁智	93
原性	96
性说	101

- 太古 … 106
- 原教 … 108
- 取材 … 112
- 兴贤 … 117
- 委任 … 121
- 知人 … 127
- 伤仲永 … 129
- 同学一首别子固 … 131
- 读《孟尝君传》 … 134
- 读《柳宗元传》 … 136
- 《孔子世家》议 … 138
- 回苏子瞻简 … 140
- 答曾子固书 … 142
- 与王逢原书 … 145
- 与丁元珍书 … 152
- 上杜学士言开河书 … 154
- 与马运判书 … 158
- 上人书 … 161
- 上田正言书 … 165
- 答司马谏议书 … 169
- 答段缝书 … 173
- 上邵学士书 … 178
- 上富相公书 … 182
- 上欧阳永叔书一 … 185
- 上欧阳永叔书二 … 188
- 与刘原父书 … 190
- 与祖择之书 … 193

请杜醇先生入县学书	196
答王景山书	199
答龚深父书	202
答徐绛书	205
答曾公立书	208
虔州学记	211
度支副使厅壁题名记	219
石门亭记	222
太平州新学记	225
抚州通判厅见山阁记	228
余姚县海塘记	232
通州海门兴利记	236
游褒禅山记	239
君子斋记	243
明州慈溪县学记	246
扬州新园亭记	251
信州兴造记	254
桂州新城记	258
繁昌县学记	263
芝阁记	266
送孙正之序	269
《灵谷诗》序	272
《老杜诗后集》序	275
送胡叔才序	277
《善救方》后序	280
送陈升之序	282
张刑部诗序	285

祭欧阳文忠公文	287
祭丁元珍学士文	290
祭王回深甫文	292
兵部员外郎知制诰谢公行状	294
彰武军节度使侍中曹穆公行状	299
泰州海陵县主簿许君墓志铭	311
王深父墓志铭	314
给事中赠尚书工部侍郎孔公墓志铭	318
王逢原墓志铭	325

龙 赋

龙之为物,能合能散,能潜能见,能弱能强,能微能章①。惟不可见,所以莫知其乡。惟不可畜,所以异于牛羊。变而不可测,动而不可驯,则常出乎害人。而未始出乎害人,夫此所以为仁。为仁无止,则常至乎丧己,而未始至乎丧己,夫此所以为智。止则身安,曰惟知几②。动则物利,曰惟知时。然则龙终不可见乎?曰:与为类者常见之③。

[题解]

这篇赋作于仁宗庆历末年,当时王安石中进士不久,担任鄞县(今浙江宁波鄞县)县令,正是奋发有为的年龄。本文是王安石年轻时的励志之作,反映出他从年轻时就有着卓尔不群的远大志向。

[注释]

①能微能章:微,细微,短小;章,彰显,巨大。《艺文类聚》卷九八引《瑞应图》说:"黄龙者,能巨细,能幽明,能短能长,乍存乍亡。"②知几:即"知机",能预知事物变化的征兆。③为类者:指能潜能见、知机知时、心与神龙相通的君子们。这是王安石自喻之辞。

[译文]

龙作为一种动物,能够聚合也能够分散,能够潜入深渊也能够浮现在水面,能显示其柔弱的一面,也能显示其刚强的一面,能变化得微小也能变得巨大。惟其不可以常见,所以没有人知道它的故乡究竟在何处。惟其不能够驯养,所以和牛羊的品性完全不同。它的变化无法预测,它运动时无法驯服,完全可以随时给人类造成危害,然而它却从来没有伤害过人类,这就是它的仁义所在。行仁义而无止境,以至于随时可能给自己造成伤害,然而却从没有伤害自己,这就是它的智慧所在。知足知止,不常出现而保持身安,这就叫通达机变。运动就要有恩泽于万物,这就叫懂得乘时。既然如此,龙真的永远无法看见吗?回答是:和龙有着同样德性的同类,就能经常目睹到它的身形。

伍子胥庙碑①

予观子胥出死亡逋窜之中②,以客寄之一身,卒以说吴,折不测之楚③,仇执耻雪④,名震天下,岂不壮哉!及其危疑之际,能自慷慨不顾万死,毕谏于所事⑤,此其志与夫自恕以偷一时之利者异也。孔子论古之士大夫,若管夷吾、臧武仲之属⑥,苟志于善而有补于当世者,咸不废也。然则子胥之义又曷可少耶?康定二年⑦,予过所谓胥山者,周行庙庭,叹吴亡千有余年,事之兴坏废革者不可胜数,独子胥之祠不徙不绝⑧,何其盛也!岂独神之事吴之所兴,盖亦子胥之节有以动后世,而爱尤在于吴也。后九年,乐安蒋公为杭使⑨,其州人力而新之,余与为铭也。

烈烈子胥⑩,发节穷通⑪。遂为册臣⑫,奋不图躯。谏合谋行,隆隆之吴。厥废不遂⑬,邑都俄墟⑭。以智死昏,忠则有余。胥山之颜,殿屋渠渠⑮。千载之祠,如祠之初。孰作新之,民劝而趋。维忠肆怀,维孝肆孚。我铭祠庭,示后不诬。

[题解]

这篇铭文是王安石庆历八年知鄞县时所作。蒋堂知杭州时,重新修建了伍子胥庙,王安石写下此文,对于伍子胥敢于直谏的烈士风范及忠贞不贰的纯美德行给予了高度的赞扬。

[注释]

①伍子胥:名员,其父奢、兄尚均有名于楚。楚平王时,伍奢为太子建

太傅，费无忌为少傅。费无忌诬太子建，殃及伍奢、伍尚，二人惨遭平王杀戮。伍员与太子建逃奔于宋、郑等国。后因郑定公杀太子建，伍员又逃往吴国，为吴国建立了大功。②逋窜：逃窜。③折不测之楚：摧折了强大的楚国。不测，深不可测，谓极为危险。④仇执耻雪：抓捕了仇人，为父兄洗雪了冤屈。据《史记·伍子胥列传》载，伍子胥攻破郢都后掘开楚平王墓，鞭之三百。⑤毕谏于所事：伍子胥出于对吴王的忠诚不断进谏。但因吴国太宰伯嚭嫉妒伍子胥，在吴王面前进了谗言，于是吴王赐子胥自经。⑥管夷吾、臧武仲：管夷吾，齐国宰相管仲。《论语·宪问》载孔子说：管仲为相，使齐国称霸诸侯，民到于今受其赐，如果没有管仲，我们大概还处在蛮荒状态呢。臧武仲，春秋时鲁国大夫臧孙纥。⑦康定二年：公元1041年。这一年王安石23岁，赴汴京参加礼部会试。路过胥山，谒伍子胥庙。⑧子胥之祠不徙不绝：《旧唐书·狄仁杰传》载，狄仁杰被命为江南宣抚使，奏毁淫祠一千七百多所，独留夏禹、吴太伯、季札、伍员四祠。⑨乐安蒋公为杭使：乐安人蒋堂为杭州知州。按：据胡宿所写的蒋堂神道碑，蒋堂为江苏宜兴人。这里指蒋堂的郡望。唐代乐安郡，在今山东惠民县南。⑩烈烈：谓功业显赫。⑪穷通：指仕途的困厄与显达。⑫册臣：即"策臣"，参与谋议国策的重臣。⑬厥废不遂：谓伍子胥遭到谗害，不能得遂其志。⑭邑都俄墟：指吴国后来为越国所灭，都城变成了一片废墟。被伍子胥不幸而言中。⑮渠渠：深广之貌。

[译文]

　　我看到伍子胥仓皇出逃，九死一生，以客居外国的孑然一身，最终说服吴王，攻破了胜负难料的楚国，鞭仇人之尸，为父兄雪耻，威名震于天下，难道还不算壮烈吗？等到他自身面临危险和疑忌之时，能以慷慨之气不顾万死，恪尽职守尽言直谏，这样的志向，和那些保全自身只求眼前之利的人何其不同。孔子论古代的士大夫，如管夷吾、臧武仲之类，只要是能够有志于行善并且有补于当世的，都不摈弃。既然如此，那么伍子胥的凛然大义，又怎能不加赞扬呢？康定二年，我途经那座叫做胥山的山，在子胥庙周围走了好几圈，感叹吴国灭亡一千多年，其遗迹已经颓败毁坏湮灭无闻的数不胜数，只有伍子胥祠既没有迁移也没有毁坏，这是何等的盛事！岂止是神灵助吴使之兴起，或许也是由于伍子胥的气节能感动后世，而其爱留在吴地尤其多啊。此后九年，乐安蒋公堂来守杭州，该州之民齐心协力修缮庙宇，而我为此庙书写铭文。

壮烈无比的伍子胥，再生于穷通之关键时刻。终于成为吴国的议政重臣，奋然尽忠不图自身的富贵。想当年你的谏议与君合谋策大可行，才出现了强盛不可侵犯的吴国。一旦遭到疑忌大志难成，吴国的都城很快变成了一堆废墟。凭着超人的智慧却死在昏君手下，论其忠诚则绰绰有余。就在胥山的半坡，殿屋深广而肃穆。经历千年的祠宇，竟然如同建祠时一样雄壮。是谁将这祠庙修葺一新？百姓相互劝励争先恐后。只有忠诚才能受到后人的怀念，只有孝心才能得到后人的认同。我为这座庙宇书写铭文，昭示后来人以为佐证。

上仁宗皇帝言事书①（节选）

臣愚不肖，蒙恩备使一路②，今又蒙恩召还阙廷，有所任属③，而当以使事归报陛下，不自知其无以称职，而敢缘使事之所及，冒言天下之事，伏惟陛下详思而择其中，幸甚！

臣窃观陛下有恭俭之德④，有聪明睿智之才，夙兴夜寐，无一日之懈，声色狗马观游玩好之事，无纤介之蔽，而仁民爱物之意，孚于天下，而又公选天下之所愿以为辅相者⑤，属之以事，而不贰于谗邪倾巧之臣⑥，此虽二帝三王之用心⑦，不过如此而已，宜其家给人足，天下大治。而效不至于此，顾内则不能无以社稷为忧，外则不能无惧于夷狄，天下之财力日以困穷，而风俗日以衰坏，四方有志之士，諰諰然常恐天下之久不安⑧，此其故何也？患在不知法度故也。

今朝廷法严令具，无所不有，而臣以谓无法度者，何哉？方今之法度，多不合乎先王之政故也。孟子曰："有仁心仁闻，而泽不加于百姓者，为政不法于先王之道故也。"⑨以孟子之说，观方今之失，正在于此而已。

夫以今之世，去先王之世远，所遭之变，所遇之势不一，而欲一二修先王之政⑩，虽甚愚者，犹知其难也。然臣以谓今之失，患在不法先王之政者，以谓当法其意而已。夫二帝、三王，相去盖千有余载,一治一乱,其盛衰之时具矣。其所遭之变,所遇之势亦各不同,其施设之方亦皆殊,而其为天下国家之意,本末先后,未尝不同也。臣故曰:当法其意而已。法其意,则吾所改易更革,不至乎倾骇天下之耳目,嚣天下之口⑪,而固已合乎先王之政矣。

虽然,以方今之势揆之⑫,陛下虽欲改易更革天下之事,合于先王之意,其势必不能也。陛下有恭俭之德,有聪明睿智之才,有仁民爱物之意,诚加之意,则何为而不成,何欲而不得?然而臣顾以谓陛下虽欲改易更革天下之事,合于先王之意,其势必不能者,何也?以方今天下之人才不足故也。

[题解]

嘉祐五年,王安石担任三司度支判官时,给仁宗皇帝上了这篇倾尽心血写成的《上仁宗皇帝言事书》,详细地陈述了希望变革时政的强烈要求。当时已值仁宗晚年,疾病缠身,又膝下无子,忙于选立宗室子弟为太子,所以对这篇议论没有给予更多的关注。但神宗初期由王安石主持的熙宁变法,则基本上是根据这个思路进行的。文章先列举了当今之弊,进而提出克服这些弊端的唯一方法,就是大张旗鼓地进行政治、经济的全方位改革。文章笔力强劲,说理透辟,气势如虹,至为感人,历来被认为是议论文中的佳作。

[注释]

①仁宗皇帝:赵祯,是真宗唯一的儿子。在位42年,以仁为本,是宋朝最仁爱的帝王之一。庆历年间,他曾召杜衍、韩琦、富弼、范仲淹等人陈述改革方案并付诸实施,终因保守派强烈的反对,改革很快归于失败。嘉祐元年,仁宗突发急病,险些过世。此后一直为继承人的事劳费心力,无暇再顾变革之事。②备使一路:王安石于嘉祐三年二月,自常州知州改任提点江南东路刑狱。宋代中央之下设路,各路设经略安抚使、转运使、提点刑狱、提举常平等官,称为路分官,亦称为使臣。③召还阙廷,有所任属:此言王安石自江东提刑召回京师,担任三司度支判官。任属,新的任命。④陛下有恭俭之德:据《宋史·仁宗纪》载,仁宗一生恭俭仁恕,一遇水旱,或密祷于禁庭之内,或

光脚站立在殿庭之下,以示对天的虔诚。凡死刑犯有疑点者,皆令上报,每岁常活一千余人。⑤公选天下之所愿以为辅相者:公选,合于公心的选拔。此句所言即杜衍、富弼、范仲淹等人。⑥不贰于谗邪倾巧之臣:不被那些奸邪小人所离间。贰,不专一。⑦二帝三王:二帝,指尧、舜。三王,指夏禹、商汤、周文王。⑧愬(xǐ)愬然:担心害怕的样子。⑨"有仁心仁闻"三句:出自《孟子·离娄上》。原句云:"今有仁心仁闻,而民不被其责,不可法于后世者,不行先王之道也。"意思是说虽有仁爱之心和仁爱之誉,百姓却得不到恩泽,他的政治也不能成为后世典范者,是因为没有实行前代圣王之道的缘故。⑩一二修先王之政:把先王施行过的政令拿到今天,哪怕只是一少部分,也很难推行下去了。⑪嚣天下之口:即"使天下人之口嚣",意思是令天下之人开口大叫。⑫揆(kuí):揣度。

[译文]

臣愚钝不肖,蒙受洪恩备使于一路,如今又蒙圣恩召回朝廷,授予新的官职,理当先把出使的职事向陛下汇报。对于自己平平的治迹尚且缺乏自知之明,而又斗胆根据出使所见所闻,贸然议论天下大计,唯望陛下仔细思量而在其中选择可行之事,臣便深感荣幸了!

臣私下得见陛下具有谦恭节俭的美德,具有聪明睿智的才能,夙兴夜寐,没有一天稍稍懈怠,音乐、美色、田猎、游赏、珍宝、玩好等事,没有丝毫可以遮蔽陛下之心,而爱养人民珍惜物力的仁德,早已为天下士民所熟知,进而又出以公心拣选天下士民拥护的大臣担任宰辅卿相,把治理国家的大任交给他们,绝不接受谗佞奸邪的小人挑拨,即使是尧、舜、禹、汤、周文王为天下所尽的心思,也不过如此罢了。按照情理来说应该出现家给人足、天下大治的局面,然而治效却并没有达到二帝三王时期的程度,所以在内不能没有江山社稷方面的忧虑,对外也不能做到不惧怕南蛮北狄,天下的财力一天比一天艰难困窘,社会风俗一天比一天败坏,四面八方的有志之士总是忧心忡忡,时常害怕天下不能长治久安,这究竟是什么缘故呢？问题出在没有真正理解什么叫法度。

如今朝廷制定的法令既森严又完备，几乎无所不包，而臣还是要说如今没有真正意义上的法度，为什么这么说呢？是因为当今的所谓法度，大多数已经不合于先王政治的缘故。孟子曾说："具有仁爱之心和仁爱的名声，但恩泽并没有加到百姓身上，是因为他为政没有效法先王之道的缘故。"拿孟子的说法来看当今的缺失，问题恰恰也出在这上面。

当今的世道，离先王为政的时代已经很久远，所遇到的问题和变化，所遇到的新矛盾也不完全相同。如果想把先王施行过的零散政令拿到今天来施行，即使是再愚钝的人，也会明白那是难上加难的。然而臣认为当今政治的缺失，问题出在不尊奉先王之政，而臣所说的，是效法先王圣政的精髓而已。二帝和三王本身也相隔一千多年，一个是治世，一个是乱世，盛世和衰世都具备了。他们所遭遇的问题和变化，所遇到的矛盾也各不相同，他们采取的应对之策也有极大的差异，而他们治理天下国家的用心、措施的轻重先后却没有太多的不同。所以臣说：应当效法先王圣政的精髓而已。抓住他们政令的精髓，那么我朝所进行的种种变革，就绝不至于使天下人民感到惊骇，使天下人民怨声载道，而从根本上合乎先王施行的圣政。

话虽然这么说，以当今国家的形势来揣度，纵然陛下想要改革变动天下的大格局，使当今政治合于先王时期的政治，也肯定是做不到的。陛下具有谦恭节俭的美德，具有聪明睿智的才能，又有爱养人民珍惜物力的仁德，什么事情做不到？什么愿望不能实现？然而臣认为陛下想要改革变动天下的大格局，使当今政治合于先王时期的政治，肯定是做不到的原因究竟是什么呢？乃是因为当今天下人才过于缺乏的缘故。

臣尝试窃观天下在位之人①，未有乏于此时者也。夫人才乏于上，则有沉废伏匿在下②，而不为当时所知者矣。臣又求之于间巷草野之间，而亦未见其多焉。岂非陶冶而成之者非其道而然乎？臣以谓方今在位之人才不足者，以臣使事之所及，则可知矣。今以一路数千里之间，能推行朝廷之法令，知其所缓急，而一切能使民以修其职事者甚少，而不才苟简贪鄙之人，至不可胜数。其能讲先王之意以合当时之变者，盖阖郡之间③，往往而绝也。朝廷每一令下，其意虽善，在位者犹不能推行，使膏泽加于民，而吏辄缘之为奸，以扰百姓。臣故曰：在位之人才不足，而草野间巷之间，亦未见其多也。夫人才不足，则陛下虽欲改易更革天下之事，以合先王之意，大臣虽有能当陛下之意而欲领此者，九州之大，四海之远，孰能称陛下之旨④，以一二推行此，而人人蒙其施者乎⑤？臣故曰：其势必未能也。孟子曰："徒法不能以自行。"⑥非此之谓乎？然则方今之急，在于人才而已。诚能使天下之才众多，然后在位之才可以择其人而取足焉。在位者得其才矣，然后稍视时势之可否⑦，而因人情之患苦，变更天下之弊法，以趋先王之意，甚易也。今之天下，亦先王之天下。先王之时，人才尝众矣，何至于今而独不足乎？故曰：陶冶而成之者非其道故也。

商之时，天下尝大乱矣。在位贪毒祸败，皆非其人。及文王之起，而天下之才尝少矣。当是时，文王能陶冶天下之士，而使之皆有士君子之才，然后随其才之所有而官使之。《诗》曰："岂弟君子，遐不作人。"⑧此之谓也。及其成也，微贱兔罝之人⑨，犹莫不好德，《兔罝》之诗是也⑩，又况于在位之人乎？夫文王惟能如此，故以征则服，以守则治。《诗》曰："奉璋峨峨，髦士攸宜。"⑪又曰："周王于迈，六师及之。"⑫言文王所用，文武各得其才，而无废事也。及至夷、厉之乱⑬，天下之才，又尝少矣。至宣王之起⑭，所与图天下之事者，仲山甫而已⑮。故诗人叹之曰："德辑如毛，维仲山甫举之，爱莫助之。"⑯盖闵人才之少⑰，而山甫之无助也。宣王能用仲山甫，推其类以新美天下之士，而后人才复众。于是内修政事，外讨不庭⑱，而复有文、武之境土。故诗人美之曰："薄言采芑，于彼新田，于此菑亩。"⑲言宣王能新美天下之士，使之有可用之才，如农夫新美其田，而使之有可采之芑也，由此观之，人之才，未尝不自人主陶冶而成之者也。

[注释]

①在位之人：指当朝的宰辅重臣。②沉废：意谓杰出人才被埋没在下层，不被重用。③阊郡之间：全郡之内。④称陛下之旨：忠实地按照皇帝的意旨贯彻施行。⑤蒙其施：得到帝王所施与的恩惠。⑥徒法不能以自行：出自《孟子·离娄上》。原句云："徒善不足以为政，徒法不能以自行。"意谓没有得力的人去推行贯彻，再好的法令也不会自行产生效果。⑦稍：逐渐。⑧"岂弟君子"二句：出自《诗经·大雅·旱麓》："鸢飞戾天，鱼跃于渊。岂弟君子，遐不作人。"高亨注解说："遐，通'何'。作人，造就、培养人才。"意思是有平易温厚的君子，何不把他们培养成人才。⑨兔罝（jū）：指在野的贤人。又指武夫。这里用后者之义。罝，捕兔的网。⑩《兔罝》：出自《诗经·周南·兔罝》篇："肃肃兔罝，椓之丁丁。赳赳武夫，公侯干城。"⑪"奉璋峨峨"二句：出自《诗经·大雅·棫朴》。奉璋，臣下朝见国君时所捧的玉器。髦士，英俊之士，指周王之大臣。攸宜，所宜。⑫"周王于迈"二句：出自《诗经·大雅·棫朴》。于迈，巡行之意。于，词前缀，无义。六师，周天子所统六军之师。周制以一万二千五百人为一师。⑬夷、厉之乱：据《史记·周本纪》载，周夷王崩逝后，其子厉王胡即位。厉王暴虐侈傲，国人非常痛恨他。召公屡屡劝谏，厉王不听，于是国人不敢出言，道路以目。三年，天下叛厉王，厉王出奔于彘。⑭宣王之起：据《史记·周本纪》载，召公和周公二相辅政，称为"共和"。共和十四年，厉王死于彘。太子静长于召公家，二

相乃共立太子静为王,即周宣王。宣王即位后,二相辅佐他,法文、武、成、康之遗风,诸侯遂重新尊周。⑮仲山甫:周宣王时的卿士。宣王有过错,仲山甫屡次劝谏,遂辅佐宣王成就了中兴之业。⑯"德輶如毛"三句:出自《诗经·大雅·烝民》:"人亦有言:德輶如毛,民鲜克举之。我仪图之,维仲山甫举之,爱莫助之。"意思是说德并不难举,仲山甫举之,可惜得不到众人的协助。⑰闵:通"悯",哀悯。⑱不庭:不朝于王庭的异邦。⑲"薄言采芑"三句:出自《诗经·小雅·采芑》。薄言,语助词,无义。芑,野菜名。新田,新垦殖的田地。菑亩,初耕的田地。

[译文]

　　臣曾经私下里考究朝廷当中的重臣,没有比当今更加匮乏的了。上层的人才匮乏,那就一定会有被埋没在底层而不能为当时所知道的贤者。臣也曾亲自到间巷草野之中寻访贤人,也没有发现多少。这难道不是因为国家培育人才的途径发生了偏差吗?臣所以说当今朝廷重臣十分匮乏,拿臣出使外路的所见所闻,就能知道个大概了。如今一路纵横千里之广,能够认真推行朝廷法令,熟知政令缓急,而让一切政令都能使百姓勤于各自职事的官员太少了。而缺乏才干、得过且过又贪婪卑鄙的人,却多得数不胜数。其中能够讲论先王为政用心以符合当世变化的,往往一个州郡当中,也找不到一个。朝廷每降下一道诏命,本意虽然很好,身为宰辅的人尚且不能忠实执行,使朝廷的仁德真正施加在百姓身上,而猾吏们则可以乘机肆意为奸,以此侵扰百姓。所以臣说:朝廷高层人才匮乏,即使在草野间巷当中,也见不到几个贤者。人才匮乏,那么陛下即使是想改革变动天下的大格局,使当今政治合于先王时期的政治,大臣当中即使有能理解陛下心意并且希望去加以实施的,九州如此之大,四海如此之远,谁能真切领会陛下的本意,哪怕只推行其中一小部分,使人民能领受到陛下的恩惠呢?所以臣才说:按现在的局面肯定是做不到的。孟子说:"没有得力的人去推行贯彻,再好的法令也不会自行产生效果。"不正是说的这种情况吗?既然如此,那么当今最为急切的事,就在于培养人才。假如能使天下的人才大量增加,宰辅重臣那样的大贤就有了充分挑选的余地。宰辅重臣具有超人的才干,然后再相机审度时势,了解民众对哪些政令感到困苦,再去变革那些弊端丛生的旧法,使之尽可能合于先王治理天下的本心,就很容易了。如今的天下,也同样是先王时那个天下。先王治理的时候,曾拥有相当多的人才,为什么到了今天却感到不够用呢?所以说:是培养涵育人才的方法和途径上出现了问题。

商朝的时候,天下曾经大乱。身居高位者贪婪腐败,几乎找不到一个贤人。直到周文王兴起时,天下的人才还是少得可怜。那时候,周文王能够培养涵育天下的士子,使他们都具有君子的德行才干,之后再根据他们的长处授给他们官职。《诗经》中说:"有平易温厚的君子,何不把他们培养成人才。"说的正是这番道理。等到他们涵育成了人才,即便是身份微贱行伍作战的武夫,都没有一个不喜好仁德的,《兔苴》那首诗就是这个意思,更何况身居高位的宰辅呢?正因为文王能做到这一点,所以以此征伐则必然战胜,以此守成则必然大治。《诗经》说:"朝拜天子的国士如此之众,个个都是英俊之士。"又说:"周王出征伐崇,六军紧紧跟随。"是说文王所任用的人,文臣武将各得其才,没有一个敢于怠慢大事的。到了周夷王、周厉王那个混乱时代,天下的贤才又变得稀少了。直到周宣王即位,能够与宣王共图天下大事的,也只有仲山甫一人而已。所以诗人为此感叹说:"仁德轻得像羽毛一样,只有仲山甫将它举起,可惜没有人前来相助。"就是在哀叹人才太少,仲山甫得不到帮助。周宣王能重用仲山甫,以他为榜样来涵育陶冶与之相类的天下之士,而后人才重新多了起来。于是在内修明政事,对外讨伐叛逆,重新拥有了文王、武王时期的疆域。所以诗人赞美他说:"采集苦菜郊外行,那块田地新开成,这块田地是初耕。"是说周宣王能够陶冶培育天下的士子,使他们都有可用的才干,如同农夫把他们的田地耕种起来,使他们有可供采摘的菜蔬。从这些故事来看,人的才干,未尝不是由帝王来陶冶培育才最终成就的。

所谓陶冶而成之者何也?亦教之、养之、取之、任之有其道而已。

所谓教之之道何也?古者天子诸侯,自国至于乡党皆有学①,博置教导之官而严其选②。朝廷礼乐、刑政之事③,皆在于学。士所观而习者,皆先王之法言德行治天下之意④,其材亦可以为天下国家之用。苟不可以为天下国家之用,则不教也。苟可以为天下国家之用者,则无不在于学。此教之之道也。

所谓养之之道何也?饶之以财,约之以礼,裁之以法也。何谓饶之以财?人之情,不足于财则贪鄙苟得,无所不至。先王知其如此,故其制禄,自庶人之在官者,其禄已足以代其耕矣。由此等而上之,每有加焉,使其足以养廉耻,而离于贪鄙之行。犹以为未也⑤,又推其禄以及其子孙,谓之世禄⑥,使其生也。既于父子、兄弟、妻子之养,昏姻⑦、朋友之接,皆无憾矣;其死也,又于子孙无不足之忧焉。何谓约之以礼?人情足于财而无礼以节之,则又放僻邪侈⑧,无所不至。先王知其如此,故为之制度。婚丧、祭养、燕享之事⑨,服食、器用之物,皆以命数为之节⑩,而齐之以律度量衡之法⑪。其命可以为之,而财不足以具,则弗具也;其财可以具,而命不得为之者,不使有铢两分寸之加焉⑫。何谓裁之以法?先王于天下之士,教之以道艺矣,不帅教则待之以屏弃远方、终身不齿之法⑬。约之以礼矣,不循礼则待之以流、杀之法。《王制》曰:"变衣服者,其君流。"⑭《酒诰》⑮曰:"厥或诰曰:'群饮,汝勿佚。尽执拘以归于周,予其杀!'"夫群饮、变衣服,小罪也;流、杀,大刑也。加小罪以大刑，先王所以忍而不疑者，以为不知是不足以一天下之俗而成吾治。夫约之以礼，裁之以法，天下所以服从无抵冒者⑯，又非独其禁严而治察之所能致也，盖亦以吾至诚恳恻之心，力行而为之倡。凡在左右通贵之人⑰，皆顺上之欲而服行之，有一不帅者，法之加必自此始。夫上以至诚行之，而贵者知避上之所恶矣，则天下之不罚而止者众矣。故曰：此养之之道也。

所谓取之之道者何也？先王之取人也，必于乡党，必于庠序⑱，使众人推其所谓贤能，书之以告于上而察之。诚贤能也，然后随其德之大小、才之高下而官使之。所谓察之者，非专用耳目之聪明，而听私于一人之口也。欲审知其德，问以行；欲审知其才，问以言。得其言行，则试之以事。所谓察之者，试之以事是也。虽尧之用舜⑲，亦不过如此而已，又况其下乎？若夫九州之大⑳，四海之远㉑，万官亿丑之贱㉒，所须士大夫之才则众矣，有天下者，又不可以一二自察之也，又不可以偏属于一人，而使之于一日二日之间考试其行能而进退之也。盖吾已能察其才行之大者，以为大官矣，因使之取其类以持久试之，而考其能者以告于上，而后以爵命、禄秩予之而已㉓。此取之之道也。

所谓任之之道者何也？人之才德，高下厚薄不同，其所任有宜有不宜。先王知其如此，故知农者以为后稷㉔，知工者以为共工㉕。其德厚而才高者以为之长，德薄而才下者以为之佐属。又以久于其职，则上狃习而知其事㉖，下服驯而安其教，贤者则其功可以至于成，不肖者则其罪可以至于著㉗，故久其任而待之以考绩之法㉘。夫如此，故智能才力之士，则得尽其智以赴功，而不患其事之不终、其功之不就也。偷惰苟且之人，虽欲取容于一时，而顾僇辱在其后㉙，安敢不勉乎？若夫无能之人，固知辞避而去矣。居职任事之日久，不胜任之罪，不可以幸而免故也。彼且不敢冒而知辞避矣，尚何有比周、逸谄、争进之人乎㉚？取之既已详，使之既已当，处之既已久，至其任之也又专焉，而不一二以法束缚之，而使之得行其意，尧、舜之所以理百官而熙众工者㉛，以此而已。《书》曰："三载考绩，三考黜陟幽明。"㉜此之谓也。然尧、舜之时，其所黜者则闻之矣，盖四凶是也㉝。其所陟者，则皋陶、稷、契㉞，皆终身一官而不徙㉟。盖其所谓陟者，特加之爵命、禄赐而已耳。此任之之道也。

夫教之、养之、取之、任之之道如此，而当时人君又能与其大臣悉其耳目心力㊱，至诚恻怛㊲，思念而行之㊳，此其人臣之所以无疑，而于天下国家之事，无所欲为而不得也㊴。

[注释]

①乡党：乡里。周制，一万二千五百家为乡，五百家为党。春秋时不同国度及不同时代建制也有所不同，此处泛指一个区域或一个行政区划。②博置：谓设置的数量很大。教导之官：教育学子的老师。严其选：谓自基层选拔人才十分严格。《周礼·地官·乡大夫》说："三年则大比，考其德行道艺，而兴贤者能者。"③礼乐、刑政：礼乐、礼节和音乐。先王以兴礼乐为手段达到尊卑有序、远近和合的统治目的。刑政，刑法政令。④先王：上古圣明的君王。法言：合乎礼法的言论。德行：道德品行。⑤犹以为未：尚且认为做得不够。⑥世禄：古代贵族世代享受爵禄的制度。⑦昏姻：即婚姻。昏，"婚"的古字。⑧放僻邪侈：胡作非为，违法乱纪。《孟子·梁惠王上》："无恒产而有恒心者，唯士为能。若民，则无恒产因无恒心。苟无恒心，放僻邪侈，无不为已。"孙奭疏解说："苟无常善之心，则放僻邪侈之事，无有不为。"⑨燕享：饮宴臣下或宾客。燕，通"宴"。⑩命数：爵位或官职的品级。⑪律度量衡：古代乐律、长度、体积、重量等的统一标准。《后汉书·律历志》说："体有长短，检以度；物有多少，受以量；量有轻重，平以权衡；声有清浊，协以律吕。"⑫铢两：古代重量单位。一两等于二十四铢。⑬帅教：遵循教导。屏弃远方：流放到荒远之地。终身不齿：终生不再承认他的贵族身份。⑭《王制》：《礼记》中的篇名。变衣服者，其君流：此句《礼记·王制》原文为：

"变礼易乐者为不从，不从者君流。革制度衣服者为畔，畔者君讨。"孔颖达注解说："礼乐虽是大事，非是切急所须，故因为不从君，惟流放。制度衣服便是政治之急，故以为畔君，须诛讨。"⑮《酒诰》：《尚书·周书》中篇的名字。这几句意思是说民众群聚饮酒，不听从君王之命，则可以收捕他们。执拘群饮者归于京师，择其罪重者杀之。⑯抵冒：抵制触犯。⑰通贵：通达富贵。古代称仕途顺畅为通，仕途坎坷为穷。⑱庠序：古时地方学校，此处特指乡学。《孟子·滕文公上》说："夏曰校，殷曰序，周曰庠，学则三代共之，皆以明人伦也。"意思是夏代称学校为校，商代称为序，周代称为庠，而"学"则是三代共同的称呼。⑲尧之用舜：《史记·五帝本纪》载，帝尧年老得舜，试之三年，才让他登上帝位。⑳九州：旧时称天下总为九州。据《尚书·禹贡》载，禹别九州，冀州既载，壶口至梁及岐，济河惟兖州，海岱惟青州，海岱及淮惟徐州，淮海惟扬州，荆及衡阳惟荆州，荆河惟豫州，华阳黑水惟梁州，黑水西河惟雍州。关于九州的记载，古书互有异同，《尔雅·释地》有幽州、营州而无青州、梁州；《周礼·夏官·职方氏》有幽州、并州而无徐州、梁州。㉑四海：四邻异域。《尔雅·释地》称："九夷、八狄、七戎、六蛮，谓之四海。"㉒万官亿丑：意谓天下官有十万类属。《国语·楚语下》说："五物之官，陪属万为万官。官有十丑，为亿丑。"韦昭注解说："丑，类也。以十丑乘万为十万。十万曰亿，古数也。今以万万为亿。"㉓爵命：封爵受职。周制，诸侯分公、侯、伯、子、男五等爵；一命至九命共九阶。㉔后稷：周的先祖，名弃，虞舜时担任农官，教民耕稼，称为"后稷"。㉕共工：古官名。《尚书·舜典》说："帝曰：'俞，咨垂，汝共工。'"孔安国注解说："共，谓供其职事。"《史记·五帝本纪》载："以垂为共工。"裴骃集解说："为司空，共理百工之事。"㉖狃习：熟悉，习惯。㉗不肖：不成材器，力不胜任。㉘考绩：考核官员为政的业绩。㉙僇辱：即戮辱，刑辱。僇，通"戮"，杀。㉚比周：结党营私。争进：不择手段地谋取官职。㉛熙众工：使百官各尽其力，各守其职。熙，兴盛，兴起。㉜"三载考绩"二句：出自《尚书·舜典》。孔安国注解说："三年有成，故以考功。九岁，则能否、幽明有别，黜退其幽者，升进其明者。"幽明，指善恶、贤愚。㉝四凶：尧舜时期的四个凶族。《尚书·舜典》载："流共工于幽州，放驩兜于崇山，窜三苗于三危，殛鲧于羽山。"

㉞皋陶、稷、契：皋陶，字庭坚，舜的大臣。明五刑，弼五教，天下以治。稷，名弃，见前注㉔。契，相传为帝喾之子，舜时佐禹治水有功，任为司徒，封于商。㉟终身一官而不徙：一辈子只当一个官，没有改任。㊱与其大臣悉其耳目心力：和他的大臣们用尽全部身心之力。㊲恻怛（dá）：哀悯之心。怛，悯。㊳思念而行之：认真反复地考虑之后才行动。㊴无所欲为而不得：想做的事情没有做不到的。

[译文]

所谓陶冶培育而成人才究竟是什么意思呢？也不过是说教育他们、涵养他们、取用他们、任用他们一定要有原则，如此而已。

所谓教育他们是怎么一番道理呢？古时候天子和各国诸侯，自都城到乡党都设有学校，设置相当数量的教育官员，拣选人才的条件十分严格。朝廷的礼仪音乐、刑法政令等事，都要到学校里去学习。士子们观摩和诵习的课程，都符合上古贤明君王用合乎礼法的言论、高尚的道德品行治理天下的心意，他的才干也就可以为天下国家所取用了。如果不能为天下国家所取用，也就无须教育他们。那些能够为天下国家所取用的人，没有一个不是学校培养教育出来的。这是教育培养人才的最根本途径。

所谓涵养他们是怎么一番道理呢？给他们相当数量的财货，用礼仪严格地约束他们，用法律来制裁他们。什么叫给他们相当数量的财货？按人之常情来说，财货不足以取用，必然会贪渎卑鄙苟且无德，什么事情都做得出来。前代圣王知道人情如此，所以制定他们的俸禄标准，从一般士子到当官的人，给他的俸禄足以超出他耕种所得。由最低一等逐渐增多，每一等级都有提高，使他们足以懂得什么叫廉耻，自觉远离贪渎卑鄙的行为。这还不算到顶，还要把他们的俸禄推及他们的子孙身上，叫做世有其禄，使他们的子孙也能够生存下去。在对父母赡养、兄弟急难、妻子抚养，以及婚姻、朋友等交接应酬上面都没有捉襟见肘的遗憾；他们死了以后，他们的子孙也没有不够生活的担忧。什么叫用礼仪严格地约束他们？按照人之常情，财货丰足后如果没有礼仪来约束他们，那又会放纵性情奸邪奢侈，什么坏事都能干出来。前代圣王知道人情如此，所以又为他们规定了仪制法度。婚礼丧礼、祭祀赡养、燕享宾朋等事，衣服饮食、器物用具等物，都用等级爵位作出区别，并将律、度、量、衡统一起来作为依据。其爵命可以达到，而财货不足以达到标准的，也可以不达到；其财货可以达到标准，而爵命不能达到的，不能有一铢一两一分一寸的增加。什么叫用法律来制裁他们？前代圣王对于天下的士子，既然已经把道德技艺都教给了他们，再不遵从教诲，那还有将他流放到远方、终生不再将他看做士类的法度随其后。既然已经用礼仪对他们进行了约束，如果不遵循礼仪，就会有流放、诛杀等刑罚来制裁他们。《礼记·王制》篇中说："改变衣服形制的，其君主可判流放之刑。"《尚书·酒诰》篇说："已经有人告诉过你们：'发现聚众豪饮的，你们不要放纵他们。可全部逮捕他们押送到都城，我将杀死他们！'"其实聚众豪饮、改变衣服形制仅仅是小罪；而流放、诛杀却是很重的刑罚。把重刑加到犯小罪的人身上，前代圣王之所以必须要这么做而毫不迟疑，是因为他们觉得不明白这些基本规矩，就无法统一天下风俗而形成大治的局面。用礼仪进行约束，用刑罚加以制裁，使天下士民服从而不敢抵制冒犯，又并非只有严厉禁绝并严密监视能够做到的，也还需要帝王有真诚恳切不想用刑的仁爱之心，身体力行而作为万民的榜样。凡是帝王身边通达显贵的，都必须承顺帝王的意志而服从帝王的命令，有一个违逆的人，刑罚一定要首先加到他身上。帝王本身以至诚之心行事，显贵重臣就会知道如何避开帝王憎恶之事，天下士民不须惩治自觉不去做坏事的人就会很多。所以说：这就是涵养士子的大道理。

所谓取用他们是怎么一番道理呢？前代帝王取用人才，一定要从乡间进行挑选，一定要在学校里进行选拔，让众人来推举他们认为贤能的人，并把被推举的人写在书简上呈交给天子，再由天子认真考察。天子认为他们的确是贤能之人，然后再根据他们德行的大小、才能的高低来分别任用他们。所谓考察，不能仅靠天子一人的耳聪目明，也不能仅仅听取他们个人的陈述。要考察他们的德行，就要了解他们如何行事；要考察他们的才干，就要了解他们有什么样的言论。了解了他们的言与行，就可以给他们一些具体职事加以测试了。所谓考察人才，就是指给他们一些具体职事加以测试。即使是帝尧任用虞舜，也无非是采用这样的办法而已，更何况是其他人呢？像九州这样广大，四海这样辽远，天下大小官吏有成万成十万的类属，需要的士子大夫数量是相当大的，作为帝王天子，不可能逐一亲自去考察他们，又不可能片面地嘱托给一两个人，要求他们在一两天之内考试士子的品行才能并对他们进行迁擢和贬退。帝王天子已经考察了那些才干超群、品行卓著的人，任命他们担任了高官，进而命这些高官去选择其同类，长时间地试用他们，选出他们当中那些卓有能力的人呈报给天子，然后赐给他们爵位和利禄。这就是所谓取用人才的道理。

所谓任用他们是怎么一番道理呢？人的才干德行，高低厚薄各不相同，他担任什么职务有合适也有不合适。前代圣王了解这一点，所以懂得农业的成为了后稷，懂得制作的成为了共工。那些德行高迈而才干超群的就命他们担任主要长官，德行浅薄、才能低下的就命他们担任长官的僚属。又因为长久地任职，那么长官容易熟悉环境和职事，属吏容易驯服而安心听从教令。贤能的人，他的功业容易至于成功，不贤能的人，他的过错也容易充分暴露，所以使他们长期任职，并制定出考课功过的条法。因为有这样细致的考课条法，所以贤能睿智有才干有风力的人，就可以发挥其智慧去完成他负责的那份职事，而不用担心其职事没有结果、其功劳没有成就。而那些懒惰偷安得过且过的人，即使想在短时间内得到朝廷的宽容，也须明白这样下去羞辱就会紧随其后，还敢不自励自勉吗？其中那些实在无能的人，肯定懂得辞去职位离开朝廷。担任职务时间久了，因为力不胜任所犯的过错，也必能使之侥幸而免于处罚，他就不敢贪图荣耀冒于进取，而明白他力不胜任，应该辞去官职了，哪里还会有结党营私、奸谀谄媚、躁于仕进的人呢？取用他们的条文已经详密，驱使他们的方法已经妥当，让他们长期居于某职，同时任使的事务也比较单纯，无须事事用法令束缚他们，使他们能够按照自己的意见去处理事务。尧、舜之所以能够统理百官而而使他们各尽其力，不过靠这些办法而已。《尚书》中说："三年一次考核，三考决定对贤明者和怠惰者的升迁和贬黜。"说的就是这番道理。在尧、舜的时代，他们贬黜的人我们得以闻知，就是所谓的"四凶"；他们奖拔的人，则有皋陶、稷和契，这几个人都是一辈子担任同一职务而不迁改。他们的所谓升迁，只是提高爵位增加命数、俸禄和赏赐而已。这就是所谓任用他们的道理。

教育他们、涵养他们、取用他们、任用他们的道理就是这样，而那个时期的圣君又能和他的臣子们一道不辞劳苦、尽心尽力，心存真诚和仁爱，凡事三思而后行，他的臣子们便可以心无疑忌，那么天下国家的任何事情，没有想要做而做不到的。

上本朝百年无事札子

臣前蒙陛下问及本朝所以享国百年①，天下无事之故，臣以浅陋，误承圣问②，迫于日暮③，不敢久留，语不及悉④，遂辞而退。窃惟念圣问及此⑤，天下之福，而臣遂无一言之献，非近臣所以事君之义，故敢昧冒而粗有所陈。

伏惟太祖躬上智独见之明⑥，而周知人物之情伪⑦。指挥付托⑧，必尽其材；变置施设⑨，必当其务⑩。故能驾驭将帅，训齐士卒⑪，外以捍夷狄，内以平中国⑫。于是除苛赋，止虐刑，废强横之藩镇⑬，诛贪残之官吏，躬以简俭为天下先⑭。其于出政发令之间，一以安利元元为事⑮。太宗承之以聪武⑯，真宗守之以谦仁⑰，以至仁宗、英宗⑱，无有逸德⑲。此所以享国百年而天下无事也。

仁宗在位，历年最久。臣于时实备从官⑳，施为本末㉑，臣所亲见，尝试为陛下陈其一二，而陛下详择其可，亦足以申鉴于方今㉒。

伏惟仁宗之为君也㉓，仰畏天，俯畏人㉔，宽仁恭俭，出于自然㉕。而忠恕诚悫㉖，终始如一，未尝妄兴一役，未尝妄杀一人。断狱务在生之㉗，而特恶吏之残扰㉘；宁屈己弃财于夷狄，而终不忍加兵。刑平而公，赏重而信，纳用谏官御史[29]，公听并观[30]，而不蔽于偏至之谗[31]；因任众人耳目，拔举疏远[32]，而随之以相坐之法[33]。盖监司之吏[34]，以至州县，无敢暴虐残酷，擅有调发[35]，以伤百姓。自夏人顺服[36]，蛮夷遂无大变。边人父子夫妇得免于兵死，而中国之人安逸蕃息，以至今日者，未尝妄兴一役，未尝妄杀一人，断狱务在生之，而特恶吏之残扰；宁屈已弃财于夷狄，而不忍加兵之效也[37]。大臣贵戚，左右近习[38]，莫敢强横犯法，其自重慎，或甚于闾巷之人[39]，此刑平而公之效也。募天下骁雄横猾以为兵[40]，几至百万，非有良将以御之，而谋变者辄败[41]。聚天下财物，虽有文籍[42]，委之府史[43]，非有能吏以钩考[44]，而欺盗者辄发；凶年饥岁，流者填道，死者相枕，而寇攘者辄得[45]；此赏重而信之效也。大臣贵戚，左右近习，莫能大擅威福，广私货赂，一有奸慝[46]，随辄上闻，贪邪横猾虽间或见用[47]，未尝得久，此纳用谏官御史，公听并观，而不蔽于偏至之谗之效也。自县令京官，以至监司台阁[48]，升擢之任，虽不皆得人[49]，然一时之所谓才士，亦罕蔽塞而不见收举者[50]，此因任众人之耳目，拔举疏远，而随之以相坐之法之效也。升遐之日[51]，天下号恸，如丧考妣[52]，此宽仁恭俭，出于自然，忠恕诚悫，终始如一之效也。

然本朝累世因循末俗之弊[53]，而无亲友群臣之议；人君朝夕与处，不过宦官女子；出而视事，又不过有司之细故[54]；未尝如古大有为之君，与学士大夫讨论先王之法，以措之天下也[55]。一切因任自然之理势[56]，而精神之运[57]，有所不加；名实之间，有所不察。君子非不见贵，然小人亦得厕其间[58]；正论非不见容，然邪说亦有时而用。以诗赋记诵求天下之士[59]，而无学校养成之法[60]；以科名资历叙朝廷之位[61]，而无官司课试之方[62]。监司无检

上本朝百年无事札子　37

察之人，守将非选择之吏。转徙之亟㊿，既难于考绩，而游谈之众㊿，因得以乱真。交私养望者㊿，多得显官；独立营职者㊿，或见排沮。故上下偷惰，取容而已㊿，虽有能者在职，亦无以异于庸人。农民坏于繇役㊿，而未尝特见救恤；又不为之设官，以修其水土之利。兵士杂于疲老㊿，而未尝申敕训练㊿；又不为之择将，而久其疆场之权㊿。宿卫则聚卒伍无赖之人㊿，而未有以变五代姑息羁縻之俗㊿；宗室则无教训选举之实㊿，而未有以合先王亲疏隆杀之宜㊿。其于理财，大抵无法，故虽俭约而民不富，虽忧勤而国不强。赖非夷狄猖炽之时㊿，又无尧汤水旱之变，故天下无事，过于百年。虽曰人事，亦天助也。盖累圣相继㊿，仰畏天，俯畏人，宽仁恭俭，忠恕诚悫，此其所以获天助也。

伏惟陛下躬上圣之质，承无穷之绪㊿，知天助之不可常恃，知人事之不可怠终㊿，则大有为之时，正在今日。臣不敢辄废将明之义㊿，而苟逃讳忌之诛㊿。伏惟陛下幸赦而留神㊿，则天下之福也。取进止㊿。

[题解]

这是作者在熙宁元年担任翰林学士时上的一篇札子。此时神宗皇帝刚刚即位，作者提出宋朝安定和平已达百年之久，积弊已经很深，必须尽快进行政治、经济等诸方面的全面改革。这是一篇非常有名的政论文，也是王安石下一步变法的重要理论依据。

[注释]

①享国：拥有天下。②误承圣问：即"谬承圣问"，意谓承蒙圣上发问。③迫于日昃：限于天色已晚。日昃，古代计时的立针，以投影计时间早晚。④语不及悉：回禀的话来不及细说。⑤及此：指神宗思考建国百年无大事的原因。⑥太祖：赵匡胤，宋代开国皇帝。躬：亲身具备。上智：超人的智慧。⑦周知：遍察。情伪：真情还是假意。⑧付托：托付、交待。指委任臣下做事。⑨变置施设：设官分职。变置，指改变前朝的制度而重新设立新制。⑩当

其务：合于当前形势的需要。⑪训齐士卒：用良好的训练手段使士卒齐心协力。⑫中国：中原诸侯。⑬藩镇：唐代各地设节度使，俗称为藩镇。唐代中叶以后，藩镇势力逐渐强大，除彼此之间时而发生战争火并之外，对唐王朝也敢于分庭抗礼。至唐末，实际的权力尽归于藩镇，终于亡唐，形成五代十国割据的局面。历经五代，各节度使仍手握兵权。赵匡胤采用宰相赵普的建议，借请诸镇将到御苑饮酒之机，劝他们交出兵权，颐养天年，史称为"杯酒释兵权"。⑭为天下先：做天下人的表率。⑮元元：天下百姓。⑯太宗：赵匡胤的弟弟赵光义。在位22年。聪武：聪睿圣武。⑰真宗：太宗之子赵恒，继太宗后为帝，在位25年。⑱仁宗：真宗之子赵祯，在位42年。英宗：太宗曾孙、濮王允让之子，继仁宗后为帝，在位不足四年。⑲逸德：放纵自己的恶德。⑳臣于时实备从官：仁宗时，王安石官直集贤院、同修起居注等职，是皇帝的侍从之臣。㉑施为本末：种种措施的原委本末。㉒申鉴：引为借鉴。㉓伏惟：古人奏札、书信中常用的套语，意为"我暗自考虑"。㉔仰畏天，俯畏人：上畏天命，下畏人事。意谓说话行事都须十分谨慎。㉕自然：本性。㉖诚悫（què）：诚实仁厚。悫，笃厚。㉗断狱：审决狱囚。生之：使之生，意思是能宽大就宽大，尽量不处以死刑。㉘特：尤其。残扰：残害骚扰百姓。㉙纳用：采纳听用。谏官御史：谏议之官和殿中侍御史，宋代称这两种官为天子耳目之官。㉚公听并观：公正地听取不同意见。㉛偏至：片面的、极端的。㉜疏远：遗于草泽的有德之士。㉝相坐之法：宋代官吏举荐制度规定：凡被举荐的官吏犯有过错罪责，举荐人须受连带处分。㉞监司：宋代各路置经略安抚使司、提点刑狱司、转运使司、提举常平司，这四司除各自常规职守之外，均负有某些方面的监察责任，总称为监司。㉟调发：调集粮草，征用民夫。㊱夏人顺服：西夏政权在宋初与宋王朝有磨擦，至仁宗庆历三年，西夏主元昊遣使请和，从此宋、夏间的战事宣告结束。㊲效：结果。㊳近习：活动在天子身边的宦官近侍。㊴甚于闾巷之人：比平民百姓更加谨慎畏法。㊵骁雄横猾：指横行乡里、负罪亡命、凶猛无羁的人。㊶谋变者辄败：凡有阴谋哗变者，很快就被平定。㊷文籍：登录财货的文书簿籍。㊸府史：衙门中的书吏。㊹钩考：核对、查验。㊺寇攘者：肆行抢劫的盗贼。㊻奸慝：邪恶污秽的行为。㊼间或见用：有时也会被提拔任用。㊽台阁：本指尚书台。宋代尚书省或置或否，而主管全国政务的机构为中书省。此处指中央最高机构的执政大臣。㊾得人：得到贤才，任人唯贤。㊿罕：很少有。不见收举：没有被荐举任用。(51)升遐：古称天子去世为升遐。(52)如丧考妣：好像是亲生父母死了一样悲恸。考，死去的父亲。妣，死去的母亲。(53)因循末俗：沿袭以前的陈规陋俗。(54)有司之细故：有关部门的具体事务。(55)措之天下：颁行于天下。(56)因任自然之理势：顺其自然，意谓对朝政往往因循旧习，没有必要的改革和变化。(57)精神之运：富有生气的改变现状的谋策。(58)得厕其间：得以厕身于其中。(59)以诗赋记诵求天下之士：用写诗作赋、记诵声韵为科举考试的标准，来搜求天下士子。王安石变法前，科举考试的主要内容是诗赋。(60)学校养成之法：指建立州县学，用儒家经典来教育士子。(61)科名：指科举考试的名分。资历：资格仕履。宋代官吏的升迁主要是根据任职资历考察磨勘。(62)课试：对政绩的考察。(63)转徙之亟：官吏调动过于频繁。(64)游谈之众：巧言善辩的人。(65)交私养望者：以行贿拉关系而扩大自己声望的人。(66)独立营职者：勤勤恳恳做好自己本职工作的人。(67)取容：取媚于人。(68)繇役：即徭役，封建社会中为官府无偿劳动的制度。繇，通"徭"。(69)杂于疲老：疾病、衰老的人也混杂在军队之中。宋代禁兵制度是终身制，一经入伍，便享受永久领取军饷的待遇。(70)申敕：申明、命令。(71)久其疆埸(yì)之权：长期授予指挥军队的权力。疆埸，边疆，此处泛指军队。宋代的军事将领经常轮换调动，所以造成"兵不知将，将不知兵"的局面。这样做虽然避免了个别将帅手握重兵要挟朝廷之弊，但却造成指挥失灵，大大削弱了军队的战斗力。(72)宿卫：京师的警卫部队。(73)姑息羁縻：迁就笼络。(74)宗室：皇族支系。教训选举：教育训导，通过严格程序从中选拔官吏。(75)亲疏隆杀：即根据血缘关系的远近而给予不同待遇的原则。隆，厚。杀，薄。《礼记·乡饮酒义》："隆杀之义辨矣。"郑玄注解说："尊者礼隆，卑者礼杀，尊卑别也。"宜：通"义"。(76)赖非夷狄猖炽之时：幸好赶上不是外敌猖狂进犯的时日。(77)累圣：历代圣君。(78)承无穷之绪：继承传于万代的皇业。(79)怠终：长期懈怠。(80)辄废：轻易地废止。将明之义：履行职责、阐明道理的义务。(81)苟逃：侥幸逃避。讳忌之诛：因触怒天子而受到责罚。(82)留神：留意于以上这番话。(83)取进止：听候圣裁。是古代大臣进奏时用于卷末的客套话。

［译文］

臣此前承蒙陛下问到本朝所以能够安享百年太平，天下没有大事的缘故，因为臣学识浅陋，谬承陛下询问，碍于时辰将晚，不敢长久逗留，故而来不及深入阐述，连忙告辞退下。私下深感陛下问到这些，真乃天下苍生莫大的福分，而臣竟然没有一句像样的话语献纳，这绝不是近侍之臣应该侍奉君王的态度，所以斗胆冒昧地献上一些粗浅的陈述。

臣以为当年太祖皇帝具有超群的智慧和独到的见解，又能详尽准确地把握臣下的所思所想。指挥属下、嘱托事务，务必使他们的才干得到充分的发挥；变更法令、设官分职，务必使所有措施都符合当时的需要。故而能够驾驭将帅，整训士卒，对外能使他们捍御强敌，在内能使他们平定天下。并及时地废除繁重的赋税，禁止使用残酷的刑罚，制服了飞扬跋扈的割据藩镇，诛杀贪渎残忍的大小官吏，提倡勤俭节约并且能够以身作则。每一项政令的发布，都要首先考虑是否对安抚百姓有利。太宗皇帝以聪明威武继承大位，真宗皇帝以谦和仁爱而为守成之君，直到仁宗、英宗两位皇帝，都没有出现放纵乱德的事。这就是宋朝能够安享百年太平没有出现大事的原因。

仁宗皇帝在位，经历的年头最久。臣当时担任着侍从之官，那时政令发布的前因后果，臣都是亲眼所见的，如今谨为陛下陈述一小部分，陛下可以仔细考虑而选择其中的可行之事，也足以对当今的政治有很好的指导借鉴作用。

仁宗皇帝作为一代君王，上敬畏天，下敬畏民，宽厚、仁慈、谦恭、节俭，完全是出于天性。而忠诚、仁恕、诚实、守信，数十年如一日，从没有胡乱兴发一桩徭役，从没有乱杀一个无辜。决断案件的本意从来都是希望能使罪犯活下来，尤其痛恨那些凶恶官吏对百姓的残害和侵扰；宁可委屈自己，把财货丢给南蛮北狄，始终不忍心发兵攻打。刑法宽平公道，赏赐厚重诚信，容许谏官和御史放心讲话，而且从不偏听偏信，也从不被偏颇无实的谗言所蒙蔽；

任用众多的耳目之官，擢拔任用那些没有背景和关系的人做官，并制定保举连坐的法律条文来规范他们。故而各路监司官员，下到一州一县，没有人敢对百姓暴虐残酷，擅自刻剥，来伤害百姓利益。自从西夏人顺服我朝以来，蛮夷之邦都没有过分的举动。边疆百姓父子夫妇得以避免死于战争，而国内人民生活安定繁衍生息，一直延续到今天，这都是由于仁宗皇帝从不胡乱兴发一桩徭役，从不乱杀一个无辜，决断案件的本意从来都是希望能使罪犯活下来，尤其痛恨那些凶恶官吏对百姓的残害和侵扰，宁可委屈自己，把财货丢给南蛮北狄，始终不忍心发兵攻打所带来的治效。宰辅大臣及皇亲国戚，乃至左右侍奉的宦官近侍，没有一个敢逞强耍蛮违犯法度，他们都谨慎地约束自己，有的甚至比平民百姓还要谨慎，这都是刑罚宽平与公正所带来的治效。招募天下骁勇强横者到军队中去，几乎达百万之众，未必一定有优秀的将帅来控御指挥，然而只要有阴谋反叛者，都注定会惨败；汇聚天下的财物，虽然有文书簿籍，交给省府吏员处理，未必一定有贤能官员仔细核查，然而只要有欺瞒贪污者，都注定会暴露；荒歉之年，逃亡的人充满道路，饿死的人彼此相叠，然而只要有盗贼出现，都必定会被擒获。这些都是由于奖赏厚重而且说到做到所带来的治效。无论是宰辅大臣、皇亲国戚，还是帝王身边的近侍宦官，谁也不能大权独揽擅作威福，大量积聚财物金钱。一旦出现奸邪贪渎之人，随后便有人检举揭发。贪渎邪佞蛮横奸狡之徒虽然偶尔得到任用，没有在位长久的，这是采纳任用谏官御史、广泛听取意见集思广益，而不被一家偏见所蒙蔽的成效。从县令、京官，直到各路使臣、三公九卿，升迁提拔加以任用，虽然不能说个个妥当，但当时那些称得上有才的士子，也很少有遭到压抑而不被收取举荐的，这是由于每个人都被朝廷当成了耳目，提拔荐举疏远之士，并制定与之相应的连坐之法的成效。仁宗升遐的那一天，天下百姓失声痛哭，如同失去了亲生父母，这是仁宗皇帝宽和、仁爱、恭谨、节俭出于天性，忠诚、宽恕、恳切、和善始终如一的成效。

然而本朝历代因循沿袭颓败风俗的弊端，却没有与亲友与群臣共同的议论。君王朝夕相处的，不过是宦官和女人；出宫上朝听政，又不过是有关部门的具体事务，没有能像上古那些大有作为的圣君，和学士大夫们探讨议论前代圣王的治国方略，并以此推行于天下。一切事都依凭自然常理和自然趋势，精神的运筹没能加在治理过程之中；名义与实际之间，也没能进行认真的考察。正人君子并不是得不到看重，然而奸邪小人也能够厕身于其间；正确的议论并不是不能得到容许，然而邪佞之说也时不时得到采用。用写诗、作赋、记忆、背诵的技能求取天下杰出之士，却没有依靠学校培养育成的良法；凭科举名义和资历安排朝廷官员的高低之位，却没有主管官吏的部门严格考课的良方。各路监司没有检察监督的人，守土的将帅不是出于选择的能吏。官员调任过于频繁，本来已经很难考核评判，而那些巧舌如簧的家伙，因此可以浑水摸鱼、以假乱真。以行贿拉关系而扩大自己声望的人，大多能获得显赫的高官；勤勤恳恳做好自己职事的人，有不少遭到排斥和压制。所以上上下下得过且过，勉强凑合过去而已，虽然也有能干的官吏在职，却也和平庸之辈没什么区别。农民被徭役所苦害，而没见有什么拯救、抚恤的措施；又不为农业设立专门的官吏，来兴修农田水土之利。军队里的兵士有不少病弱老迈的，而没有申明严令加以训练；又不为他们拣选将校，从而给他们长期服役于边疆的实权。宿卫禁军则是聚集兵痞无赖，而没有根本改变五代以来姑息纵容、管束松懈的陋俗；宗室子弟当中既没有教育训导、选拔举荐的实质，又没有符合先王亲疏厚薄亲重疏轻的相应制度。对于理财，大都没有好的办法，所以虽然俭约但百姓并不富裕，虽然忧劳于政事而国家并不强盛。所幸没遇到夷狄猖獗强大的时代，又没遇见帝尧、商汤时期大水大旱的灾变，所以天下平安无事，度过了百年时光。虽说是人为之功，也不能否认是上天的佑助。历代圣君递相继承，对上敬畏天，对下敬畏人，宽和、仁义、恭谨、俭约、忠诚、宽恕、恳切、和善，这正是陛下能够得到上天佑助的原因。

伏见陛下具有上圣的才智，继承绵远无穷的圣业，懂得上天之助不能够长期倚恃，懂得人世之事不能够等待其终结，那么大有作为的时代，正在今日。臣不敢轻易私废向帝王阐发大道的职责，苟且逃避因忌讳而不言的责罚。希望陛下对臣的冒昧加以宽赦，留心于臣所言之事，那将是天下万民的福气。臣听候圣命而决定行止。

上时政疏①

年月日,具位臣某昧死再拜上疏尊号皇帝陛下②,臣窃观自古人主享国日久,无至诚恻怛忧天下之心,虽无暴政虐刑加于百姓,而天下未尝不乱。自秦已下,享国日久者,有晋之武帝、梁之武帝、唐之明皇③。此三帝者,皆聪明智略有功之主也。享国日久,内外无患,因循苟且,无至诚恻怛忧天下之心,趋过目前,而不为久远之计,自以祸灾可以无及其身,往往身遇祸灾,而悔无所及。虽或仅得身免,而宗庙固已毁辱,而妻子固以困穷,天下之民,固以膏血涂草野④,而生者不能自脱于困饿劫束之患矣。夫为人子孙,使其宗庙毁辱;为人父母,使其比屋死亡,此岂仁孝之主所宜忍者乎?然而晋、梁、唐之三帝,以晏然致此者⑤,自以为其祸灾可以不至于此,而不自知忽然已至也。

盖夫天下,至大器也⑥,非大明法度,不足以维持,非众建贤才,不足以保守。苟无至诚恻怛忧天下之心,则不能询考贤才,讲求法度。贤才不用,法度不修,偷假岁月⑦,则幸或可以无他,旷日持久,则未尝不终于大乱。

伏惟皇帝陛下有恭俭之德⑧,有聪明睿智之才,有仁民爱物之意⑨,然享国日久矣⑩,此诚当恻怛忧天下,而以晋、梁、唐三帝为戒之时。以臣所见,方今朝廷之位,未可谓能得贤才,政事所施，未可谓能合法度。官乱于上，民贫于下，风俗日以薄，财力日以困穷，而陛下高居深拱⑪，未尝有询考讲求之意。此臣所以窃为陛下计，而不能无慨然者也。

夫因循苟且，逸豫而无为⑫，可以徼幸一时，而不可以旷日持久。晋、梁、唐三帝者不知虑此，故灾稔祸变，生于一时，则虽欲复询考讲求以自救，而已无所及矣。以古准今，则天下安危治乱，尚可以有为。有为之时，莫急于今日。过今日，则臣恐亦有无所及之悔矣。然则以至诚询考而众建贤才，以至诚讲求而大明法度，陛下今日其可以不汲汲乎⑬？《书》曰："若药不瞑眩，厥疾弗瘳。"⑭臣愿陛下以终身之狼疾为忧⑮，而不以一日之瞑眩为苦⑯。

臣既蒙陛下采擢⑰，使备从官⑱，朝廷治乱安危，臣实预其荣辱，此臣所以不敢避进越之罪，而忘尽规之义。伏惟陛下深思臣言，以自警戒，则天下幸甚！

[题解]

这是作者嘉祐六年担任知制诰时写的一篇上书。文章以晋武帝、梁武帝和唐明皇三位在位很久，却最终出现国家大乱的帝王为例，阐明帝王如果不时时刻刻把富国强兵放在心上，得过且过，即使不是暴君，也会出现动乱，毁了江山社稷。作者提出，变革时政已经到了迫在眉睫的关键时刻，再不警醒，很可能悔之无及。文章虽然短小，道理却极其深刻。不仅反映了作者对国家前途命运的深深忧虑，也体现出一位大政治家高瞻远瞩的思想高度。

[注释]

①时政：在任的宰辅。按：此书作于嘉祐六年，当时的首相是韩琦，次相为曾公亮。②具位：唐、宋之后，官吏在奏疏、函牍或其他应酬文字上，常把应写明的官职爵位写作"具位"或"具官"，表示谦敬。尊号皇帝：自唐代起在帝、后称号之上再加之称号。宋敏求《春明退朝录》卷中说："尊号起于唐，中宗称应天神龙皇帝，后明皇称开元神武皇帝，自后率如之。"《宋史·

仁宗纪》一:"(天圣二年十一月)丁酉,祀天地于圜丘,大赦。百官上尊号曰圣文睿武仁明孝德皇帝。"同书《仁宗纪》二:"(景祐二年十一月乙未)百官上尊号曰景祐体天法道钦文聪武圣神孝德皇帝。(宝元元年十一月)庚戌,祀天地于圜丘,大赦,改元。百官上尊号曰宝元体天法道钦文聪武圣神孝德皇帝。"此处"尊号皇帝"即省略的仁宗尊号。③晋之武帝:指晋孝武帝司马曜,公元373年(宁康元年)至397年(太元二十一年)在位,共24年。梁之武帝:指梁武帝萧衍,公元502年(天监元年)至548年(太清二年)在位,共46年。唐之明皇:指唐玄宗李隆基,公元712年(先天元年)至756年(天宝十五年)在位,共44年。④膏血:脂血。⑤晏然致此:在不知不觉中乱亡丧国。晏然,安宁,安定。⑥天下,至大器:《庄子·让王》说:"故天下,大器也。"成玄英疏解说:"夫帝王之位,重大之器也。"大器,喻国家社稷。⑦偷假岁月:苟且度日。偷,苟且,怠惰。假,暂且,权宜。⑧恭俭之德:《宋·史仁宗纪》载:"仁宗恭俭仁恕,出于天性,意遇水旱,或密祷禁廷,或跣立殿下。有司请以玉清旧地为御院,帝曰:'吾奉先帝园囿,犹以为广,何以是为?'燕私常服浣濯,帷帟衾裯,多用缯缎。宫中夜饥,思膳烧羊,戒勿宣索,恐膳夫自此戕贼物命,以备不时之须。"⑨仁民爱物:出自《孟子·尽心上》:"亲亲而仁民,仁民而爱物。"仁民,谓帝王将仁义施之于人。爱物,谓以爱人之心施及万物。⑩享国日久:指在位的时间很久。仁宗于乾兴元年二月即位,至嘉祐六年,已在位40年。⑪高居深拱:谓帝王敛手安居,无为而治。⑫逸豫:安乐。⑬汲汲:心情急切之貌。⑭若药不瞑眩,厥疾弗瘳:出自《尚书·说命上》,孔颖达疏解说:"若服药不使人瞑眩愦乱,则其疾不得瘳愈。言药毒乃得除病,言切乃得去惑也。"⑮狼疾:本指致命的疾病,引申为昏乱、糊涂。愿陛下以终身之狼疾为忧,意谓希望仁宗终生保持自身修养,切不可麻痹放纵,养成不可疗治的大病。⑯不以一日之瞑眩为苦:意谓希望仁宗不要把一时改过当做痛苦的事。改过犹如治病,经历短期痛苦之后,便会获得永久的康宁。⑰采擢:提拔,选拔。⑱从官:侍从之官,近要之臣。

[译文]

某年某月某日,具官臣王安石冒死再拜上疏景祐体天法道钦文聪武圣神孝德皇帝陛下。臣私下考察自古以来那些享国时间很长的帝王，只要是缺乏至诚爱民、忧劳天下的用心，即使是对人民不施暴政、不用酷刑，天下也没有不乱的。从秦朝往下，享国时间最久的，有晋朝的武帝、梁朝的武帝、唐朝的明皇。这三位帝王，都是聪明、智慧、有谋略、有大功的人主。享国的时间很长，国内、国外也没有大的灾患，仅仅是不思变革、苟且度日，缺乏至诚爱民、忧劳天下的用心，眼前的事得过且过，而不考虑国家的长久利益，自认为灾祸不能加在自身，往往是身遇祸灾之后，悔之无及。虽然自身侥幸免于一死，但宗庙根本已经遭到毁坏羞辱，妻子儿女已经困乏贫穷，普天之下的百姓，也已经落得血洒草野，有幸免于一死的人，也无力自拔于困厄浩劫的祸患。作为人主的子孙，使自家的宗庙遭到毁坏羞辱；作为子民的父母，使自己的子民成片地死亡，这难道是仁孝的君王忍心带给国家和人民的结果吗？然而晋、梁、唐这三位皇帝，由于安然不思变革而走到如此地步，是因为他们自以为灾祸不会降临到他们头上，却没想到突然之间灾祸便会来到他们的面前。

  天下，是最大的器，如果不大力彰明法度，就不足以维持国家的运转，不大力培养贤能人才，就不足以守好祖宗留下的基业。如果没有至诚爱民、忧劳天下的用心，则不能询访考查贤能人才，讲论国家法度。贤能的人才得不到任用，法度不能彰明，苟且度日而得过且过，如果运气好或许不会发生大变，但是旷日持久下去，那就无法保证天下不发生大的动乱。

  普天之下皆知皇帝陛下有谦恭、节俭的美德，有聪明、睿智的才能，有仁爱万民、怜惜物命的善意，然而享国时间已经很久，确实到了应该忧劳天下，而以晋、梁、唐三位皇帝作为警戒的时候了。以臣亲眼所见而言，当今朝廷的大位，还不能说已经觅得了大贤之才；政事的施行，还不能说已经合乎法度了。为官的在上面乱来，百姓贫困于下层，风俗一天比一天浇薄，财力一天比一天困穷，而陛下居然能高高在上、深拱无为，丝毫没有询问考查、讲求变革的心思。这就是臣所以私下为陛下考虑而不能没有感慨的原因。

因循苟且而得过且过，安逸享乐而无所作为，固然可以侥幸于一时，但不可能旷日持久。晋、梁、唐三位帝王没有考虑到这一点，所以灾祸往往在突然之间便发生了，到了那时，即使是想要重新询问考求来自救，也根本来不及了。拿古代的例子来比照今天的情况，那么天下的安危治乱，还是可以有所作为的。有所作为的时机，没有比今天更加急迫的。错过当今，那么臣担心日后会有后悔不及的时候。既然如此，那么以至诚爱民、忧劳天下的用心认真地询问良策，培养、涵育大量的贤才，以最大的真诚讲论时弊并大力彰明法度，陛下今天还能不唯此为大吗？《尚书》中说："如果服药不使人瞑眩愦乱，那么他的病也不可能痊愈。"臣希望陛下能以终身的痕疾为深忧，而不要以短时间的阵痛为患苦。

臣既然承蒙陛下信任取用，使臣备于近侍之列，朝廷的治乱和安危，臣也实实在在地与朝廷共荣共辱，这就是臣所以不敢躲避越职言事的大罪，也没过多顾及尽忠规讽的形式和言辞。只希望陛下深入思考臣的言论，并把它当成是在告诫陛下，那就已经是天下臣民的大幸了！

进戒疏①

熙宁二年五月十一日，朝散大夫、右谏议大夫、参知政事、护军、赐紫金鱼袋臣某昧死再拜上疏皇帝陛下②：臣窃以为陛下既终亮阴③，考之于经，则群臣进戒之时。而臣待罪近司④，职当先事有言者也。窃闻孔子论为邦⑤，先放郑声，而后曰远佞人⑥。仲虺称汤之德⑦，先不迩声色，不制货利，而后曰用人惟已⑧。盖以谓不淫耳目于声色玩好之物，然后能精于用志；能精于用志，然后能明于见理；能明于见理，然后能知人；能知人，然后佞人可得而远。忠臣良士与有道之君子类进于时，有以自竭⑨，则法度之行，风俗之成，甚易也。

若夫人主虽有过人之材，而不能早自戒于耳目之欲，至于过差，以乱其心之所思，则用志不精，用志不精，则见理不明，见理不明，则邪说诐行必窥间乘殆而作⑩，则其至于危乱也岂难哉！伏惟陛下即位以来，未有声色玩好之过闻于外，然孔子圣人之盛，尚自以为七十而后敢纵心所欲也⑪。今陛下以鼎盛之春秋⑫，而享天下之大奉⑬，所以惑移耳目者，为不少矣。则臣之所豫虑，而陛下之所深戒，宜在于此。天之生圣人之材甚吝，而人之值圣人之时甚难。天既以圣人之材付陛下，则人亦将望圣人之泽于此时。伏惟陛下自爱以成德，而自强以赴功，使后世不失圣人之名，而天下皆蒙陛下之泽，则岂非可愿之事哉？臣愚不胜惓惓⑭，唯陛下恕其狂妄而幸赐省察。

[题解]

本文是作者熙宁二年担任参知政事时写的一篇奏疏。此时的作者已经对变法强国有了总体性的谋划，并已大体得到了神宗的认可，可谓箭在弦上，只等神宗一句话即可施行。《王荆公年谱》评论此文说："公此疏俨然以周公、召公自处，而卒以言利，岂果为《周礼》所误耶？"意思是说王安石口口声声都在说圣贤大道，怎么最终却落实到了财、利二字上呢？难道是读《周礼》读歪了吗？

[注释]

①戒：古代文体的一种。徐师曾《文体明辨序说》说："戒者，警敕之辞。"②朝散大夫：宋代文散官名，宋前期二十九阶之第十三阶，官从五品下。③亮阴：帝王居丧期间。古代人子为父母守丧时间是三年（二十五个月）。帝王身份特殊，不可能让皇位空缺两三年之久，所以有"以日易月"的制度，即一天等于一个月，所以帝王守丧是二十五日。④待罪近司：谓在帝王身边为臣。待罪，做官的谦称。⑤为邦：治理国家。邦，国。⑥先放郑声，而后曰远佞人：意谓治理国家，先要杜绝靡靡之音，而后才谈得上疏远小人。杜绝了靡靡之音，小人自然就疏远了。⑦仲虺：商汤时的左相。汤归自夏，仲虺作诰以告汤。《尚书》中有《仲虺之诰》。⑧"先不迩声色"三句：出自《尚书·仲虺之诰》。意思是说君王首先要做到不近声色，不贪货利，再说使用人才。⑨自竭：尽心尽力地为朝廷服务。⑩诐行：邪佞不正的行为。《汉书·翟义传》颜师古注说："诐，佞也。"⑪"然孔子圣人之盛"二句：出自《论语·为政》："子曰：'吾十有五而志于学，三十而立，四十而不惑，五十而知天命，六十而耳顺，七十而从心所欲，不逾矩。'"⑫鼎盛之春秋：年纪尚轻。按：神宗生于庆历八年四月，至熙宁五年，仅24岁。王安石认为帝王年纪太轻，容易为声色犬马所诱惑，所以告诫他。⑬天下之大奉：受到天下百姓的拥戴和奉养。⑭惓（quán）惓：忠谨。

[译文]

熙宁二年五月十一日，朝散大夫、右谏议大夫、参知政事、护军、赐紫金鱼袋臣王安石冒死再拜上疏于皇帝陛下：臣私下以为陛下守丧已经结束，考查古代圣贤经典，正是群臣百官进诫的时期。而臣身处在近侍的职位，理当先于百官有所议论。臣听说孔子论治理国家，要求人主首先要远离靡靡之音，其后才说到疏远邪恶小人。仲虺称颂汤的仁，先强调不要接近声色，不要追逐财利，然后再说使用人才。他们都在强调帝王不迷恋于耳目声色、奇巧玩物，然后才能集中精力干好事业；能集中精力去干事业，然后才能明于道理；能明于大道，然后才能了解人才；能识别人才，然后才能主动去疏远邪佞小人。使忠臣良士和懂得圣贤大道的君子们尽可能为时所用，他们的才能方可尽用于世。这样的话，朝廷法度的推行、风俗的转变，就很容易了。

假如人君虽然有超人的才干，但不能及早自觉远离音乐女色的诱惑，一旦意志不坚陷入其中，搅乱了他的心志，便会导致在朝政上用心不专；在朝政上用心不专，洞察世理就不会精明真切；洞察世理的不精明真切，邪佞之说、阴险之行必然会乘隙而入造成祸害，那么整个国家走向危机乱亡还是什么难事吗？臣以为陛下即位以来，还没有声色犬马之类的过失传到朝廷之外，然而凭着孔子大圣人那样的盛德，还自认为七十岁之后才敢随心所欲地处事。如今陛下正当青壮之年，精力旺盛，而享受普天之下的奉养，能够眩惑心志耳目的事不能算少。那么臣下感到忧虑之事，也就是陛下应该深以为戒之事，恰恰就在于此。上天降生圣人的机会很少，万民赶上圣人在位的机会更难。上天既然把圣人的材器交付给了陛下，那么万民也将会在此时期盼圣人施与恩泽。希望陛下能爱惜自己的声名而成就美德，自励自强地建立功业，使后世不负了圣人的称呼，让天下万民都能得到陛下施与的恩泽，那岂不是万民期盼的美事吗？臣愚顿而怀有无限忠诚之心，希望陛下宽恕臣的狂妄而深察臣的良苦用心。

拟上殿札子①

臣蒙恩奉使②,归报陛下,敢因边事之所及,冒言天下之事,伏惟陛下详思而择其中,天下幸甚。

臣窃见陛下有恭俭之德,有聪明睿智之才,有仁民爱物之意。顾内不能无以社稷为忧,则外不能无患于夷狄。天下之财力日以穷困,而风俗日以衰坏,四方有志之士,諰諰然常恐天下之不久安③,此其故何也?患在无法度故也。今朝廷法严令具,无所不有,而臣以谓无法度者,方今之法度多不合于先王之法度故也。《孟子》曰:"有仁心仁闻而人不被其泽者,为政不法先王之道故也。"④非此之谓乎?以今之时方先王之时,远矣,所遭之时、所遇之变不同,而欲一二修先王之政⑤,虽甚愚者,犹知其难也。而臣以谓当今之失,患在不法先王之政者,以谓当法其意而已。夫五帝、三王相去盖千有余岁,一治一乱,盛衰之时具矣。其所遭之变、所遇之势不同,其施设之方亦皆殊,而其为国家之意,本末先后未尝不同也。臣故曰:当法其意而已。法其意则吾所改易更革,不至乎倾骇天下之耳目,嚣天下之口,而固已合乎先王之政矣。

虽然,以方今之势揆之,陛下虽欲改易更革天下之事,合于先王之意,其势未必能也。陛下有恭俭之德,有聪明睿智之才,有仁民爱物之意,则何为而不成,何欲而不得?而臣固以谓虽欲改易更革天下之事,合于先王之意,其势未必能者,何也?方今天下之吏才少故也。朝廷之人才,固尝简在陛下之聪明。以臣使事之所及,则一路数千里之间,能推行朝廷之法,知其所缓急,而一切能修其职事者甚少;而不才苟简贪鄙之人不可胜数;其能讲先王之意,以合当世之变者,盖阖郡之间,往往而绝也。夫人才不足,则陛下虽欲改易更革天下之事,以合先王之意,大臣虽有能当陛下之意而领此者,九州之大,四海之远,万官之众,孰能一二推行之,使人人蒙其施者乎?臣故曰:其势未必能也。

然则方今之急,在乎人才而已。今之天下,亦先王之天下,先王之时,人才尝众矣,盖其所以陶冶而成之者有道。所谓陶冶以成之者,《诗》、《书》、传记之所载,其大略可见矣。陛下尝试详延大臣左右及天下智能才谞之士[6],使其论先王所以成天下之才者,其施设之方如何?今之所以异于先王而人才不足者,其咎安在?其欲变而通之以合于先王之意而成天下之才,宜何施为而可?陛下因择其言之近于理者,使之相与上下反覆为论焉,因取其宜于时者施焉,则人才宜众矣。

夫成人之才甚不难。人所愿得者尊爵厚禄,而所荣者善行,所耻者恶名也。今操利势以临天下之士,劝之以其所荣,而予之以其所愿,则孰肯背而不为者?特患不能尔。而吾所以责之者,又中人之所能为,则不能者又少矣。夫成人之才甚不难,而自古往往不能成人之才,何也?以人主之才不足故也。盖人主无恭俭之德,无聪明睿智之才,无仁民爱物之意,则嬖倖谄谀、奸罔蔽欺、残贼放恣之人,皆得志于时,而推其类以乱天下,虽有良法,不能成天下之才矣。

今陛下有恭俭之德,有聪明睿智之才,有仁民爱物之意,而又因天下之所愿以为辅相者,公听并观⑦,以进退天下之士,则所以成天下之才,特患无良法。而陛下推至诚恻怛之心以行之,则臣虽愚,固知人之才不难成也。人才既众,则陛下何为而不成?何欲而不得?夫然后改易更革天下之事,以合乎先王之意,甚易也。陛下不能如此,苟于积敝之末流,因不足任之才,而修不足为之法,臣恐在军者日以劳,而士民愈以穷困污滥,而于天下国家愈其无补也。

臣幸以使事归报,徒举利害之一二,而无补于世,非臣之所以事陛下惓惓之义也。辄不自知其驽下,而敢言国家之大体。伏惟陛下详择其中,天下幸甚也。

[题解]

本文是嘉祐七年作者任知制诰时所作。此时的王安石对于变法,已经显得十分急切,故而借出任江东提刑任满回京复命的机会,再次敦请仁宗进行变法。本文的核心论题仍旧是人才问题。作者认为,一定要努力培养一批敢于变革现状的激进型人才,来震动当下万马齐喑的沉寂局面。此时的宋仁宗已经到了晚年,无心改变现状,故而王安石这篇奏疏依旧没有为仁宗采纳,但它对于两年后的变法,起到了纲领性作用。

[注释]

①札子:古代官吏上奏或启事的一种文书。在叙事格式上要求相对灵活一些。②蒙恩奉使:指王安石嘉祐七年奉使契丹之事。③愬愬:恐惧的样子。④"有仁心"二句:见《孟子·离娄上》,原文作:"今有仁心仁闻,而民不被其泽,不可法于后世者,不行先王之道也。"⑤一二:少许,少量的。⑥才谞:才智。⑦公听并观:公正地听取不同意见,出以公心地对待人与事。

[译文]

臣承奉圣恩出使江东,归阙向陛下奏报,斗胆因所见所闻的边远地区事务,冒昧地讲论天下大事,诚望陛下详细思考而选择其中可行之事,则是天下万民之大幸。

臣私下得知陛下具有谦恭节俭的美德,具有聪明睿智的才能,具有仁爱怜悯的善心。只是在内不能没有江山社稷的忧虑，在外不能没有夷狄外邦尚未臣服的担心。天下的财力物力一天比一天贫穷困难，而且风俗一天比一天衰微败坏，全国上下的有志之士忧心忡忡，经常担心天下不能长久安宁，这是什么缘故呢？问题在于缺少必要的法度约束。如今朝廷制定的法令既严格又具体，包罗万象无所不有，而臣却认为没有必要的法度约束，是因为现有的法度大多不合于前代圣王的法度。《孟子》中说："虽有仁爱之心和仁爱的声誉，百姓却没有得到实惠，那是为政没能效法前代圣王大道的缘故。"不就是说的这种情况吗？那今天的时代和前代圣王为政的时代相比，太久远了，所面对的时代、所遇到的变化也全不相同，想要对前代圣王所施的圣政进行小修小改，即使是再愚笨的人，也明白那会有多么的困难。而臣认为当今最大的失误，问题出在没有效法前代帝王之政上面，只是说要效法的是他们的根本思路而已。五帝、三王相距也有一千多年，一治一乱，强盛和衰败的天时都遇到了。他们遇到的变化、所遇到的形势也不相同，他们解决问题的措施也各不相同，但他们为使国家富强的本意，以及处理问题的本末先后次序却没有什么不同。所以臣说：要效法的是他们的根本思路而已。要效法他们的根本思路，那么我朝所采取的变革和修改就不至于使天下之民感到惊骇，使天下之民叫喊反对，而其本质已然合于前代帝王的圣政了。

即便如此，拿当今的形势揣度分析，陛下如果想变革和修改治理天下的种种措施，使之合于前代圣王的本意，从大势来看肯定是不可能的。陛下具有谦恭节俭的美德，有聪明睿智的才干，有爱惜子民珍惜物力的美意，那么做什么会做不成，有什么设想不能实现？而臣坚持认为变革和修改治理天下的种种措施，使之合于前代圣王的本意，从大势来看肯定是不可能的，这是什么原因呢？是当今天下能干的官吏数量太少的缘故。朝廷当中的人才，的确是经过陛下精心拣选的。但根据臣担任路分提刑的所见所闻，在一路方圆数千里之内，真正能够推行朝廷法度，知道事务的轻重缓急，一应事务都能尽职尽责的人太少了；而没有才干、得过且过甚至贪渎卑下的人却多如牛毛；其间能够讲论前代帝王治国本意，并能使之合乎当世变迁的，一个州郡之中，往往连一个也找不到。人才匮乏，那么陛下即使想要变革和修改治理天下的措施，使之合于前代圣王的本意，宰辅大臣即使有能领会陛下旨意而负责此事的人，九州如此之大，四海如此之远，官吏如此之多，谁能真正推行一点两点，使人民得到陛下的恩惠？所以臣才说：从大势看肯定是不可能的。

既然如此，那么当今最急切的事务，就在于需要人才了。当今的天下，还是先王那个天下，先王治国的时候，曾经是人才济济，那是因为培育涵养士子使他们成才有具体的办法。所谓培育涵养而使他们成才，《诗经》、《尚书》及历史传记当中的记载，就可以观其大概了。陛下可以试着接见宰辅大臣和左右侍从以及普天之下有大智慧、大才干的士子，命他们议论前代圣王培育天下人才的方法和圣王采取的措施是什么样的？如今之所以于前代圣王不同，造成人才不足的原因，究竟在什么地方？如果想改变融通使之合于先王的本意而成就天下众多的人才，应该采取什么样的措施才行？陛下选择那些接近于理的言论，使他们再彼此反复讨论，选取那些合乎时代特点的建议加以施行，那么人才就会大大增加。

其实培养人才并不算什么难事。每个人最大的愿望，就是得到尊显的爵位和丰厚的利禄，感到荣耀的是行善事，感到耻辱的是得恶名。如今陛下如果能手持利禄爵位面对天下的士子，劝励他们争取荣耀，同时给予他们想得到的东西，那么会有哪个肯背离利禄而不去做呢？人人唯恐做不到罢了。而我们激励他们的要求，又是一般人都能做到的，那样做不到的人又会减少许多。成就人才并不难,而自古以来往往不能造就人才的原因是什么呢?是因为帝王本身才干不足的缘故。如果帝王没有谦恭节俭的美德,没有聪明睿智的才干,没有仁爱怜悯的善心,那么邪佞谄谀、奸诈欺罔、残忍强横、放纵恣睢的人,都能得志于当时,由他们选取同类进而搅乱天下,即使有再好的办法,也无法育成天下的人才。

如今陛下具有谦恭节俭的美德,具有聪明睿智的才能,具有仁爱怜悯的善心,再顺从天下万民的愿望选择宰辅大臣,公正地听取不同方面的意见来升降天下士子,那么成就天下人才,只怕没有什么再好的办法了。而陛下只要拿出至诚待人、爱惜人才之心来选拔人才,那么臣就是再愚钝,也明白人才并不是难以培养成就的。一旦人才多了,那么陛下想做什么会做不成,有什么设想不能实现?然后再变革和修改治理天下的措施,使之合于前代圣王的本意,就很容易了。倘若陛下不能这样做,苟且于积弊甚深的流俗之中,凭着这些不足委任的庸才,而讲求修改不可能有所作为的法令,臣担心在军中服役的人会一天比一天辛劳,士民百姓会一天比一天穷困无德,对于天下国家越来越没有补益之功。

臣有幸完成了出使职事回京奏报,如果仅仅列举一两件兴利除害的具体事宜,对于当世不会有太大的补益,那也不是臣为陛下竭尽忠诚应该采取的方法。所以不顾自己才智的低下,而敢于议论治理国家的根本大计。诚恳地希望陛下能详细考虑其中有道理之言,那便是天下万民的大幸了。

上五事札子

陛下即位五年①，更张改造者数千百事②，而为书具③，为法立，而为利者何其多也。就其多而求其法最大、其效最晚、其议论最多者，五事也：一曰和戎④，二曰青苗⑤，三曰免役⑥，四曰保甲⑦，五曰市易⑧。

今青唐、洮河⑨，幅员三千余里，举戎羌之众二十万献其地⑩，因为熟户⑪，则和戎之策已效矣。昔之贫者，举息之于豪民⑫；今之贫者，举息之于官。官薄其息而民救其乏，则青苗之令已行矣。惟免役也，保甲也，市易也，此三者有大利害焉。得其人而行之则为大利，非其人而行之则为大害；缓而图之则为大利，急而成之则为大害。《传》曰："事不师古，以克永世，匪说攸闻。"⑬若三法者，可谓师古矣。然而知古之道，然后能行古之法，此臣所谓大利害者也。

盖免役之法，出于《周官》所谓府、史、胥、徒⑭，《王制》所谓"庶人在官者"也⑮。然而九州之民，贫富不均，风俗不齐，版籍之高下不足据⑯，今一旦变之，则使之家至户到，均平如一，举天下之役人人用募，释天下之农归于畎亩，苟不得其人而行，则五等必不平⑰，而募役必不均矣。

保甲之法，起于三代丘甲⑱，管仲用之齐⑲，子产用之郑⑳，商君用之秦㉑，仲长统言之汉㉒，而非今日之立异也。然而天下之人，凫居雁聚㉓，散而之四方而无禁也者，数千百年矣，今一旦变之，使行什伍相维㉔，邻里相属，察奸而显诸仁，宿兵而藏诸用，苟不得其人而行之，则摇之以追呼，骇之以调发，而民心摇矣。

市易之法，起于周之司市、汉之平准㉕。今以百万缗之钱，权物价之轻重㉖，以通商而货之，令民以岁入数万缗息。然甚知天下之货贿未甚行，窃恐希功幸赏之人，速求成效于年岁之间，则吾法隳矣。

臣故曰：三法者，得其人缓而谋之则为大利，非其人急而成之则为大害。故免役之法成，则农时不夺而民力均矣㉗；保甲之法成，则寇乱息而威势强矣；市易之法成，则货贿通流而国用饶矣。

[题解]

本文是作者熙宁五年担任宰相时写的一篇札子，此时新法的推行已经大面积展开，其间也出现了一些问题，所以作者上书议论新法推行中要注意的几方面问题。显示出作者既对变法充满信心，又时时关注变法过程中的轻重缓急。

[注释]

①陛下即位五年：神宗即位于治平四年，至本年已经5年。②更张：本指重新张设，此处指变革旧的法令制度。③为书具：文书已经全部具备。④和戎：指与外族或别国媾和修好。北宋北有契丹，西北有西夏，均给宋王朝造成重大威胁，所谓"戎"，即指这两个国家。⑤青苗：即青苗法，也称常平给敛法、常平敛散法，是熙宁新法的主要法令之一。其法以诸路常平广惠仓所积钱粮为本，在春、夏两季青黄不接时出贷给民户。春贷夏收，夏贷秋收，每期收息二分。其本意在于以低息限制豪强盘剥，减轻百姓负担。⑥免役：王安石推行的新法之一，将原来的差役改为雇役，由当役人户按等第出钱，官府募人代服徭役，称为"免役法"。⑦保甲：也是熙宁新法之一，其法是按照乡村之

民，二丁取一，十家为保，五十家为一大保，选一人为大保长；十大保为一都保，选为众所服的人担任都保正。⑧市易：熙宁新法之一。《宋史·王安石传》说："市易之法，听人赊贷县官财货，以田宅或金帛为抵当，出息十分之二，过期不输，息外每月更加罚钱百分之二。"⑨青唐：古城名，故址在今青海西宁，原名鄯州，地处青海东部。北宋时，吐蕃支系唃厮罗部强盛，首领唃厮罗于景祐元年在此地称主建都，更名青唐城。洮河：黄河上游支流，在今甘肃西南部。⑩举戎羌之众二十万献其地：《宋史纪事本末》卷四一载，熙宁四年八月，命王韶主管洮河安抚司事。时议取河湟，自古渭砦接青唐、武胜军，应招纳蕃部市易、募人营田等事，并令王韶主之。王韶至秦，会诸将，以蕃部俞龙珂在青唐最大，渭源羌与夏人皆欲羁縻之，准备先行讨伐。不久，龙珂率其属十二万口内附。⑪熟户：宋代谓西北地区诸羌中归顺宋朝，为朝廷所用的民户。《宋史·兵志》说："西北边羌戎，种落不相统一，保塞者谓之熟户，余谓之生户。"⑫举息之于豪民：谓百姓都要向豪强之家借贷，给豪强之家还以高息。⑬"事不师古"三句：出自《尚书·说命》下。孔安国注解说："事不法古训而能长世，非说所闻，言无是道。"⑭府、史、胥、徒：《周礼·天官·冢宰》中所列举的属官名。⑮庶人在官者：即不在官府备案的小吏。《礼记·王制》孔颖达正义说："庶人在官，谓府、史之属，官长所除，不命于天子国君者。"⑯版籍：朝廷、官府的户口册。⑰五等：指免役法中将民户按贫富分成五个等级。⑱保甲之法，起于三代丘甲：上古军事制度，四丘为甸，每甸出甲士三人，兵卒七十二人。鲁成公因齐难，临时增征甲士，改为每丘出一人，称为丘甲。⑲管仲用之齐：管仲得到齐国君主的重用。《史记·齐太公世家》载，齐桓公任用管仲，与鲍叔、隰朋、高傒等人主持国政，连五家之兵，设鱼盐之利，以赡贫穷，齐人皆悦。⑳子产：春秋时期郑国大夫。当时郑国国内矛盾重重，子产进行了部分的改革，使郑国重新走上强国之路。治理郑国26年而死，丁壮号哭，老人儿啼。㉑商君用之秦：商鞅得到了秦孝公的重用。指商鞅入秦，在秦国进行变法。《史记·商君列传》说："令民为什伍，而相牧司连坐。不告奸者腰斩。"司马贞索隐说："五家为保，十保相连。"㉒仲长统言之汉：仲长统，字公理，为尚书郎。后参丞相曹操军事。有《损益》篇称："明版籍以相数阅，审什伍以相连持。"㉓兔居雁聚：群居于一处。㉔什伍：户籍编制，让百姓自相联保。㉕市易之法，起于周之司市、汉之平准：《周礼·地官·序官》："司市下大夫二人，上士四人，中士八人，下士十有六人，府四人，史八人，胥十有二人，徒百有二十人。"郑玄注："司市，市官之长。"孙诒让正义说："司市者以下至泉府十官，并掌国市政令、刑禁、货贿之事。"汉之平准，汉代实行的一种平抑物价抑制商贾暴利的商业政策。即官府出钱，对商贾的货物进行调剂，物价低时官府买入，物价高时官府卖出。㉖权物价之轻重：意谓平衡物价，使市场保持有秩序的运转。权，本义为称量。此处指像称量物品一样使物价保持平稳，不使大起大落。㉗农时不夺：不使农民耽误春种夏耕秋收冬藏的农时。

[译文]

陛下即位五年来，新立及改造的事项已有成千上百件之多，相关文书都已经具备，相关法令都已经制定，所获利益已是如此显著了。根据现有的增多趋势，来研究制定涉及面更大、成效更长久、也是议论最多的问题，不过五件大事：一是与戎狄讲和，二是青苗法，三是免役法，四是保甲法，五是市易法。

如今青唐、洮河一带，幅员广阔达三千多里，全部羌人二十万之众献上他们的土地，从此成为归顺之民，这说明和戎的策略已经见效了。过去的贫苦农民，要向土豪大户举债度日；如今的贫苦农民，则可以向官府求助借贷。官府规定少量的利息，农民则可以救急过关，这证明青苗的法令已经推行了。只有免役法、保甲法、市易法，这三个法令事关重大。得到合适的人去推行则可以获得大利，得不到合适的人去推行则很可能成为大害；慢慢研究完善再推行则可以获得大利，急于求成则可能成为大害。经传中说："凡事不遵循古训而能持久，没听到过这样的情况，讲得再好听也不会有这样的道理。"以上三个法令，可以称之为遵循古训了。然而只有真正了解了古代圣王所说的道理，才能推行上古的良法，这就是臣上面所说的大利和大害。

免役的办法，出于《尚书·周官》所说的府、史、胥、徒等小吏，《礼记·王制》所说的"平民在官府当差"的情况。然而四海九州之内的人民，贫富不均，风俗不同，官府的户口册记录的高低上下也不足为据。如今一旦改变它，使每家每户都要据此施行，人人平均、户户如一，所有天下的劳役人人都用钱雇使役夫，使天下所有农民统统回归农田，如果得不到合适的人去推行，那么五等户肯定不会均平，雇募劳役也就肯定不会均等不差了。

保甲的办法，起源于三代时期的丘甲制度，管仲广泛用于齐国，子产广泛用于郑国，商鞅广泛用于秦国，仲长统提出此法则在汉朝，而不是今天才提出为了标新立异。然而天下万民像水鸟一样居处，像鸿雁一样聚居，分散流落到四面八方无法管理约束的状况，已经有几千几百年了，如今一旦要改变它，使他们如同军队编制彼此照应，邻居乡里互相联署，纠察奸盗而彰显仁义，拥有兵器而藏在家中备用，如果得不到合适的人才去推行，那便会出现追呼喊叫的骚扰，动辄调发的惊吓，民心就会因此而动摇了。

市易的办法，起源于周代的司市和汉代的平准。如今拿出百万缗之多的钱，平易物价的变化，用来疏通商贾进行买卖，让百姓每年上交数万缗的利息。如果深知天下货物尚未大量流通，只怕那些侥幸邀功求赏的人，急于在短时间内速求成效，那么我们的新法很快就会出现弊端了。

所以臣认为：以上三个法令，得到合适人才慢慢谋划就会带来巨大的利益，得不到合适的人才却急于求成就会成为国家的大害。所以说免役之法如能成功，那么农时不会再被侵夺而百姓出力就会变得均等合理了；保甲之法如能成功，那么盗贼动乱就会平息而国家的威摄力量就会大大增强了；市易之法如能成功，那么南北东西的货物都能得以流通而国家的费用也就丰足了。

乞改科条制札子①

伏以古之取士，皆本于学校②，故道德一于上，而习俗成于下，其人材皆足以有为于世。自先王之泽竭，教养之法无所本，士虽有美材，而无学校师友以成就之，议者之所患也。今欲追复古制以革其弊，则患于无渐③。宜先除去声病对偶之文④，使学者得以专意经义，以俟朝廷兴建学校，然后讲求三代所以教育选举之法，施于天下，庶几可复古矣。所对明经科欲行废罢⑤，并诸科元额内解明经人数添解进士⑥，及更俟一次科场⑦，不许新应诸科投下文字，渐令改习进士。仍于京东、陕西、河东、河北、京西五路先置学官⑧，使之教导。于南省所添进士奏名⑨，仍具别作一项，止取上件京东等五路举人并府、监、诸路曾应诸科改应进士人数⑩。所贵合格者多，可以诱进诸科向习进士科业。如允所奏，乞降敕命施行。

[题解]

这是王安石熙宁二年担任参知政事、变法轰轰烈烈进行时写的一篇札子。内容很单一，但说理充分，且具有高瞻远瞩的眼光。

[注释]

①乞改科条制：《宋史·选举志》载，神宗笃意于经学，认为当下科举弊端甚大，王安石积极赞成，遂议变更科举之法。隋、唐时期的进士举都是考

诗赋，从王安石变法开始，改为考经义。②古之取士，皆本于学校：《孟子·滕文公上》说，夏代称为校，商代称为序，周代称为庠，都是教导人伦礼义的地方。王定保《唐摭言》说："古者闾有序，乡有庠，以时教行礼而视化焉。其有秀异者，则升于诸侯之学；诸侯岁贡其尤著者，移之于天子，升于太学，故名曰造士。"③无渐：无由而进。④声病对偶之文：指唐、宋科举所考的诗赋。这类文体对字词的平仄、对仗等方面要求甚严，稍不留意便会违犯规矩，满盘皆输。⑤明经：宋代诸科考试科目之一。⑥并诸科元额内解明经人数添解进士：意谓将以往明经、明法等诸科应录额数归入进士科内。这是荆公改革科举考试的措施之一，以期逐渐取消诸科而并归进士一科。解，进士之解额，即由诸州解送到京师参加会试的举子。⑦更俟一次科场：意谓让这些举子们再经旧试一场以为过渡，以免骤然改动不能适应。⑧京东、陕西、河东、河北、京西五路：这是北宋的北方五个路分。学官：指熙宁以来州郡中所设的教化之官。⑨南省：尚书礼部的代称。隋、唐两代科举考试由礼部主持，故礼部即成为举子乃至国人提到最多的一个中央部门。北宋前期礼部名存实亡，其科考往往由翰林院主持，但当时人仍习惯地称为南省。⑩府：指开封府。监：指国子监。诸科改应进士：宋代科举最初沿袭唐、五代制度，分为进士和诸科。《宋史·选举志》载："初，礼部贡举，设进士、九经、五经、开元礼、三史、三礼、三传、学究、明经、明法等科。"此处说诸科改应进士科，意即取消诸科，并归到进士一科当中。中国历史上的科举考试罢诸科而独留进士一科，自宋神宗时始，其后不再改变。

[译文]

臣以为上古选取士子，都要经过学校的培养，所以道德与君王是一致的，这样的话，良好的习俗便可以成于民间，所培养的人才都足以在当世有所作为。自从前代圣王的恩泽枯竭，教育培养人才的方法失去了根本，所以士子们即使具有良好的才智，却没有学校和老师同学来成就他们，这是议论者最为担忧的事。如今想要追寻恢复上古之制来革除现有弊端，恐怕会带来操之过急的不便。应该先除去讲究平仄、对仗等时文的考试，使学者们能够把精力集中到研究经书大义上来，等待朝廷兴建学校，然后再讲论寻究三代时期关于教育和选举的良法，推行到天下所有州郡，或许就可以恢复古制了。臣请求将原有明经一科取消，与其他诸科应录取的名额之内归于明经科的人数都添入进士科，等到下一次再举行考试，再规定头一次应诸科考试的文字也要改革，逐渐让他们改学进士科应作的文字。还要在京东、陕西、河东、河北、京西这五路里率先设置学官，使他们对士子们进行教育和引导。在礼部会试的录取名额当中增加进士的名额，并作为特殊情况申明：这些增加的名额仅限于圣命中提到的京东等五路举人以及开封府、国子监以及各路当中曾经报考诸科而后改考进士科的人。这样做的好处是合格的人员会增多，可以劝诱引导原来学习诸科的举子们转而学习进士科的课业。如果应允臣的启奏，希望陛下尽快发布圣命付诸实施。

诫励诸道转运使经画财利宽恤民力制[①]

夫闵仁百姓而无夺其时[②],无侵其财,无耗其力,使其无憾于衣食,而有以养生丧死[③],此礼义廉耻之所兴[④],而二帝三王诫敕百工诸侯之所先,后世不可以忽者也。朕夙兴夜寐,听治不怠,囿游宫室之观无所增饰,而躬以节俭先天下之士。然而不忍人之政[⑤],考诸先王,未有以及之也。凶年饥岁,民之父子夫妇,犹有不得保其家室而放乎沟壑[⑥]。意者吏或不良,不知所以赈救省忧之方,而使之至此耶?今吾别诸道置使者,使得察吏之良否而视民之疾苦,辄具以言,而任事者或不惟朕志之所急,而以侵牟之为故,甚非所以遣使者慰安元元之意也。夫转输天下之财,以给有司之费,皆有常数,而无横求。诚能御轻重敛散之权,而禁因缘之奸[⑦],则何患乎经入之不足?彼前世良吏,能纾其民而官事亦不耗费者,岂有他哉?亦在乎勉之而已。若乃操聚敛之赢以为功,而不知百姓与足之义,非惟逆于朕志,而有司考绩之法[⑧],亦将不汝容焉。朕言维服,其听毋怠。可[⑨]。

[题解]

这是作者嘉祐六年担任知制诰时写的一篇制词,也就是我们经常说的"圣旨"。这类文字属于替天子传命的实用性文字,作者本身的意见不多,但有时也能间接地表达作者的政治取向。比如此文的撰写,作者就抓住了要害,指出天子的本意是要爱养子民,各路转运使不得以横征暴敛为功劳,使百姓受到戕害。这样的表达不仅体现了仁宗皇帝对人民的仁爱,也表达了作者对于侵民为功的深切痛恨。

[注释]

①转运使:宋代在诸路设置的路分官名,包括转运使、转运副使、转运判官,掌一路粮赋转运、监察州县官员等事。②无夺其时:不要侵夺农时。③养生丧死:即养生送死,让活人生活得愉快,让死者安然入土。④礼义廉耻之所兴:《孟子·梁惠王上》载:"明君制民之产,必使仰足以事父母,俯足以畜妻子,乐岁终身饱,凶年免于死亡,然后驱而之善,则民之从之也轻。今也制民之产,仰不足以事父母,俯不足以畜妻子,乐岁终身苦,凶年不免于死亡,此唯救死而恐不赡,奚暇治礼义哉?"⑤不忍人之政:不忍伤害人民的政令。出自《孟子·公孙丑上》:"先王有不忍人之心,斯有不忍人之政矣。以不忍人之心,行不忍人之政,治天下可运之掌上。"⑥放乎沟壑:死去的讳称,谓死无葬身之地。⑦因缘:谓官吏相互勾结、舞文弄法而谋求奸利。⑧考绩:按一定标准考核官吏的业绩。⑨可:古代的圣旨由中书舍人或翰林学士撰写,写完后交给皇帝批准,皇帝认为可以发下,则在文末写一个"可"字,表示可以照此施行。这个"可"字并非作者所写,而是皇帝的批示。

[译文]

哀悯黎民百姓而不要侵夺农时,不要侵夺他们的资财,不要耗费他们的劳力,使百姓不愁衣食,具备养活家小、为死者送葬的能力,这是礼义廉耻提出来的缘由根据,也是唐尧、虞舜、文、武、周公首先要告诫百官及诸侯的话,同时也是后世不能不加以重视的话。朕夙兴夜寐,勤政不倦,亭台楼观宫室之类丝毫没有增筑修饰,而自身厉行节俭,为天下士民作出榜样。然而不忍伤人的政令,考之于前代帝王,还没有能够真正达到。遇有凶荒的歉年,百姓中的父子夫妇,也还有无法保全其自家而出现死亡的情况。朕以为是否由于官吏无德无才,找不到如何赈济灾民、解除忧患的方法,而使他们流离死亡呢?如今朕设置各路转运使,给他们权限,命他们考察官吏的优劣和百姓的疾苦，一切都要如实上奏。然而担任此职的官员不太懂得朕心中的急切，却以把掠夺百姓牟取暴利当成了正事，这完全不是朕派遣使者安养黎民的本意。转运输送天下的财货，用来供给所有部门的耗费，都是有规定数目的，并没有让他们横征暴敛。假如真能掌握好轻重缓急，明白什么该收取什么不该收取，严禁借机搜刮民财，又何必担心收入的不足？那些前代的良吏，能够爱养百姓而官府之事也没有耗费，哪里有什么妙策，不过在于自励自勉而已。如果只拿横征暴敛作为功绩，却不明白首先要使百姓丰足的道理，不仅和朕的心意相违背，就是吏部考课的要求，也是不能容许如此胡作非为的。朕的话必须服从，认真听取不准怠慢。皇帝批阅：可以照此施行。

谏官论①

以贤治不肖②,以贵治贱,古之道也。所谓贵者何也?公卿大夫是也。所谓贱者何也?士、庶人是也。同是人也,或为公卿,或为士,何也?为其不能公卿也,故使之为士;为其贤于士也,故使之为公卿。此所谓以贤治不肖,以贵治贱也。

今之谏官者,天子之所谓士也。其贵,则天子之三公也。惟三公,于安危治乱存亡之故,无所不任其责,至于一官之废,一事之不得,无所不当言,故其位在卿大夫之上,所以贵之也。其道德必称其位,所谓以贤也。至士则不然,修一官,而百官之废不可以预也;守一事,而百事之失可以毋言也。称其德,副其材,而命之以位也。循其名,傃其分③,以事其上而不敢过也。此君臣之分也,上下之道也。今命之以士,而责之以三公,士之位而受三公之责,非古之道也。孔子曰:"必也正名乎④!"正名也者,所以正分也。然且为之,非所谓正名也。身不能正名,而可以正天下之名者,未之有也。

蚳蛙为士师⑤,孟子曰:"似也,为其可以言也。"蛙谏于王而不用,致为臣而去。孟子曰:"有言责者,不得其言则去⑥;有官守者,不得其职则去。"然则有官守者莫不言有责,有言责者莫不有官守。士师之谏于王是也。其谏也,盖以其官而已矣,是古之道也。古者官师相规，工执艺事以谏⑦。其或不能谏，谓之不恭，则有常刑。盖自公卿至于百工，各以其职谏，则君孰与为不善？自公卿至于百工，皆失其职，以阿上之所好，则谏官者，乃天子之所谓士耳，吾未见其能为也。

待之以轻而要之以重，非所以使臣之道也。其待己也轻，而取重任焉，非所以事君之道也。不得已，若唐之太宗，庶乎其或可也。虽然，有道而知命者，果以为可乎？未之能处也。唐太宗之时，所谓谏官者，与丞弼俱进于前⑧。故一言之谬，一事之失，可救之于将然⑨，不使其命已布于天下，然后从而争之也。君不失其所以为君，臣不失其所以为臣，其亦庶乎其近古也。

今也上之所欲为，丞弼所以言于上，皆不得而知也。及其命之已出，然后从而争之。上听之而改，则是士制命而君听也；不听而遂行，则是臣不得其言而君耻过也。臣不得其言，士制命而君听，二者上下所以相悖而否乱之势也。然且为之，其亦不知其道矣，及其谆谆而不用，然后知道之不行，其亦辨之晚矣。或曰："《周官》之师氏、保氏⑩，司徒之属而大夫之秩也⑪。"曰：尝闻周公为师，而召公为保矣⑫，《周官》则未之学也。

[题解]

这是一篇针对谏官职责与地位的论文。文章回顾了上古时期官员皆可进谏的制度，又对当下谏官地位低下职责却很重的现实作了分析，认为上古之风淳朴可行，当今的制度具有很大的缺陷。

[注释]

①谏官：掌讽谏帝王的官员。②不肖：谦辞，指不成才或力不胜任。③僳（sù）：遵守。④正名：辨正名分，使名实相符。⑤蚳蛙为士师：出自《孟子·公孙丑下》。蚳蛙，齐国大夫。士师，古代治狱之官。文意参本文译文。⑥有言责者，不得其言则去：担任言官的人提出建议不被君王采纳，就可以离开朝廷了。⑦官师相规，工执艺事以谏：这两句出自《尚书·胤征》，意

思是说古代的大官和百官之间是允许互相规劝批评的,百官都可以就自己所做的职事向君王进谏。工,百官。艺事,所从事的事业,即自己的本职。⑧丞弼:宰辅大臣。⑨将然:将要发生之际。⑩师氏、保氏:皆周代官名。《周礼·地官·师氏》载,师氏以三德教国子:一曰至德以为道本;二曰敏德以为行本;三曰孝德以知逆恶。教三行:一曰孝行以亲父母;二曰友行以尊贤良;三曰顺行以事师长。又《周礼·地官·保氏》载:"保氏掌谏王恶,而养国子以道,乃教之六艺。"⑪司徒:周代六官之一,掌邦教。司徒之属,意思是说师氏、保氏都是司徒的属官。⑫周公为师,而召公为保:《尚书·召奭》:"召公为保,周公为师,相成王左右。"据《史记·周本纪》,召公、周公二相行政,号曰"共和"。共和十四年,周厉王死于彘。太子静长于召公家,二相共立之为王,是为宣王。宣王即位,二相辅之。

[译文]

　　以贤人统治不贤的人,以贵人统治卑贱的人,这是自古以来的规矩。所谓贵人是什么人呢?指的是公卿大夫。所谓贱人是什么人呢?指的是士子和庶人。同样是人,有的身任公卿,有的身为士子,这是为什么呢?因为他没有能力完成公卿之职,所以才使他为士子;因为他比士子贤能,所以才任他为公卿。这就是所谓的以贤人统治不贤的人,以贵人统治卑贱的人。

　　如今的谏官,天子把他们当成士子。所谓贵人,那是指天子的三公。只有三公,可以在天下安危治乱存亡的任何时刻,没有不可以委托的重大职责,具体到一位官员的罢免,一件事务的失误,没有他们不应该发表意见的,所以他的地位居于卿大夫之上,这是帝王使他尊贵的原因。他的道德必须要与他的地位相称,这是帝王认为他贤能的原因。至于士子就不是这样了,当好一个官,其他百官的罢免他是不能参与的;做好一件事,其他万事的失误是可以不发表意见的。具有相应的品德,具有相应的才干,因而任命他一个相应的职位。符合他的职名,遵守他的职分,来侍奉君王,不敢有越权的非分之想。这是君与臣的名分,上与下的规则。假如任命了一个士子,却要他去履行三公的职责,也就是说身居士子之位却要完成三公应该完成的职责,那就不是上古的正道了。孔子曾说:"凡事一定要摆正它的名分。"正名的意思,强调的就是定下高低的职分。然而非要去做不该自己做的事,那就不符合孔子所谓的正名了。自身不能摆正名分,而要去摆正天下人的名分,那是不可能的。

蚔蛙担任齐国的法官,孟子对他说:"看上去很有道理,因为他可以向国君进谏了。"蚔蛙向国君进谏,国君没有采纳,便辞去官职走了。孟子又说:"有进谏职责的人,他的进谏不被君王采纳就可以辞去;有官职的人,无法行使他的职责也可以辞去。"既然如此,那么有官职的人没有一个是没有进谏职责的,有进谏职责的人没有一个是没有官职的。法官向君王进谏是应该的,他的进谏,是他为官的本分,这是古代的君臣之道。上古时期高官和下面的属官是可以相互规劝批评的,百官可以就自己所做的职事向君王进谏。如果有谁不能向上司进谏,那就叫做不恭,且有针对这种错误制定的刑罚。自公卿以下至于百官,每个人都能从他的具体职事角度进谏,那么君王还能跟谁过不去呢?假如上自公卿下至百官,都不履行进谏的职责,以此投合君王的心思,那么谏官这种人,不过是天子眼中的小小士子,我看他也就无能为力了。

给他的地位很轻却要求他去做职责很重的事,不是正确驱使臣下的规矩。他深知自身地位很轻,却要承担很重的职责,这也不是侍奉君王的规矩。有所不得已的情况下,比如唐朝的太宗,兴许还差不太多。即使如此,通达机变而知道使命的人,真的认为那是可行的吗?他也未必能处之泰然。唐太宗的时代,所谓的谏官,可以和宰辅大臣一起到天子面前言事。所以有一句错话、一件错事,都可以在事情发生之前进行补救,不让错误的旨令已经传遍天下之后,再没完没了地进行争论。天子不失其所以为天子,臣下不失其所以为臣下,那种做法和上古时期的制度差不多。

如今的情况却是:天子想要做什么,宰辅大臣对天子讲了些什么,下面的官员都不得而知。等到王命已经发出,再随之争来争去。天子采纳建议去改正吧,那就成了士子制定王命而天子听士子的了;天子不采纳建议而一意孤行吧,那就成了天子拒不纳谏而耻言自身的过错了。臣下的建议不被采纳,士子制定王命而天子听从,这两者都会造成上下相悖而颠倒混乱的局面。然而如今正是这样做的,也真可谓不懂得古代大道了。等到谏官们反复陈述而不能采纳,政令发布之后才明白无法推行,再争论什么都已经晚了。或许有人说:"《尚书·周官》中的师氏、保氏,都是司徒的属官而有大夫的秩命。"王某可以这样回答:曾听说周公担任过师,召公担任过保,《周官》的作者很没有学问。

伯夷论[①]

事有出于千世之前，圣贤辩之甚详而明，然后世不深考之，因以偏见独识，遂以为说，既失其本，而学士大夫共守之不为变者，盖有之矣，伯夷是已。

夫伯夷，古之论有孔子、孟子焉。以孔、孟之可信，而又辩之反复不一，是愈益可信也。孔子曰："不念旧恶。"[②]"求仁而得仁。"[③]"饿于首阳之下，逸民也。"[④]孟子曰："伯夷非其君不事，不立恶人之朝，避纣居北海之滨，目不视恶色，不事不肖，百世之师也。"[⑤]故孔、孟皆以伯夷遭纣之恶，不念以怨，不忍事之，以求其仁；饿而避，不自降辱，以待天下之清，而号为圣人耳。然则司马迁以为武王伐纣，伯夷叩马而谏[⑥]，天下宗周而耻之，义不食周粟，而为《采薇之歌》[⑦]。韩子因之，亦为之颂[⑧]，以为微二子，乱臣贼子接迹于后世。是大不然也。

夫商衰，而纣以不仁残天下，天下孰不病纣？而尤者，伯夷也。尝与太公闻西伯善养老[⑨]，则往归焉。当是之时，欲夷纣者，二人之心，岂有异邪？及武王一奋，太公相之，遂出元元于涂炭之中，伯夷乃不与，何哉？盖二老所谓天下之大老[⑩]，行年八十余，而春秋固已高矣。自海滨而趋文王之都，计亦数千里之远，文王之兴以至武王之世，岁亦不下十数，岂伯夷欲归西伯而志不遂，乃死于北海邪？抑来而死于道路邪？抑其至文王之都而不足以及武王之世而死邪？如是而言伯夷，其亦理有不存者也。且武王倡大义于天下，太公相而成之，而独以为非，岂伯夷乎？天下之道二，仁与不仁也。纣之为君，不仁也；武王之为君，仁也。伯夷固不事不仁之纣，以待仁而后出。武王之仁焉，又不事之，则伯夷何处乎？余故曰：圣贤辩之甚明，而后世偏见独识者之失其本也。呜呼，使伯夷之不死，以及武王之时，其烈岂独太公哉！

[题解]

本文对古代贤人伯夷提出了新的看法。他不同意孔子、孟子对伯夷的评价，更不同意司马迁对伯夷的看法。他认为伯夷理当是一位对商纣暴政疾恶如仇的反对者，如果武王伐纣的时候伯夷还在世，也会帮助武王建立功业。但由于史料的缺乏，王安石的论据不够充分，只是凭着自己的推论来判断历史。当然，他作此文的目的还是在强调为臣者必须辅佐仁爱之君，而不可以助纣为虐。

[注释]

①伯夷：商代孤竹君的长子。其父死后，他与弟弟叔齐互相谦让，都不愿继承王位。后周武王灭商，两人认为武王伐纣是犯上之举，故不愿再食周粟，逃到首阳山中采薇充饥，最终饿死于首阳山中。②不念旧恶：出自《论语·公冶长》："子曰：'伯夷、叔齐，不念旧恶。'"③求仁而得仁：出自《论语·述而》："冉有曰：'伯夷、叔齐何人也？'曰：'古之贤人也。'曰：'怨乎？'曰：'求仁而得仁，又何怨？'"④逸民：出自《论语·微子》："逸民：伯夷、叔齐。子曰：'不降其志，不辱其身，伯夷、叔齐与！'"逸民，指不与新政权合作而隐遁的人。⑤"伯夷非其君不事"六句：出自《孟子·万章下》："伯夷，目不视恶色，耳不听恶声。非其君不事，非其民不使。治则进，乱则退。横政之所出，横民之所止，不忍居也。思与乡人处，如以朝衣冠坐于涂炭也。当纣之时，居北海之滨，以待天下之清也。故闻伯夷之风者，顽夫廉，懦夫有立志。"⑥武王伐纣，伯夷叩马而谏：《史记·伯夷列传》载："西

伯卒，武王载木主，号为文武。东伐纣。伯夷、叔齐叩马而谏曰：'父死不葬，爰及干戈，可谓孝乎？以臣弑君，可谓仁乎？'"⑦《采薇之歌》：《史记·伯夷列传》说伯夷、叔齐耻食周粟，隐居于首阳山，采薇而食。及饿且死，作《采薇之歌》，遂饿死于首阳山。⑧韩子因之，亦为之颂：韩愈写的《伯夷颂》，称伯夷"特立独行"，"非二子，乱臣贼子接迹于后世矣"。给予了很高的评价。⑨尝与太公闻西伯善养老：《史记·伯夷列传》载："伯夷、叔齐闻西伯善养老，盍往归焉。及至，西伯卒。"养老，爱养前朝遗老。⑩大老：德高望重的老人。即《孟子·离娄上》所说的伯夷和姜太公。"二老者，天下之大老也。"

[译文]

  有些事情出现在千代以前，圣贤辩说讲解已经非常详明，然而后世却不能深入考究，仅仅根据一些偏颇的见解和鄙陋的认识，便自立为一种学说，既已丧失了根本，而学者和士大夫却一同遵守而不想改变的情况，是实实在在有过的，比如伯夷就是这样的人。

  关于伯夷，上古评论过他的有孔子和孟子。凭着孔子和孟子的可信度，他们的评论还无法一致，这就更加可信了。孔子说："不要总记着人家以往的恶事。""追求仁就会得到仁。""饿死在首阳山下，是典型的逸民。"孟子说："伯夷对于他不认可的君王是不臣服的，他从来不站立在凶恶君王的朝堂上，为了躲避商纣而逃到北海之滨，他的眼睛不愿见到不好的颜色，他不会侍奉一个不贤的人，他是百世的师表。"所以孔子、孟子都说伯夷虽然遭遇了商纣的凶恶，不记恨商纣的恩怨，但是并不想侍奉他，想以此来求得仁义；饥饿了就逃避，不忍心给自己带来耻辱，以此来等待天下的清明，而称之为圣人。然而司马迁认为周武王讨伐商纣，伯夷跪叩在武王马前强谏，天下以周为正统之后却以之为耻，发誓不吃周朝的粮食，而作《采薇之歌》。韩愈沿袭这种说法，还为他写了一篇赞颂之文，认为如果没有这两个人，乱臣贼子会在后世接连不断。这种说法是十分不妥的。

商朝逐渐衰落，而商纣王以不仁残害天下，天下的人有哪个不痛恨商纣？而最痛恨他的，就是伯夷了。伯夷曾与太公都听说文王善待老人，还实际地去寻找文王。那时候想要铲平商纣，这两个人的想法，哪里会有什么不同？等到武王奋起，太公成为了武王的宰相，救万民于涂炭当中，伯夷却不参与其中，这是为什么呢？这两位老人都是天下公认的德高望重的老人，都已经八十多岁，年纪本来已经很大了。从北海之滨赶到文王的都城，算起来有几千里远，从文王振兴到武王时代，又不下十几年，难道是伯夷想投归文王而不能如愿，竟然死在了北海？还是西归时死在途中了呢？再或者是他到了文王的都城却没能赶上武王当政就死了呢？这样分析伯夷，于情于理也都有些可商榷之处呢。况且武王伸张正义于天下，太公辅佐他并取得了成功，却固执地认为此举不对的，这个人难道是伯夷吗？天下的大道只有两途，仁与不仁。纣作为君王，是不仁的；武王作为君王，是仁的。伯夷本来不臣事不仁的商纣，以等待仁者的出现。武王是提倡仁的，他却又不侍奉武王，那么伯夷究竟要处在何种境况之下才算合乎其心呢？所以我说：圣贤分辨此事已经很清楚，而后代抱有偏见和个人看法的人的确是失去了弄清事情的根本。啊，如果伯夷没有死，等到了武王伐纣的时代，他的功烈岂能容太公所独有！

材 论

天下之患，不患材之不众，患上之人不欲其众；不患士之不欲为，患上之人不使其为也。夫材之用，国之栋梁也，得之则安以荣，失之则亡以辱。然上之人不欲其众、不使其为者，何也？是有三蔽焉。其尤蔽者，以为吾之位可以去辱绝危，终身无天下之患，材之得失无补于治乱之数，故偃然肆吾之志，而卒入于败乱危辱，此一蔽也。又或以谓吾之爵禄贵富足以诱天下之士，荣辱忧戚在我[①]，吾可以坐骄天下之士，将无不趋我者，则亦卒入于败乱危辱而已，此亦一蔽也。又或不求所以养育取用之道，而諰諰然以为天下实无材[②]，则亦卒入于败乱危辱而已，此亦一蔽也。此三蔽者，其为患则同。然而用心非不善，而犹可以论其失者，独以天下为无材者耳。盖其心非不欲用天下之材，特未知其故也。

且人之有材能者，其形何以异于人哉[③]？惟其遇事而事治，画策而利害得，治国而国安利，此其所以异于人也。上之人苟不能精察之，审用之，则虽抱皋、夔、稷、契之智[④]，且不能自异于众，况其下者乎？世之蔽者方曰："人之有异能于其身，犹锥之在囊，其末立见[⑤]，故未有有其实而不可见者也。"此徒有见于锥于之在囊，而固未睹夫马之在厩也。驽骥杂处，饮水食刍⑥,嘶鸣蹄齧,求其所以异者蔑矣⑦。及其引重车,取夷路⑧,不屡策,不烦御,一顿其辔而千里已至矣。当是之时,使驽马并驱方驾⑨,则虽倾轮绝勒,败筋伤骨,不舍昼夜而追之,辽乎其不可以及也,夫然后骐骥騕褭与驽骀别矣⑩。古之人君知其如此,故不以天下为无材,尽其道以求而试之耳,试之之道,在当其所能而已。

夫南越之修簳⑪,镞以百炼之精金,羽以秋鹗之劲翮⑫,加强弩之上,而彍之千步之外⑬,虽有犀兕之捍⑭,无不立穿而死者,此天下之利器,而决胜觌武之所宝也。然用以敲扑⑮,则无以异于朽槁之梃⑯。是知虽得天下之瑰材桀智,而用之不得其方,亦若此矣。古之人君知其如此,于是铢量其能而审处之⑰,使大者、小者、长者、短者、强者、弱者,无不适其任者焉。如是,则士之愚蒙鄙陋者,皆能奋其所知,以效小事,况其贤能智力卓荦者乎⑱?呜呼!后之在位者,盖未尝求其说而试之以实也,而坐曰:天下果无材,亦未之思而已矣。

或曰:"古之人于材,有以教育成就之,而子独言其求而用之者,何也?"曰:天下法度未立之后,必先索天下之材而用之。如能用天下之材,则能复先王之法度。能复先王之法度,则天下之小事,无不如先王时矣,况教育成就人材之大者乎?此吾所以独言求而用之之道也。

噫!今天下盖尝患无材可用者。吾闻之,六国合从,而辩说之材出⑲;刘、项并世,而筹画战斗之徒起⑳;唐太宗欲治,而谟谋谏诤之佐来㉑。此数辈者,方此数君未出之时,盖未尝有也。人君苟欲之,斯至矣。今亦患上之不求之、不用之耳。天下之广,人物之众,而曰果无材可用者,吾不信也。

[题解]

这是一篇专就人才而论的文章。王安石一向关注人才,写了不少论述人才的论文。本文提出，人才是国家兴衰的根本，为政者一定要重视人才，得到人才之后一定要让他们"试以事"，使他们在具体事务当中表现和发挥才干。

[注释]

①荣辱忧戚在我：意谓能够使天下人才士子荣耀、羞辱、贫困、富裕、得志、失意的大权在我一身。②愬愬：担心害怕的样子。③"且人之有材能者"二句：意思是有才干的人与庸夫在外表上并没有什么区别。④皋、夔、稷、契：都是上古的贤臣。皋，皋陶，字庭坚，虞舜时的法官。明五刑，弼五教，天下以治。夔，舜时的乐官，《礼记·乐记》："夔始作乐，以赏诸侯。"郑玄注解说："夔，舜时典乐者也。"稷，本指周之先祖，名弃，虞舜命为农官，教民耕稼，称为"后稷"。王充《论衡·初禀》说："弃事尧为司马，居稷官，故为后稷。"契，尧时主管人伦教化的司徒官，后为商的始祖。⑤锥之在囊，其末立见：锥子放在布囊里，其锋会很快穿透布囊而刺出来。喻真正的人才是压抑不住的，只要一有机会，便会显露锋芒。⑥刍：喂牲口的草料。⑦蔑：没有。⑧夷路：平坦的大道。⑨方驾：并排而驾。⑩骐骥：古骏马名。《楚辞·离骚》："乘骐骥以驰骋兮，来吾导夫先路。"騄駬：传说中的神马。《太平御览》卷八九六引《汉书音义》说："騄駬者，神马也。赤喙黑身。"驽骀：劣马。⑪南越：古地名，在今广东、广西一带。修箨：细长的小竹，可作箭杆。⑫鹗：雕一类的鸷鸟。扑鱼为食，俗称鱼鹰。翮：鸟的翅膀。⑬彉（guō）：张满弩弓。⑭犀兕：兽名，即犀牛。⑮敲扑：对犯人施以鞭刑所用的刑具。长者叫扑，短者叫敲。⑯朽楠之梃：发朽的木棍。⑰铢量：细细地称量，喻严格细密地考察官吏。铢，古代衡制单位，一两的二十四分之一为一铢。⑱卓荦：高超不凡。⑲六国合从，而辩说之材出：合从，即"合纵"，战国时山东六国联合抗秦的一种策略。其时持此说者主要是苏秦、苏代兄弟。《史记·苏秦列传》说："苏秦兄弟三人，皆游说诸侯以显名，其术长于权变。"⑳筹画战斗之徒：指刘邦、项羽帐下的谋臣和武将。刘邦谋臣如陈平、萧何、曹参、张良、郦食其等，武夫如韩信、周勃、樊哙、彭越等。项羽帐下谋臣如范增等，武夫如黥布、英布以及自立霸王后所封的诸王。参见《史记》、《汉书》。㉑唐太宗欲治，而谟谋谏诤之佐来：唐太宗即位后，励精图治，故身边聚集了大批贤臣，如房玄龄、杜如晦，史称"房杜"；又如魏徵，

常为太宗陈古今治理，直言极谏。众臣一心，终于开创了贞观盛世。参新、旧《唐书》。

[译文]

　　天下的祸患，不担忧人才不够多，而担忧上层的人不想使人才多；不担忧士子不想有作为，而担忧上层之人不愿使他们有所作为。人才得以使用，乃是国家的栋梁，得到人才国家才能安宁而有荣耀，失去人才则国家危亡而蒙受耻辱。然而上层之人不想多得人才，不愿他们有所作为，究竟是为什么呢？这上面有三方面的错误概念。其中最为错误的，是以为我的大位本身就可以去除耻辱杜绝危机，终身不可能有危及天下的祸患，人才的得与失并不影响天下大治或大乱的根本，所以安然地放纵自己的欲望，最终却导致了颓败混乱和危机耻辱，这是第一个重大的错误认识。或者是认为我的官爵利禄、尊贵富裕足以引诱天下的士子，荣辱和忧患安乐都在我的掌握之中，我可以高高在上傲视天下的士子，那将没有一个人敢于不顺从我，也最终导致颓败混乱和危机耻辱而已，这是又一种错误认识。再或者是不去考虑如何养育和取用人才的方式方法，忧心忡忡，总认为天下根本没有什么人才，最终也会陷入颓败混乱和危机耻辱，这又是一个重大的错误认识。这三种错误认识，造成的危害却是相同的。当然他们的用心不能算不好，还是可以和他讲论其中的错误的，只有最后所说认为天下实际上并没有什么人才的那一种，究其内心，并非心里不想用天下的人才，只是不知道其中的道理罢了。

　　退而言之，那些卓有才能的人，他的外形和平常人能有什么不同呢？只是他们在遇到事情的时候就能处置妥当，出谋划策就能趋利避害，治理国家就能使国家安定富庶，这是他们和平常人不同的地方。上层的人如果不能仔细考察他们，审慎地使用他们，那么即使是具有皋陶、夔、后稷和契的智慧，也没有办法使自己和别人有明显的不同，更何况比他们低下的人呢？世上那些糊涂人打比方说："人自身如果有特殊的才能，就好比锥子装在口袋里，它的锋芒肯定会即刻显现出来，所以世上没有具有杰出才干却藏而不露的人。"这种说法是只看见锥子处在口袋里，却没见到马在马圈里。劣马和良马杂处在一个棚里，饮水、吃草料、嘶鸣以及用蹄子踢、用嘴咬，寻求它们有什么不同，几乎是没有的。等到用它们牵引沉重的车辆，寻找平坦的大路，不用频频使用鞭子，也不用费心劳神地驾驭，只须牵一牵它的缰头，千里之远的路途说到就到了。在这种时候，用劣马并驾齐驱，即使是把车轮扳倒、把缰头牵断，跑断了筋累伤了骨，昼夜兼程地追赶，也差得太远根本不可能追上。这么一比之后，哪些马是骐骥骙袞，哪些马是疲不中用的劣马，即刻就区分出来了。上古的君王知道这样的道理，所以并不认为天下没有人才，按照一定的规律积极寻找并检验他们，检验他们的方法，就在于用其所长而已。

采用南越出产的长竹，配上经过反复锤炼的精良金属制成的箭头，再用秋鹗的羽毛制成箭羽，放在强弩硬弓之上，发射到千步以外，即使凶悍如犀牛，没有不顷刻被射穿而死的，这是天下的锐利之器，是决胜耀武的将军们最珍视的宝物。然而如果用来抽打人，那就和又干又朽的棍棒没什么区别了。由此可知，即使得到了天下最珍贵的材料和最聪颖的智者，使用他们不得其法，也和上面所说的情况相同。上古的君王知道这个道理，于是乎一点一点地考察他们的能力，十分谨慎地使用他们，对于才能大的、才能小的、有所特长的、有所缺陷的、态度强硬的、生性柔弱的，没有一个不给予恰如其分的任用。做到这一点，那么即使是士子当中那些愚钝、蒙昧、卑鄙、浅陋的，也都会加倍努力，去做那些微小的事务，何况那些贤能、聪明、才力超群的人呢？啊！可惜后世一些身居高位的帝王，没能尝试去研究使用人才的道理，也就不可能给他们实际的事务来检验他们的才能高低，而仅仅说：天下本来就没有人才。这也是没有认真考虑用人之事罢了。

有人说："上古的人对于人才，都是通过教育才培养出来的，而你却只说求取和使用人才，这是为什么呢？"王某回答说：天下的法度没有确立于后世，一定要先寻觅天下的人才而大胆使用他们。如果能使用天下的人才，那就能恢复前代帝王的法度。能恢复前代帝王的法度，那么天下所有的细小事务，就没有一件不和前代帝王治天下时相同了，何况教育培养人才这样的大事呢？这就是我之所以只说求取人才并使用人才的道理。

啊！当今的天下还是担心缺乏有用的人才。我听到过这样的说法，山东六国合纵抗秦，于是善于辩说的人才应运而生；刘邦、项羽并存于世，于是运筹谋略指挥作战的人才应运而生；唐太宗想治理好天下，而献策谏诤的臣僚接踵而至。这些人才，当他们的君主没有出现之前，是不曾有的。只要君主需要这样的人，很快就会得到。如今的担忧，还是在于身居高位的人不求取搜罗他们、任用他们而已。天下何其广阔，人物何其众多，而强调天下没有人才可用，我是不相信的。

三不欺

昔论者曰:"君任德,则下不忍欺;君任察,则下不能欺;君任刑,则下不敢欺。"而遂以德、察、刑为次。盖未之尽也。此三人者之为政,皆足以有取于圣人矣,然未闻圣人为政之道也。夫未闻圣人为政之道,而足以有取于圣人者,盖人得圣人之一端耳。且子贱之政使人不忍欺①,古者任德之君宜莫如尧也,然则骧兜犹或以类举于前②,则德之使人不欺,岂可独任也哉?子产之政使人不能欺③,夫君子可欺以其方,故使畜鱼而校人烹之④,然则察之使人不欺,岂可独任也哉?西门豹之政使人不敢欺⑤,夫不及于德而任刑以治,是孔子所谓"民免而无耻"者也⑥,然则刑之使人不敢欺,岂可独任也哉?故曰:此三人者,未闻圣人为政之道也。

然圣人之道有出此三者乎?亦兼用之而已。昔者尧、舜之时,比屋之民皆足以封⑦,则民可谓不忍欺矣。放齐以丹朱称于前⑧,曰:"嚚讼⑨,可乎?"则民可谓不能欺矣。四罪⑩而天下咸服,则民可谓不敢欺矣。故任德则有不可化者,任察则有不可周者,任刑则有不可服者。然则子贱之政无以正暴恶,子产之政无以周隐微,西门豹之政无以渐柔良。然而三人者能以治者,盖足以治小具而高乱世耳⑪,使当尧、舜之时所大治者,则岂足用哉？盖圣人之政，仁足以使民不忍欺，智足以使民不能欺，政足以使民不敢欺，然后天下无或欺之者矣。

或曰：刑亦足任以治乎？曰：所任者，盖亦非专用之而足以治也。豹治十二渠以利民⑫，至乎汉，吏不能废，民以为西门君所为，不从吏以废也，则豹之德，亦足以感于民心矣。然则尚刑，故曰任刑焉耳。使无以怀之而惟刑之见，则民岂得或不能欺之哉？

[题解]

这是作者治平中在金陵居丧时写的一篇小型政论文。作者一直在思考国家治理的大计，他认为要治理好一个国家，单靠仁爱、苛察和刑罚当中的任何一项，都是不可能收到最佳治效的，只有把先王曾经使用过的这些方法和手段综合起来，灵活把握，才能不乏仁爱而又有章可依。

[注释]

①子贱之政使人不忍欺：《史记·滑稽列传》载，子产治郑，民不能欺；子贱治单父，民不忍欺；西门豹治邺，民不敢欺。子贱，宓子贱，春秋时鲁国人，孔子的弟子。《吕氏春秋·察贤》说："宓子贱治单父，弹鸣琴，身不下堂而单父治。"②驩兜：尧舜时代的部落首领名，四凶之一。《尚书·舜典》有"放驩兜于崇山"之说。③子产：春秋时郑国大夫。强调为政以德，在位期间将郑国治理成中原强国。④使畜鱼而校人烹之：《孟子·万章上》讲了这个故事。杨伯峻注："校人，主池沼小吏也。"译："从前有一个人送条活鱼给郑国的子产，子产使主管池塘的人畜养起来，那人却煮着吃了，回报说：'刚放在池塘里，它还要死不活的；一会儿，摇摆着尾巴活动起来了，突然间远远地不知去向。'子产说：'它得到了好地方呀！得到了好地方呀！'那人出来了，说道：'谁说子产聪明？我已经把那条鱼煮着吃了，他还说："它得到了好地方呀！得到了好地方呀！"'所以对于君子，可以用合乎人情的方法来欺骗他，不能用违反道理的诡诈欺罔他。"⑤西门豹：战国时期魏文侯时的邺令。由于当地有每年为河伯娶妇的习俗，故其地甚贫。西门豹了解了此事的实情后，在一次娶妇大会时，以命老巫报信的手段，一连将三个巫人投入河中。

从此以后，其地再也无人敢为河伯娶妇。事见《史记·滑稽列传》。⑥民免而无耻：语出《论语·为政》。杨伯峻注解说："免，先秦古书若单用一个免字，一般都是免罪、免刑、免祸的意思。"译："人民只是暂时地免于罪过，却没有廉耻之心。"⑦比屋之民皆足以封：意谓周代政治清明，人民祥和而有道德，每个人都达到了可以封赏的标准。《尚书大传》卷五："周人可比屋而封。"⑧放齐：尧的大臣。丹朱：尧之子。《帝王世纪》载："尧娶散宜氏女，曰女皇，生丹朱。"⑨嚚讼：好争讼。⑩四罪：谓舜治共工、驩兜、三苗、鲧四凶之罪。《尚书·舜典》："流共工于幽州，放驩兜于崇山，窜三苗于三危，殛鲧于羽山，四罪而天下咸服。"⑪治小具而高乱世：谓三人处于乱世之中，用了一些小小的智慧，便能显现出治理民众的能力。⑫豹治十二渠以利民：《史记·滑稽列传》说："西门豹即发民凿十二渠，引河水灌民田，田既溉。"

[译文]

以前有人议论说："君王以德为先，那么臣下就不忍心欺蒙了。君王以苛察为先，那么臣下就不能欺蒙了。君王以刑罚为先，那么臣下就不敢欺蒙了。"于是便把仁德、苛察、刑罚排了个次序。这种议论还没能把问题说到深处。这样的三位君王为政，都足以称为从前代圣王那里学到了章法，然而还没有真正理解圣人为政的大道理。没有真正理解圣人为政的大道理，又说他们都足以称为从前代圣王那里学到了章法，只是说他们各得圣人为政的一个方面。况且宓子贱的治理是令人不忍心欺骗他，上古以德为先的君王应该都比不上帝尧。既然是这样，那么驩兜这样的凶恶之人，尚且可以举出不止一个，以德为先而使人们不忍心欺蒙，难道能够单独起到决定性作用吗？子产的政令使人们不能欺蒙，那么君子可以以其人之道还治其人之身，所以虽然养了鱼却被主管小吏烹吃了。既然如此，那么苛察而使人们不能欺蒙，难道可以单独使用而起到决定性作用吗？西门豹的政令使人们不敢欺蒙，没有达到以德为先而仅仅凭借刑罚来治理，这正是孔子所说的"人民只是暂时地免于罪过，却没有廉耻之心"。既然如此，那么刑罚使人不敢欺蒙，难道可以单独起决定作用的吗？所以说：这三个人，其实并没有真正晓得圣人为政的大道理。

圣人为政之道有出于以上三者之外的吗？其实也不过是将三者交替应用罢了。当年尧、舜的时代，每间屋里的百姓都够得上封爵的了，百姓可以说是不忍心欺蒙君王了。放齐在帝尧面前称赞丹朱说："喜好争讼的人，可以王天下吗？"百姓可以说是不能欺蒙了。四凶放罪之后天下人全都臣服，百姓可以说是不敢欺蒙了。所以说即使以德为先仍旧有顽固不化的，以苛察为先也有漏网没查到的，以刑罚为先就会有无法被制服的。既然这样，那么宓子贱的政教没办法纠正残暴邪恶，子产的政令没办法查遍隐蔽很深的罪行，西门豹的政令没办法使人们逐渐变得善良。然而这三个人之所以都能将一地治理好，恰恰是抓住了细微之处而在混乱之世显得了不起而已。如果使他们处在尧、舜那样天下大治的时代，他们这点方法难道能够用吗？可以说圣人为政，仁德足以使百姓不忍心欺蒙，智术足以使百姓不能欺蒙，刑政足以使百姓不敢欺蒙，这样之后天下之人才不会再有什么人敢于欺蒙。

也许有人会问：刑罚不也足以维持治理吗？我的回答是：刑罚固然要用，但也不能专门靠刑罚就认为足以治理了。西门豹修筑十二渠用来便利百姓，直到汉朝，当地的官员也无法废止，百姓都认为这是西门豹所修，不允许后来的官吏将它废除，西门豹的仁德，也足够感动百姓之心了。既然如此，那么过于看重刑罚，便可叫做唯刑罚论的做法了。使百姓没什么可以怀念的好举措，只知道他用刑严酷，那么百姓怎么可能一点都不敢去欺蒙他呢？

勇 惠

世之论者曰:"惠者轻与①,勇者轻死,临财而不苟②,临难而不避者,圣人之所取,而君子之行也。"吾曰不然。惠者重与,勇者重死,临财而不苟,临难而不避者,圣人之所疾,而小人之行也。故所谓君子之行者有二焉:其未发也,慎而已矣;其既发也,义而已矣。慎则待义而后决,义则待宜而后动,盖不苟而已也。《易》曰:"吉凶悔吝生乎动。"③言动者贤不肖之所以分,不可以苟尔。是以君子之动,苟得已,则斯静矣。故于义有可以不与死之道而必与必死者,虽众人之所谓难能④,而君子未必善也;于义有可与可死之道而不与不死者,虽众人之所谓易出,而君子未必非也。是故尚难而贱易者,小人之行也;无难无易而惟义之是者,君子之行也。《传》曰:"义者,天下之制也。"⑤制行而不以义,虽出乎圣人之所不能,亦归于小人而已矣。季路之为人⑥,可谓贤也,而孔子曰:"由也好勇过我,无所取材。"⑦夫孔子之行,惟义之是⑧,而子路过之,是过于义也。为行而过于义,宜乎孔子之无取于其材也。勇过于义,孔子不取,则惠之过于义,亦可知矣。

孟子曰:"可以与,可以无与,与伤惠;可以死,可以无死,死伤勇。"⑨盖君子之动,必于义无所疑而后发,苟有疑焉,斯无动也。《语》曰:"多见阙殆,慎行其余,则寡悔。"⑩言君子之行当慎处于义尔。而世有言孟子者曰:"孟子之文,传之者有所误也。孟子之意当曰'无与伤惠,无死伤勇'。"呜呼,盖亦弗思而已矣。

[题解]

这篇小文是作者治平中在金陵守丧时写的。此时作者力图变法的愿望越来越强烈,他从多方面多角度进行着思考。本文表面上看似乎与变法没有必然联系,实际上却是在强调"惟义是是",认定只要是合于"义"的举动,就是付出生命的代价,也可以在所不辞。

[注释]

①惠者轻与:谓有仁惠之心的人,把救济他人、施舍恩惠看得十分平常。②不营:不贪婪。③悔吝:本指因遭受灾祸而产生的追悔和惧怕,也泛指灾祸。《周易·系辞上》:"悔吝者,忧虞之象也。"此句意谓事情的吉凶、祸患都产生于变化。④难能:很难做到。⑤义者,天下之制也:出自《礼记·表记》。孔颖达疏解说:"义,宜也。制,谓裁断。既使物各得其宜,是能裁断于事也。"⑥季路:子路,孔子的弟子。《左传·哀公十四年》杨伯峻注解说:"《论语·颜渊》谓'子路无宿诺',足见季路之诚信素著。"⑦"由也好勇过我"二句:出自《论语·公冶长》。杨伯峻注解说:"材,同'哉',古字有时通用。"译:"子路这个人太好勇了,好勇的精神大大超过了我,这就没有什么可取的呀。"⑧惟义之是:即"惟义是是",一切语言行为都从义出发,一切都要符合义的原则。⑨"可以与"六句:出自《孟子·离娄下》。杨伯峻注解说:"伤惠、伤勇,一般人以为可以与,可以无与,则宜与;可以死,可以无死,则宜死。孟子却不然,认为与则伤惠,死则伤勇。"译:"可以拿,可以不拿,拿了对廉洁有损害,还是不拿;可以施与,可以不施与,施与了对恩惠有损害,还是不施与;可以死,可以不死,死了对勇敢有损害,还是不死。"⑩"多见阙殆"三句:出自《论语·为政》。杨伯峻注解说:"阙殆,和'阙疑'同义。"译:"多看,有怀疑的地方,加以保留;其余足以自信的部

分，谨慎地实行，就能减少懊悔。"

[译文]

世上有人这样说："好施恩惠的人不吝惜馈赠和给予，勇敢的人把死看得无足轻重、面对财货毫不贪心、面对危难毫不畏避的精神是圣人所赞赏的，也是君子应该努力追求的。"我认为未必如此。好施恩惠的人看重馈赠和给予，勇敢的人看重死亡、面对财货毫不贪心、面对危难毫不畏避的精神，恰恰是圣人所嫉恨的，是小人的行径。所以说君子的德行主要表现在两方面：当他还没有开始行动时，是慎之又慎的；一旦开始行动，那是要义字当先的。慎重是要判断行为是否符合义才能决定，符合了义还要等待合适的时机才会行动，因为做事都要认真而不能苟且。《周易》中说："吉凶、祸患都是由动产生的。"意思是说动是贤者与不贤者的分界线，绝不能苟且。所以君子的行动，一旦成功，那就会静下来。在义面前，明明有可以不去死的机会而非要去死，虽然一般人认为那是难得之举，但君子未必加以肯定；在义面前有可以去死的理由而不得不去死，虽然一般的人都容易做到，但君子未必给予非议。所以崇尚难以做到的举动而轻视容易做到的举动，那是小人的行径；不分难和易而只看是不是符合于义，才是君子的行为。《礼记》中说："义，是天下所有人行为衡量的唯一标准。"这个标准已经定下而行动时却不去考虑是否合乎义，连圣人都无法做到的行为，那就只能归结为小人之举了。子路的为人，可以称得上贤了，而孔子却说："子路的勇敢是超过我的，但我认为他没有什么可取之处。"那是因为孔子的行为，只看是否合于义，而子路超过了他，等于是超过了义的标准。行为超出了义的范围，怪不得孔子认为他没有什么可以取用的呢。勇敢超出了义，连孔子都认为不可取，那么恩惠超出了义，也就可想而知了。

孟子说："可以施与，也可以不施与，如果施与了对恩惠有损害，还是不施与为好；可以去死，也可以不去死，如果死了对勇敢有所损害，还是不去死为好。"君子的所有举动，一定要认定符合于义没有疑问后再去做，假如还有疑问，那就不要妄动。《论语》中说："凡事都要多看，有怀疑的地方，加以保留；其余足以自信的部分，谨慎地实行，就能减少懊悔。"是说君子的行为应当谨慎地处在义的范围之内。而世间有论孟子的人说："孟子的文章，是传写的人写错了。孟子的本意应该是说'可以施与，也可以不施与，那就应该施与；可以去死，也可以不去死，那就应该去死'。"唉，说这种话的人实在是没有认真地加以思考。

仁 智

仁者圣之次也，智者仁之次也，未有仁而不智者也，未有智而不仁者也。然则何智、仁之别哉？以其所以得仁者异也。仁，吾所有也，临行而不思，临言而不择，发之于事而无不当于仁也，此仁者之事也。仁，吾所未有也，吾能知其为仁也，临行而思，临言而择，发之于事而无不当仁也，此智者之事也。其所以得仁则异矣，及其为仁则一也。

孔子曰："仁者静，智者动。"①何也？曰：譬今有二贾也，一则既富矣，一则知富之术而未富也，既富者虽焚舟折车无事于贾可也，知富之术而未富者则不得无事也，此仁、智之所以异其动静也。吾之仁足以上格乎天，下浃乎草木，旁溢乎四夷，而吾之用不匮也，然则吾何求哉？此仁者之所以能静也。吾之知欲以上格乎天，下浃乎草木，旁溢乎四夷，而吾之用有时而匮也，然则吾可以无求乎？此智者之所以必动也。故曰："仁者乐山，智者乐水。"②山者，静而利物者也；水者，动而利物者也。其动静则异，其利物同矣。曰："仁者寿，智者乐。"③然则仁者不乐，智者不寿乎？曰：智者非不寿，不若仁者之寿也；仁者非不乐，乐不足以尽仁者之盛也。

能尽仁之道，则圣人矣，然不曰仁而目之以圣者，言其化也。盖能尽仁道则能化矣，如不能化，吾未见其能尽仁道也。颜回，次孔子者也，而孔子称之曰"三月不违仁"④而已，然则能尽仁道者，非若孔子者谁乎？

[题解]

本文意在论述圣、仁、智三者的关系。圣人一定是仁者与智者的结合体，这是毋庸置疑的。作者认为，仁者一定具备智慧，智者一定具备仁德，二者既有区别又有关联。最终的结论是：最上为圣人，其次为仁人，再其次为智者。智者努力可以达到仁人的高度，仁、智合一，就可能成为圣人了。

[注释]

①仁者静，智者动：《论语·雍也》说："子曰：知者动，仁者静。"知者，即"智者"。②仁者乐山，智者乐水：《论语·雍也》说："子曰：'智者乐水，仁者乐山。'"水为动，故智者乐之；山为静，故仁者乐之。③仁者寿，智者乐：《论语·雍也》说："知者乐，仁者寿。"杨伯峻译："聪明人快乐，仁人长寿。"④三月不违仁：《论语·雍也》说："子曰：'回也，其心三月不违仁，其余则日月焉至而已矣。'"杨伯峻注解说："三月、日月，这种词语必须活看，不要被字面所拘束，因此译文用'长久地'译'三月'，用'短时期'译'日月'。"译："颜回呀，他的心长久地不离开仁德，别的学生嘛，只是短时期偶然想起一下罢了。"

[译文]

仁是仅次于圣的，智又是次于仁的，世间没有具有仁德却缺乏智慧的人，也没有具有智慧却缺乏仁德的人。既然如此，那么智慧和仁德又有什么区别呢？是由于获得仁德的途径不同。仁德有时是本身具有的，做事时无须细细思量，说话时无须细细考虑，用在事上没有哪一点不与仁德相符合，这就是仁德之人所做的事。仁德有时候是本身不具有的，我能判断此举是否符合仁德，做事之前要细细考虑，说话之前要谨慎选择，用在事上没有哪一点不与仁德相符合，这就是智慧之人所做的事。他们获得仁德的方法不相同，而他们做的都是合乎仁德的事，在这一点上是完全相同的。

孔子说："仁者崇尚静,智者崇尚动。"为什么这么说呢?我的回答是:譬如现在有两位商人,其中一位已经很富了,另一位知道了致富的方法但还没有致富。已经富的那一位把船烧掉、把车拆掉不再从事商业活动,没什么不可以的。知道致富方法还没有致富的那一位却不可能不继续经商。这就是仁者、智者之所以动与静不同的表现。如果我的仁德足以上感苍天,下及草木,使四方蛮夷都得到了恩泽,我已经用之不竭了,还有什么可以追求的呢?这就是仁者为什么能够保持静的原因。我的智慧让我知道应该上感苍天,下及草木,使四方蛮夷都能得到恩泽,但施行起来却时不时出现匮乏,我能不继续努力追求吗?这就是智者为什么一定要处于动的原因。所以说:"仁者喜欢山,智者喜欢水。"山,是安静并且能有利于万物的;水,是流动并且能有利于万物的。它们动与静的形态虽然不同,但有利于万物这一点上则是完全相同的。孔子又说:"仁者能长寿,智者能快乐。"难道说仁者就不快乐,智者就不长寿吗?我的回答是:智者并不是不能长寿,但不如仁者那么长寿;仁者并不是不快乐,只是他的快乐不足以达到智者的程度。

能够施尽仁德,那就是圣人了,然而不称他为仁人而把他看成圣人,是在说明他还能够教化社会。实际上能施尽仁德之道就可以教化社会了,如果不能教化社会,我们就不可能看到他能够施尽仁德之道。颜回,是逊于孔子的人,而孔子只称赞他"能够连续三个月不背离仁德"而已,如此说来,能够施尽仁德之道的,除了孔子,还能有谁呢?

原 性

或曰：孟、荀、扬、韩四子者①，皆古之有道仁人，而性者，有生之大本也，以古之有道仁人而言有生之大本，其为言也宜无惑，何其说之相戾也？吾愿闻子之所安。

曰：吾所安者②，孔子之言而已。夫太极者③，五行之所由生，而五行非太极也。性者，五常之太极也④，而五常不可以谓之性。此吾所以异于韩子。且韩子以仁、义、礼、智、信五者谓之性，而曰天下之性恶焉而已矣。五者之谓性而恶焉者，岂五者之谓哉？

孟子言人之性善，荀子言人之性恶。夫太极生五行，然后利害生焉，而太极不可以利害言也。性生乎情⑤，有情然后善恶形焉，而性不可以善恶言也。此吾所以异于二子。孟子以恻隐之心人皆有之⑥，因以谓人之性无不仁。就所谓性者如其说，必也怨毒忿戾之心人皆无之，然后可以言人之性无不善，而人果皆无之乎？孟子以恻隐之心为性者，以其在内也。夫恻隐之心与怨毒忿戾之心，其有感于外而后出乎中者，有不同乎？荀子曰："其为善者伪也。"⑦就所谓性者如其说，必也恻隐之心人皆无之，然后可以言善者伪也，为人果皆无之乎？荀子曰："陶人化土而为埴，埴岂土之性也哉？"⑧夫陶人不以木为埴者，惟土有埴之性焉，乌在其为伪也？且诸子之所言，皆吾所谓情也，习也，非性也。

扬子之言为似矣，犹未出乎以习而言性也。古者有不谓喜、怒、爱、恶、欲情者乎？喜、怒、爱、恶、欲而善，然后从而命之曰仁也、义也；喜、怒、爱、恶、欲而不善，然后从而命之曰不仁也、不义也。故曰：有情然后善恶形焉。然则善恶者，情之成名而已矣。孔子曰："性相近也，习相远也。"⑨吾之言如此。

然则"上智与下愚不移"⑩，有说乎？曰：此之谓智愚，吾所云者，性与善恶也。恶者之于善也，为之则是；愚者之于智也，或不可强而有也。伏羲作《易》⑪，而后世圣人之言也，非天下之至精至神，其孰能与于此？孔子作《春秋》，则游、夏不能措一辞⑫。盖伏羲之智，非至精至神不能与，惟孔子之智，虽游、夏不可强而能也，况所谓下愚者哉？其不移明矣。

或曰：四子之云尔，其皆有意于教乎？曰：是说也，吾不知也。圣人之教，正名而已。

[题解]

人性善恶的争论，是一直存在于古代哲人之间的。作者对于性本恶、性本善、人性善恶混都持否定态度，他认为人性原本都是相同的，就如同远古的混沌、人类的伦理，只是个中性概念，无所谓善也无所谓恶，善与恶都是人在受到外界刺激后作出的反应，合乎圣贤善的标准，就是仁义，不合乎圣贤善的标准，就是不仁不义。这种理论虽然在当时没有引起普遍的认同，但按照今人对世界观的基本认知，是一种朴素的唯物主义认识论。

[注释]

①孟、荀、扬、韩：指春秋时期的孟子、战国时期的荀子、西汉的扬雄和唐代的韩愈。②吾所安者：我最赞成的意见。③太极：原始混沌之气。④性者，五常之太极也：这是个比喻的说法，意谓人性就好比是五行中的太极一

样。五常,仁、义、礼、智、信。《荀子·非十二子》说:"案往旧造说,谓之五行。"杨倞注解说:"五行,五常,仁、义、礼、智、信是也。"⑤情:韩愈《原性》说:"其所以为情者七,曰喜,曰怒,曰哀,曰惧,曰爱,曰恶,曰欲。"⑥恻隐之心人皆有之:出自《孟子·公孙丑上》:"今人乍见孺子将入于井,皆有怵惕恻隐之心。由是观之,无恻隐之心,非人也。"意谓同情怜悯之心是人人都具有的。⑦其为善者伪也:《荀子·性恶》说:"人之性恶,其善者伪也。"⑧"陶人化土而为埴"二句:《荀子·性恶》说:"故陶人埏埴而为器,然则器生于工人之伪,非故生于人之性也。"王先谦注解说:"陶人,瓦工也。埏,击也。埴,黏土也。击黏土而成器。"⑨"性相近也"二句:出自《论语·阳货》。杨伯峻译:"人性情本相近,因为习染不同,便相距悬远。"⑩上智与下愚不移:出自《论语·阳货》。杨伯峻注解说:"关于上智、下愚的解释,古今颇有异说。《汉书·古今人表》说:'可与为善,不可与为恶,是谓上智;可与为恶,不可与为善,是谓下愚。'则是以其品质言。孙星衍《问字堂集》说:'上智谓生而知之,下愚谓困而不学。'则是兼以其知识与品质而言。但孔子说过'生而知之者上也'。这里的上智,可能就是生而知之的人。"译:"只有上等的智者和下等的愚人是改变不了的。"⑪伏羲作《易》:《文选·东京赋》:"龙图授羲。"薛综注引《尚书传》说:"伏羲氏王天下,龙马出河,遂则其文,以画八卦,谓之河图。"⑫游、夏不能措一辞:出自曹植《与杨德祖书》:"昔尼父之文辞,与人通流。至于制《春秋》,游、夏之徒乃不能措一辞。"游、夏,即子游、子夏,均为孔子弟子,善于文学。《论语·先进》称:"文学:子游、子夏。"

[译文]

有人说:孟子、荀子、扬雄、韩愈这四个人,都是古代有道的仁人,而人性,则是生命的根本。以古代有道的仁人去探讨生命的根本,他们的理论应该是一致而没有争论的,而他们的理论却为什么又存在着这么多严重的分歧啊?我真想听到我最赞成的结论。

"我最赞成的结论",这话是孔子说的。原始混沌的太极,是金、木、水、火、土产生的根本,但金、木、水、火、土并不是太极。人性是人伦五常仁、义、礼、智、信当中的太极,而仁、义、礼、智、信五常也不能叫做人性。这是我和韩愈所说的不同之处。况且韩愈把仁、义、礼、智、信五者直接称为人性，说天下所有人的人性都是恶的。这五者叫做人性又是恶的，难道仁、义、礼、智、信五者都是恶的吗？

　　孟子说人性本来是善的，荀子说人性本来是恶的。太极产生五行，之后利害才会发生，而太极却不能用利害来概括。人性产生于人情，有了情感之后，善和恶才表现出来，而人性本身也不能用善或恶来概括。这是我和孟子、荀子认识的不同之处。孟子认为同情之心、怜悯之心是人们本来就具有的，因此推论人的本性没有不仁善的。如果对于人性这样去理解，那肯定是说怨恨、恶毒、气愤、乖戾之心是人人本来就没有的，然后才能说人性没有不善的，实际上人们果然都没有怨恨、恶毒、气愤、乖戾之心吗？孟子把同情、怜悯之心当成人性，是认为它存在于人的内心。那么同情、怜悯之心与怨恨、恶毒、气愤、乖戾之心，都是来自外界然后又从内心发泄出来的，它们还有什么不同吗？荀子说："人们行善实际上是在作假。"如果对于人性这样去理解，那肯定是说同情、怜悯之心是人人本来就没有的，然后才能说人做善事都是在作假，作为人，真的都没有同情、怜悯之心吗？荀子又说："制陶的人把泥土加工成陶坯，陶坯难道是泥土的本性吗？"制陶的人不用木头去加工陶坯，是因为只有泥土才具有加工成陶坯的属性，哪里是在强调制陶人在作假呢？况且以上三位古人所说的话，都是我认为的感情和习惯，而并不是人性。

　　扬雄的话有些接近实际，但仍旧没有脱出用习惯去解说人性的范畴。古代圣贤有不说喜、怒、爱、恶、欲是感情的吗？喜、怒、爱、恶、欲用在行善之处，然后便称道说这就是仁、是义；喜、怒、爱、恶、欲用在不善之处，然后便指责说这就是不仁、是不义。所以说：有了感情之后，善和恶才以不同的形式表现出来。既然如此，所谓善与恶，其实是因感情不同而形成的概念。孔子说："人性都是很相似的，人的习惯却差得很远。"我的意思也是如此。

那么孔子所谓"只有上等的智者和下等的愚人是改变不了的"，又该如何解释呢？我的回答是：这里说的是聪明和愚蠢，而我所说的是人性和人的善与恶。恶的行径相对于善良来说，你去做了就是恶行；而愚蠢的天资相对于聪明来说，几乎是不能勉强他具有的。伏羲氏作《易》，而后代的圣人能够解释它，如果不是天下最精明最神奇的人，谁能对《易》作出解释？孔子作《春秋》，连最出色的弟子子游、子夏都不可能添加修改一个字。凭着伏羲氏的智慧，不是最精明最神奇的人不可能去解释；凭着孔子的智慧，即使是子游、子夏也不可能勉强去做，更何况是那些下等愚蠢的人呢？所以聪明和愚蠢永远不可改变，是再明白不过的道理。

有人会问：这四个人的言论，都有意于教化吗？我的回答是：这种问题，我无法回答。我只知道圣人的教诲，并为它正名而已。

性 说[①]

孔子曰:"性相近也,习相远也。"吾是以与孔子也[②]。韩子之言性也[③],吾不有取焉。然则孔子所谓"中人以上可以语上,中人以下不可以语上"[④],"惟上智与下愚不移",何说也?曰:习于善而已矣,所谓上智者;习于恶而已矣,所谓下愚者;一习于善,一习于恶,所谓中人者。上智也、下愚也、中人也,其卒也命之而已矣[⑤]。有人于此,未始为不善也,谓之上智可也;其卒也去而为不善,然后谓之中人可也。有人于此,未始为善也,谓之下愚可也;其卒也去而为善,然后谓之中人也。惟其不移,然后谓之上智;惟其不移,然后谓之下愚,皆于其卒也命之,夫非生而不可移也。

且韩子之言弗顾矣,曰:"性之品三,而其所以为性五。"[⑥]夫仁、义、礼、智、信,孰而可谓不善也?又曰:"上焉者之于五,主于一而行之四;下焉者之于五,反于一而悖于四。"[⑦]是其于性也,不一失焉,而后谓之上焉者,不一得焉,而后谓之下焉者。是果性善,而不善者,习也。

然则尧之朱、舜之均、瞽瞍之舜、鲧之禹、后稷、越椒、叔鱼之事[⑧],后所引者皆不可信邪?曰:尧之朱、舜之均,固吾所谓习于恶而已者;瞽瞍之舜、鲧之禹,固吾所谓习于善而已者。

后稷之诗以异云，而吾之所论者常也。《诗》之言，至以为人子而无父，人子而无父，犹可以推其质常乎？夫言性，亦常而已矣；无以常乎，则狂者蹈火而入河，亦可以为性也。越椒、叔鱼之事，徒闻之左丘明⑨，丘明固不可信也。以言取人，孔子失之宰我⑩；以貌，失之子羽⑪。此两人者，其成人也，孔子闻朝夕与之居，以言、貌取之而失。彼其始生也，妇人者以声与貌定，而卒得之⑫，妇人者独有过孔子者邪？

[题解]

本文肯定了孔子"性相近，习相远"的观点，并对孔子"中人以上可以语上，中人以下不可以语上"、"惟上智与下愚不移"等观点，提出了独到的看法，他认为所谓"上智下愚不移"，并不是"生而不可移"，而是要看他始终不移地习于善还是始终不移地习于恶。这些观点，显然是王安石经过冷静思考得出的结论。

[注释]

①性说：按：人性是一个十分古老的话题，先秦时期即有性善、性恶、善恶混三种观点。作者此文是综合议论人性的，主要是与韩愈的《原性》进行论辩。本文可与上一篇《原性》对照阅读。②与孔子：同意孔子的看法。与，同意。③韩子：指唐代的韩愈。④"中人以上可以语上"二句：出自《论语·雍也》。杨伯峻译："孔子说：'中等水平以上的人，可以告诉他高深的学问；中等水平以下的人，不可以告诉他高深的学问。'"⑤其卒也：指人死了以后。即中国传统所谓"盖棺论定"之意。⑥"性之品三"二句：韩愈《原性》说："性也者，与生俱生也。情也者，接于物而生也。性之品有三，而其所以为性者五。情之品有三，而其所以为情者七。曰：何也？曰：性之品有上、中、下三。上焉者，善焉而已矣。中焉者，可导而上下也。下焉者，恶焉而已矣。其所以为性者五，曰仁，曰礼，曰信，曰义，曰智。"⑦"上焉者之于五"四句：韩愈《原性》说："上焉者之于五也，主于一而行之四；中焉者之于五也，一不少有焉，则少反焉。其于四也混。下焉者之于五也，反于一而悖于四。"此意谓上品之人，以仁、义、礼、智、信中之一为主，其四为辅；

中品之人，于仁、义、礼、智、信互有参差；下品之人，取其一而背其四，故以恶为主。⑧尧之朱：指尧的儿子丹朱。因生性顽凶，不足以授天下，于是尧将天下交给了舜。舜之均：指舜的儿子商均。《史记·五帝本纪》说：舜子商均亦不肖，舜乃豫荐禹于天。瞽瞍之舜：瞽瞍的儿子舜。《史记·五帝本纪》说：舜父瞽叟盲，舜母死后，瞽叟更娶妻而生象，象傲。瞽叟爱后妻子，常欲杀舜。鲧之禹：鲧的儿子大禹。鲧为当时四凶之一，却生了圣人禹。后稷：《史记·夏本纪》说：后稷带领民众进行农业生产。食物不多，而他能调剂余缺而均诸侯。越椒：春秋时期楚国司马子良的儿子，令尹子文的弟弟。《左传·宣公四年》载，楚司马子良生子越椒。令尹子文说："必杀之！是子也，熊虎之状而豺狼之声；弗杀，必灭若敖氏矣。谚曰：狼子野心。是乃狼也，其可畜乎？"子良不忍。令尹子文认为此人日后必为大患。将死之际，召集族人说："越椒就要执政了，你们赶快逃跑，不要及于灾难。"叔鱼：春秋时期晋国大理官，因受他人之女而断狱不公，为仇家杀死。事见《左传·昭公十五年》。韩愈《原性》说："叔鱼之生也，其母视之，知其必以贿死。"⑨左丘明：即《左传》的作者。因以上越椒、叔鱼二事皆出自《左传》，故称"闻之左丘明"。⑩"以言取人"二句：《史记·仲尼弟子列传》说：宰予，字宰我，利口辩辞。宰予昼寝。孔子曰："朽木不可雕也，粪土之墙不可圬也。"⑪以貌，失之子羽：《史记·仲尼弟子列传》中孔子说："吾以言取人，失之宰予；以貌取人，失之子羽。"意思是孔子也有看不准人的时候。⑫妇人者以声与貌定，而卒得之：谓女人们刚刚生出的子女，就能凭着对孩子声音和容貌的了解，轻易地辨识出是不是自己的孩子。

[译文]

孔子说："人性都是很相似的，人的习惯却差得很远。"因此我很同意孔子的说法。韩愈所说的人性问题，我是不同意的。既然如此，那么孔子所说的"中等水平以上的人，可以告诉他高深的学问；中等水平以下的人，不可以告诉他高深的学问"、"只有上等的智者和下等的愚人是无法改变的"等言论，又作何解释呢？我的回答是：习惯于向善了，就是所谓的上智；习惯于为恶了，就是所谓的下愚；又习惯于向善，又习惯于为恶，就是所谓的中等人。上智者、下愚者和中等的人，都是他们死了以后给他们的评价。假如有这样一个人，最初时并没有做什么不善的事，说他属于上智完全可以；后来的他行为背离了善而去做不善的事了，这种人称之为中等人也完全可以。假如又有这样一个人，从来就没有做过善事，称之为下愚完全可以；后来背离了恶而去做善事，这种人称之为中等人也完全可以。只有那些不改变自己向善的人，才能称之为上智；只有那些不改变自己为恶的人，才能称之为下愚，这都是他们死了以后给他们的定论，而不是天生就不能改变的。

况且韩愈的言论还有没顾及的问题，他说："人性的区别有三类，而它之所以称为人性的有五类。"仁、义、礼、智、信，谁能说是不善的呢？他又说："所谓上智者内容共有五项，以一项为主而其他四项为辅；所谓下愚者的内容同样有五项，其中一项完全相反而其他四项也有所偏离。"看来韩愈对于人性的看法，指任何一项都没有缺失，而后才能称为上智；一项都没有遵循，而后才能称为下愚。这不恰恰说明人性本是向善的，所谓不善的那些行为，只是习惯吗？

如此说来，那么尧之子丹朱、舜之子商均、瞽瞍之子虞舜、鲧之子大禹，以及后稷、越椒、叔鱼等人的事，后人所引论的都不可信吗？我的回答是：尧之子丹朱、舜之子商均，属于我所说那种本来就习惯于为恶的一类；瞽瞍之子虞舜、鲧之子大禹，属于我所说的那种本来就习惯于向善的一类。歌颂后稷的诗说后稷和平常人不同，而我所说的道理则是根据常理来展开的。《诗经》当中，竟有说儿子没有父亲的，儿子没有父亲，还能按照常人的要求去推想他的所作所为吗？论述人性，也要根据常理才行；如果不按常理，那么有精神病的人往火坑里钻、往大河里跳，也能称为人性吗？越椒、叔鱼的故事，只在左丘明为《春秋》作的传里才见到，而左丘明的话根本就不可信。根据别人的言词进行取舍，孔子还被宰予蒙蔽呢；根据相貌来决定取舍，孔子又被子羽蒙蔽了。这两个人，在他们的成长过程中，孔子与二人朝夕相处，非常熟悉，即便这样，尚且被他们的言论和形貌所蒙蔽。而他们刚刚出生，他们的母亲却可以根据孩子的声音和形貌判定是不是自己的孩子，难道能说这些妇女还有比孔子更高明之处吗？

太 古①

太古之人不与禽兽朋也几何②？圣人恶之也，制作焉以别之③。下而戾于后世④，侈裳衣，壮宫室，隆耳目之观，以嚣天下。君臣、父子、兄弟、夫妇皆不得其所当然，仁义不足泽其性，礼乐不足锢其情，刑政不足网其恶，荡然复与禽兽朋矣⑤。圣人不作，昧者不识所以化之之术，顾引而归之太古。太古之道果可行之万世，圣人恶用制作于其间？必制作于其间，为太古之不可行也。顾欲引而归之，是去禽兽而之禽兽，奚补于化哉？吾以为识治乱者，当言所以化之之术，曰归之太古，非愚则诬。

[题解]

这篇短文约作于仁宗末年，虽然字数不多，却在以极大的流量宣泄着作者的愤懑之情。作者把仁宗晚年无为而治的时期看做是带领人民回归到原始社会，归根结底还是在表达国家必须彻底变革的强烈愿望。

[注释]

①太古：上古，远古。②与禽兽朋：谓远古人类的行为大多与禽兽相类。③制作：礼乐等方面的典章制度。④戾：至，到。⑤荡然复与禽兽朋：谓仁、义、礼、信之类被抛弃殆尽，人们又回到了与禽兽差不多的境地。如君不仁臣不忠，父不慈子不孝之类。

[译文]

远古的人们与禽兽分开独自成为人类有多久？圣人不喜欢人们

继续带有禽兽的习性，于是制定了礼乐制度等来区别他们。向后延续直到很晚的后代，人们懂得使衣裳华美，使宫室壮丽，为满足耳目的观赏，不惜使天下之人忙忙碌碌。君与臣、父与子、兄与弟、夫与妇之间，都失去了既定的伦理关系，仁义不足以陶冶人们的善性，礼乐不足以约束人们的享乐，刑法政令不足以制裁人们的凶恶，礼乐制度荡然无存，人类又回到了与禽兽为朋的状态当中了。圣人不再出现，愚昧者根本不懂得如何教化人民的方法，只是一味带领人们回到远古蒙昧之中。如果远古的状态可以肆行于后世，圣人何必要为他们制定礼乐制度？之所以一定要为他们制定礼乐制度要求他们遵守，就是因为远古那一套是不可延续的。一味带领人民想要回到远古，等于是摆脱了禽兽而又回归为禽兽，对于人伦教化有什么补益？我认为懂得社会治与乱的人，就应该研究探索教化人民的方法，只说回归到远古，不是蠢货就是骗人。

原 教[①]

　　善教者藏其用，民化上而不知所以教之之源。不善教者反此，民知所以教之之源，而不诚化上之意。善教者之为教也，致吾义忠[②]，而天下之君臣义且忠矣；致吾孝慈，而天下之父子孝且慈矣；致吾恩于兄弟，而天下之兄弟相为恩矣；致吾礼于夫妇，而天下之夫妇相为礼矣。天下之君君臣臣、父父子子、兄兄弟弟、夫夫妇妇，皆吾教也[③]。民则曰："我何赖于彼哉？"此谓化上而不知所以教之之源也。不善教者之为教也，不此之务，而暴为之制，烦为之防，劬劬于法令诰戒之间[④]，藏于府，宪于市[⑤]，属民于鄙野，必曰臣而臣，君而君，子而子，父而父，兄弟者无失其为兄弟也，夫妇者无失其为夫妇也。率是也有赏，不然则罪。乡间之师[⑥]，族酂之长[⑦]，疏者时读，密者日告，若是其悉矣。顾有不服教而附于刑者[⑧]，于是嘉石以惭之[⑨]，圆土以苦之[⑩]，甚者弃之于市朝[⑪]，放之于裔末[⑫]，卒不可以已也。此谓民知所以教之之源，而不诚化上之意也。善教者浃于民心，而耳目无闻焉，以道扰民者也。不善教者施于民之耳目，而求浃于心，以道强民者也。扰之为言，犹山薮之扰毛羽[⑬]，川泽之扰鳞介也，岂有制哉？自然然耳。强之为言，其犹囿毛羽、沼鳞介乎，一失其制，脱然逝矣[⑭]。噫！古之所以为古，无异焉，由前而已矣；今之所以不为古，无异焉，由后而已矣。

或曰：法令诰戒不足以为教乎？曰：法令诰戒，文也，吾云尔者，本也，失其本而求之文，吾不知其可也。

[题解]

本文论述教化的意义和方法。作者认为，在上者如果能身体力行、敦行教化，百姓无须教而自化；在上者穷奢极欲，却威胁和强迫百姓遵纪守法，唯命是从，那是无论如何都无法实现的，最终只能自取灭亡。

[注释]

①原：古代文体的一种。徐师曾《文体明辨序说》说："原者，本也，谓推论其本原也。自唐韩愈作五'原'，而后人因之。"②致吾义忠：首先是自己有仁义忠信，然后把仁义忠信传授给他人。③"天下之君君臣臣"五句：意谓如今普天之下君臣之义，父子之亲，兄弟之友，夫妇之恩，都是吾儒所教。④劬（qú）劬：辛勤劳苦之貌。⑤宪于市：在市井之间推行法令。⑥乡间之师：上古以二十五家为间，一万二千五百家为乡。后遂以乡间为人聚居之处。⑦族鄸：族，家族。鄸，周代京畿以外地方组织单位名称，一百家为鄸。⑧顾有不服教：只要有不服从政令的。⑨嘉石：据《周礼·秋官·大司寇》载，上古百姓有犯罪者，官府会给他戴上桎梏而命他坐在嘉石之上，让他好好反思应该遵守的道理。郑玄注解说：嘉石，有纹理的大石。命民思其纹理，以改悔自修。⑩圆土：又作"圜土"，上古圆形的牢狱。⑪弃之于市朝：古代戮人于市的死刑。《礼记·王制》："刑人于市，与众弃之。"⑫放之于裔末：流放到边远之地。⑬山薮之扰毛羽：到高山大泽里去惊扰禽兽。⑭脱然：迅速地脱离开去。

[译文]

善于教化人民的帝王会把条令掩藏起来，百姓受到感化，却不知道帝王如何进行了教化。不善于教化人民的帝王与此相反，百姓很清楚帝王打算让人民遵守什么，却不愿服从帝王的所谓教化之心。善于教化的帝王教导人们，首先是自己有仁义忠信，然后把仁义忠信传授给天下之人，这样一来普天之下的士民都懂得了仁义并且十分忠诚；首先是自己有孝顺之心、慈爱之举，然后把孝顺之心、慈爱之举传达给天下之人，这样一来普天之下的士民都懂得了孝顺和慈爱；首先把恩义施及兄弟身上，那么天下的兄弟都会以恩义相处了；首先把礼貌施及于夫妇之间，则天下的夫妇就都能够以礼相待了。天下的君为君臣为臣、父为父子为子、兄为兄弟为弟、夫为夫妇为妇，都是我们应该教化的内容。时间久了，百姓会说："我们哪有必要依赖于帝王的教化啊！"这就是所谓百姓受到感化，却不知道帝王如何进行了教化。不善于教化人民的帝王制定所谓的教条，不考虑如何以身作则默而化之，而是制定残暴的法令，对百姓严加防范，整天忙碌于刑法、政令、制诰、警戒当中，收藏在官府，在市井之间执行，把人民看做愚昧无知的野人，不住地告诉他们臣就是臣，君就是君，子就是子，父就是父，兄弟之间不许失去规定的和睦，夫妇之间不许丧失规定的礼节。能遵守这些条令的给予奖赏，不能遵守的就要被判罪。乡党间里的官吏，家族聚落中的长者，操持舒缓的也要不时宣读这些条令，操持勤的，几乎每天都要告诫提醒，使人人都必须了解得清清楚楚。只要有不服从教令而触犯刑法的，就放在嘉石上让他慢慢反省，投进监狱去折磨他，更严重的则押赴市朝处以死刑，或流放到荒远之地让他永世难归，最终也无法有效地制止。这就是所谓百姓明明知道帝王想要让他们怎么去做，却不甘心去顺从帝王的旨意。善于教化的帝王恩泽深入民心，耳目之间并没有明显的感觉，这是用道义来感染百姓的做法。不善于教化的帝王把政令强加在百姓的耳边眼前，而求得深入人心，这是拿法度强迫人民的做法。喋喋不休地威胁百姓，就像是到深山当中去惊扰禽兽，到河湖当中去惊扰鱼鳖，哪里还可以制服呢？自然散去罢了。喋喋不休地威胁百姓，又像是把禽兽关在园子里，把鱼鳖养在池沼里，一旦锁钥失灵，便会纷纷逃去。啊！古代之所以称为古代，其实并没有太多的区别，仅仅是相对于今天再往前数而已；当今之所以不称为古代，也没有太多的区别，仅仅是从前代往后数而已。

有人说：刑法、政令、制诰、警戒不足以作为教化之具吗？我的回答是：刑法、政令、制诰、警戒，仅仅是一堆文字，而我以上所说的这些话，才是教化的根本。丧失了根本只到文字当中去寻求教化，反正我是不明白怎么才能做到。

取 材

夫工人之为业也，必先淬砺其器用①，抡度其材干②，然后致力寡而用功得矣。圣人之于国也，必先遴柬其贤能③，练核其名实，然后任使逸而事以济矣。故取人之道，世之急务也，自古守文之君④，孰不有意于是哉？然其间得人者有之，失士者不能无焉，称职者有之，谬举者不能无焉。必欲得人称职，不失士，不谬举，宜如汉左雄所议诸生试家法、文吏课笺奏为得矣⑤。

所谓文吏者，不徒苟尚文辞而已，必也通古今，习礼法，天文人事，政教更张，然后施之职事，则以详平政体，有大议论，使以古今参之是也。所谓诸生者⑥，不独取训习句读而已，必也习典礼⑦，明制度，臣主威仪，时政沿袭，然后施之职事，则以缘饰治道；有大议论，则以经术断之是也。

以今准古，今之进士，古之文吏也；今之经学，古之儒生也。然其策进士，则但以章句声病⑧，苟尚文辞，类皆小能者为之；策经学者，徒以记问为能，不责大义，类皆蒙鄙者能之。使通才之人或见赘于时，高世之士或见排于俗。故属文者至相戒曰："涉猎可为也，诬艳可尚也⑨，于政事何为哉？"守经者曰："传写可为也，诵习可勤也，于义理何取哉？"故其父兄勖其子弟⑩，师长勖其门人，相为浮艳之作，以追时好而取世资也⑪。何哉？其取舍好尚如此，所习不得不然也。若此之类，而当擢之职位，历之仕途，一旦国家有大议论，立辟雍明堂⑫，损益礼制，更著律令，决谳疑狱，彼恶能以详平政体，缘饰治道，以古今参之，以经术断之哉？是必唯唯而已⑬。

文中子曰："文乎文乎，苟作云乎哉？必也贯乎道。学乎学乎，博诵云乎哉？必也济乎义。"⑭故才之不可苟取也久矣，必若差别类能，宜少依汉之笺奏家法之义。策进士者，若曰邦家之大计何先，治人之要务何急，政教之利害何大，安边之计策何出，使之以时务之所宜言之，不直以章句声病累其心；策经学者，宜曰礼乐之损益何宜，天地之变化何如，礼器之制度何尚，各傅经义以对，不独以记问传写为能。然后署之甲乙以升黜之，庶其取舍之鉴灼于目前，是岂恶有用而事无用，辞逸而就劳哉？故学者不习无用之言，则业专而修矣，一心治道，则习贯而入矣。若此之类，施之朝廷，用之牧民，何向而不利哉？其他限年之议⑮，亦无取矣。

[题解]

这是一篇议论人才的论文。对于变法，王安石考虑了很多年，他深知在一个习惯苟且、不思进取的环境中进行变法会遇到多大的阻力，没有足够多的人才，就无法实现他的宏大设想，而他对人才的要求，是能够真正领会前代圣贤勇于变革社会、铲除积弊的用心。

[注释]

①淬砺：淬火磨砺。②抡度：选拔衡量。③遴柬：遴选简拔。④守文之君：《春秋公羊传·文公九年》说："继文王之体，守文王之法度。"后遂以"守文"为遵循先王法度的代称。⑤汉左雄所议诸生试家法、文吏课笺奏：李贤注解《后汉书·左雄传》说："儒有一家之学，故称家法。"家法，汉初儒家传经授经学，都由口授，数传之后，句读义训互有歧异，乃分为各家。师所

传授，弟子一字不能改变，界限甚严，称为家法。笺奏，奏章。《后汉书·胡广传》说："诸生试章句，文吏试笺奏。"⑥诸生：从师而学的众弟子。⑦典礼：礼仪制度。《周易·系辞上》："圣人有以见天下之赜，而观其会通，以行其典礼。"⑧章句声病：谓剖析篇章字句，专注声调偶对，而不关注经文的大义。汉儒对经书注释的方法，即是典型的章句之学。⑨诬艳：谓文风虚妄不经，而片面地追求辞藻的浮艳。⑩父兄勖（xù）其子弟：谓父兄勉励其子弟。勖，勉励。⑪世资：立身存世的资本。⑫辟雍：本为西周天子所设的大学，为行乡饮、大射或祭祀之礼的地方。明堂：帝王宣明政教的场所。凡朝会、祭祀、庆赏、选士、养老、教学等大典，都在此处举行。⑬唯唯：恭敬应答之辞。⑭文中子：隋代大儒，河津龙门（今山西河津）人，字仲淹。自幼笃于学。仁寿间西游长安，上太平十二策，不为所用，于是退居于河汾之地聚徒授学，受其业者多达千人，如唐初薛收、房玄龄、魏徵、李靖等名臣，都出自他的门下。大业中以国子博士召，不赴。卒，年三十七，门人谥曰文中子。所著有《元经》、《文中子》。"文乎文乎"六句：《文中子·天地》篇说："子曰：学者博诵云乎哉，必也贯乎道；文者苟作云乎哉，必也济乎义。"阮逸注解说："学文本为道义。"⑮限年之议：对应考的诸生限以年岁。按：此处专指左雄所论的"请自今孝廉年不满四十不得察举"而言。唐、宋以来，限年之制多被取消，其意在于彰显朝廷求贤若渴，努力做到野无遗贤。

[译文]

　　工匠要做好自己的工作，一定要先把工具打磨锋利，测量好材料适合于做什么用，只有这样才能做到出力较少而收效显著。圣人对于治理国家，必须要先遴选士子当中的贤能者，考察他的声誉和实际能力，然后再委派给他具体的事务，事情就能办妥帖了。所以说选取人才的事，在任何时代都属于当务之急，自古以来保守祖宗基业的太平之君，有谁不在这方面下很大的气力呢？他们当中有真正得到人才的，而丢失人才的情况也不乏其人，人才当中有能胜任其职的，而妄然举荐的情况也不乏其例。如果一定要得到人才使他们胜任其职，不失去真正的贤才，不妄然荐举，应该像汉代左雄所议论的那样，对诸生考试学术传承和奏章写作为最佳之法。

这里所说的文吏，不仅仅指那些只会写文章的人而已，他们一定要通晓古今之道，熟悉礼仪法度、天象吉凶、人事成败、政令教化的修改施行，然后带着这些经验去处理政事，就会使政令平和详稳，如果有事关重大的议论，使他们用古往今来的例证参照佐证。这里所说的诸生，不仅仅指那些记诵经典字句训诂的人而已，一定要让他们学习典章礼法，熟悉古代政治制度、大臣和君主的种种威仪、时政的沿袭变化，然后再让他们去处置具体事务，那就会为国家的治理增光添彩。如果有事关重大的议论，便可以命他们用经术来断定是非。

拿今天的事物和古代比照，今天的进士，就是古代的文吏；今天的明经，就是古代的儒生。然而现今策试进士，仅仅以解说章句文字和声韵对偶为试题，只崇尚文辞的华美，都是些有小聪明的人擅长的事；策试明经，仅仅以背诵记忆对答作为衡量优劣的标准，不去责求经典大义，都是些蠢笨卑下的人擅长的事。这使得有贯通古今的才能之士成为世上多余的人，有旷世之才的高明之士很多都被世俗所排抑。所以学写文章的人竟然彼此告诫说："稍看点书就足够了，把辞藻写得浮艳些才是时尚之文，和政事有多少关系呢？"死读经书的人则说："传抄模仿是必须要做的，在背诵温习古人训诂章句上要多下些工夫，经典中的大义道理有什么可取的？"所以为父为兄的勉励他们的儿子兄弟，当老师的勉励他的弟子，竞相写作那种浮华美艳的文章，以此来追逐时尚并猎取功名。为什么呢？因为当世的取舍标准就是如此，所学的内容当然不得不按照这样的要求。像这样的所谓人才，把他们提拔到各个职位，让他们一步步在仕途上行进，一旦国家有了大是大非的议论，设立太学举行各种大典，修订增删礼仪制度，进而制定法律政令，审断有疑问的大案要案，他们怎么可能使政令平和详稳，为国家的治理增光添彩，以古往今来的例证参考决断，用经术来断定是非曲直呢？这样的人，也只能凡事点头口称"是是"罢了。

　　文中子说："文章啊文章啊，难道只是写出来就可以了吗？其中一定要贯穿着圣人之道才是。学习啊学习啊，难道只懂得背诵记忆就可以了吗？其中一定要申明道义才是。"所以说人才不能随随便便去求取，已经很久了。如果一定要区别他们不同方面的才能，就应该多少按照汉代考试写作公文、谈论学术源流的做法。策试进士，要考些诸如国家当务之急的大事是什么，治理民众以什么问题为最主要问题，政令教化的利害得失以什么为关键，安定边疆的妙计良策都有哪些等，命他们拣着最切合当今之需的问题进行答辩，不仅仅用解说章句文字和声韵对偶使他们疲于应付；策试明经，应该让他们阐述礼乐制度需要如何进行修订增删，天地的变化究竟如何，礼器的制度有哪些是应该传承的，各自用经典当中的言语作为佐证进行答辩，不单单把会背诵、会模仿作为衡量才能的标准。然后按照答辩的优劣排出他们的先后次序，或许取舍的真正标准便可以明确地彰显在所有举子眼前了，这难道还能说是厌恶有用之术而学习无用之学、告别捷径而趋向繁劳吗？因此学者们都不会再去学那些毫无用处的言辞，儒业专一而有的放矢了；专心一意地学习圣道，久之便能深入其内心了。这样的心得既可以用在朝廷之中，也可以用在管理民众当中，用到哪里问题不是迎刃而解呢？其他如限定年岁之类的法令，也没有什么可取的价值。

兴 贤

国以任贤使能而兴，弃贤专已而衰①。此二者必然之势，古今之通义，流俗所共知耳。何治安之世有之而能兴②，昏乱之世虽有之亦不兴③？盖用之与不用之谓矣。有贤而用，国之福也，有之而不用，犹无有也④。商之兴也有仲虺、伊尹⑤，其衰也亦有三仁⑥。周之兴也同心者十人⑦，其衰也亦有祭公谋父、内史过⑧。两汉之兴也有萧、曹、寇、邓之徒⑨，其衰也亦有王嘉、傅喜、陈蕃、李固之众⑩。魏、晋而下，至于李唐⑪，不可遍举，然其间兴衰之世，亦皆同也。由此观之，有贤而用之者，国之福也，有之而不用，犹无有也，可不慎欤？

今犹古也，今之天下亦古之天下，今之士民亦古之士民。古虽扰攘之际⑫，犹有贤能若是之众⑬，况今太宁⑭，岂曰无之⑮？在君上用之而已。博询众庶，则才能者进矣；不有忌讳，则谠直之路开矣⑯；不迩小人⑰，则谗谀者自远矣，不拘文牵俗⑱，则守职者辨治矣；不责人以细过，则能吏之志得以尽其效矣。苟行此道，则何虑不跨两汉、轶三代⑲，然后践五帝、三皇之途哉⑳！

[题解]

作者认为，一个国家或一个王朝，只有任用贤人，才能达到繁荣昌盛。早在仁宗时，王安石就提出过变法的请求，可惜仁宗没有采纳，所以他对仁宗

"不能兴贤"（当然是指他本人这个贤人）很不满意。本文体现的仍是作者渴望尽快得到重用，为国家的昌盛作出贡献的思想。

[注释]

①专己：天子专横独断。②治安之世：政治清平、国家安定的时代。③昏乱之世：政治黑暗、国家动荡的时代。④犹无有：如同没有一样。⑤商：商王朝。仲虺：商汤的辅相。伊尹：名挚，也是商汤的辅相，他曾辅佐汤消灭了夏桀，建立了商王朝。⑥三仁：商代末年的三位贤臣微子、箕子和比干。微子是商纣王的同母庶兄。纣王淫乱，微子数谏不听，遂离朝而去。周公诛武庚后，命微子代为商之后，封其国于宋。箕子是商纣的叔父，名胥余。因屡谏纣王不听，佯狂为奴。武王克商后，封箕子于朝鲜。今朝鲜平壤市有箕子陵。比干也是商纣的叔父，比干极谏纣王，三日不去，纣王怒，剖其心以观之。⑦同心者十人：齐心协力的十位大臣。《尚书·泰誓》说："予有乱臣十人，同心同德。"十人是周公旦、召公奭、太公望、毕公、荣公、太颠、闳夭、散宜生、南宫适、文母。⑧祭公谋父：周朝大夫，祭为封国，谋父为其名。《左传·昭公十二年》载周穆王欲周游天下，祭公谋父作《祈招》诗谏止穆王。内史过：周朝贤大夫。⑨萧、曹、寇、邓：指西汉开国功臣萧何和曹参，东汉开国功臣寇恂和邓禹。萧何，沛人，与刘邦同时起兵，佐刘邦推翻秦朝，功为第一。曹参，与刘邦同时起兵，开国后封平阳侯，萧何死后，代为丞相。寇恂，字子翼，东汉初昌平人，刘秀起兵后为偏将军，南定河内，拜河内太守，行大将军事。后封雍奴侯，拜汝南太守、颍川太守。死后图形于云台。邓禹，字仲华，东汉初新野人，幼与刘秀亲善。刘秀即位后拜大司徒，时年二十四。进讨赤眉，拜右将军。图形云台，居诸将之首。⑩王嘉：字公仲，平陵人，汉哀帝时丞相，封新甫侯。哀帝托傅太后遗诏，欲封董贤二千户，王嘉封还诏书，极谏，哀帝不听，下廷封鞠讯。王嘉仰天叹道："身为宰相，不能兴贤退不肖，死有余责！"不食而死。傅喜：字稚游，温人，汉哀帝祖母定陶傅太后的父弟。哀帝时为卫尉卿，迁右将军。傅太后与政，傅喜数谏，太后不悦，赐傅喜以光禄大夫归家养病。傅太后欲称尊号，傅喜正议不顺，于是免官。陈蕃：字仲举，平舆人。东汉灵帝时，窦太后临朝，陈蕃为太傅，与大将军窦武共参政事，为人疾恶如仇，与窦武共谋诛杀宦官，反为宦官曹节等所害。李固：字子

坚，东汉冲帝时为太尉。冲帝崩，质帝遇弑，固与杜乔欲立清河王蒜为君，而梁冀立桓帝，诬固谋反下狱，遇害。⑪李唐：即唐朝，因唐朝天子姓李，故称。⑫扰攘之际：纷乱多事的时代。⑬若是之众：指上面所列举的王嘉、傅喜、陈蕃、李固等人。⑭太宁：太平安定。⑮无之：没有贤臣。⑯谠直之路：敢于直言进谏的言路。⑰不迩：不亲近。⑱拘文牵俗：拘于条文，受制于世俗。⑲何虑：何愁。跨两汉、轶三代：超越两汉三代之治。⑳践：踏上，到达。

[译文]

任何国家都是由于任用贤人才能兴盛起来，由于不能任用贤人而仅凭君主意志而衰败下去。两者乃是社会运转的必然规律，古往今来都是如此，也是人们能够认同的。然而为什么在和平安定的时代里，有了贤能之人就能够兴盛起来；而在混乱动荡的年代里，即使有这样的贤者也不能兴盛呢？问题在于君王是否任用这些贤人。有了贤能之人并加以重用，这是国家的福气；有了贤能之人却搁置不用，就像没有一样。商朝的兴起，有仲虺、伊尹这样的贤臣，等到王朝衰败时，也还有微子、箕子、比干这样的贤人；周朝兴起时，有与武王同心同德的十位贤臣，等到周王朝衰败时，也还有祭公谋父、内史过这样的贤臣；两汉兴起时，有萧何、曹参、寇恂、邓禹这样的人，等到它衰败的时候，也还有王嘉、傅喜、陈蕃、李固这样众多的贤人。从魏、晋以后直到唐朝，这样的贤人不在少数，这里不能全部列举。他们当中有的出现在兴盛时代，有的出现在衰败时代，也和上面所说的大致相同。由此看来，有贤能之人并加以重用，才是国家的福气；有了贤能之人却搁置不用，就像没有一样。对于人才问题，能不慎之又慎吗？

当今的情况，和古代是相通的。当今的天下，就如同古代的天下；当今的士子和民众，也如同古代的士子和民众。古代在动荡不安的时期里，还有像上面提到的那么多贤能之人，何况当今太平安宁，怎么可以说没有贤人呢？关键在于帝王重用不重用他们。广泛听取众人的意见，贤能之人就能得到进用；人们思想上没有顾忌，就敢于直言进谏；帝王不亲近小人，那些邪佞阿谀之徒自然会被疏远；不要在文书往来中寻求错处，也不要受制于世俗偏见，做事的人就能够轻松地处理事务了；不挑别人的小毛病，干练的人就可以按照自己的想法取得应有的效果了。如果能够这样做，还怕不会超越两汉三代，而达到五帝三皇那样的太平盛世吗？

委 任

人主以委任为难，人臣以塞责为重①，任之重而责之重可也，任之轻而责之重不可也。愚无他识，请以汉之事明之。高祖之任人也，可以任则任，可以止则止。至于一人之身，才有长短，取其长则不问其短；情有忠伪，信其忠则不疑其伪。其意曰："我以其人长于某事而任之，在它事虽短，何害焉？我以其人忠于我心而任之，在它人虽伪，何害焉？"故萧何刀笔之吏也，委之关中，无复西顾之忧②。陈平亡命之虏也，出捐四万余金，不问出入③。韩信轻猾之徒也，与之百万之众而不疑④。是三子者，岂素著忠名哉？盖高祖推己之心而置于其心，则它人不能离间，而事以济矣。

后世循高祖则鲜有败事，不循则失。故孝文虽爱邓通，犹逞申屠之志⑤；孝武不疑金、霍⑥，终定天下大策。当是时，守文之盛者，二君而已。元、成之后则不然⑦，虽有何武、王嘉、师丹之贤⑧，而胁于外戚竖宦之宠，牵于帷嫱近习之制⑨，是以王道寖微，而不免负谤于天下也。中兴之后，唯世祖能驭大臣⑩，以寇、邓、耿、贾之徒为任职⑪，所以威名不减于高祖。至于为子孙虑则不然，反以元、成之后，三公之任，多胁于外戚竖宦、帷嬙近习之人而致败，由是置三公之任，而事归台阁⑫，以虚尊加之而已。然而台阁之臣，位卑事冗，无所统一，而夺于众多之口，此其为胁外戚竖宦、帷嬙近习者愈矣。至于治有不进，水旱不时，灾异或起，则曰三公不能燮理阴阳而策免之⑬，甚者至于诛死⑭，岂不痛哉！冲、质之后⑮，桓、灵之间⑯，因循以故事。虽有李固、陈蕃之贤，皆挫于阉寺之手，其余则希世用事⑰，全躯而已，何政治之能立哉？此所谓任轻责重之弊也。

噫！常人之性，有能有不能，有忠有不忠，知其能则任之重可也，谓其忠则委之诚可也。委之诚者，人亦输其诚；任之重者，人亦荷其重。使上下之诚相照，恩结于其心，是岂禽息鸟视而不知荷恩尽力哉⑱？故曰：不疑于物，物亦诚焉。且苏秦不信天下，为燕尾生⑲，此一苏秦倾侧数国之间⑳，于秦独以然者，诚燕君厚之之谓也㉑。故人主以狗彘畜人者㉒，人亦狗彘其行；以国士待人者㉓，人亦国士自奋。故曰：常人之性，有能有不能，有忠有不忠，顾人君待之之意何如耳。

[题解]

本文的主旨与上一篇大体相近，都是在论述帝王必须大胆地任用贤能之人来管理国家，才能使国家强盛起来。王安石所处的时代，正是契丹、西夏得到宋朝的"岁贡"之后感到满意，不再兴造事端的时代，表面上看起来风平浪静，但宋朝大量的财富却无端地流入异邦。为此，王安石一直耿耿于怀，他立志让国家强大起来，不再受邻国的欺侮，他的变法改革，很大程度上是出于对国家命运的担忧和对国家强盛的渴望。

[注释]

①塞责：尽为官之责。②"萧何刀笔之吏也"三句：《汉书·萧何曹参传》载，萧何，沛（今江苏沛县）人。秦末为小吏。后随刘邦起事，颇显才干，为汉朝开国功臣。刀笔吏，掌文案的小吏。③"陈平亡命之虏也"三句：《史记·陈丞相世家》载，陈平最初在项羽帐下，跟从项羽破秦，赐爵为卿。

后惧怕被项羽诛杀,逃归刘邦。刘邦对他非常信任,"恣所为,不问其出入"。
④"韩信轻猾之徒也"二句:《史记·淮阴侯列传》载,韩信,淮阴(今江苏淮安)人。家贫无行,归汉后拜为大将,屡立战功。⑤"孝文虽爱邓通"二句:《汉书·张周赵任申屠传》载,汉文帝宠幸邓通,赏赐钜万。申屠嘉入朝,邓通居于文帝身旁,有怠慢之礼。申屠嘉说:"陛下爱群臣则富贵之,至于朝廷之礼,不可以不肃。"申屠,申屠嘉,梁人。惠帝时,为淮阳太守。文帝元年,为丞相。⑥孝武不疑金、霍:孝武,汉武帝刘彻。金、霍,金日磾,与霍光。霍光,霍去病的异母弟,字子孟。武帝时为奉车都尉。后元初为大司马大将军,受遗诏辅佐幼主,封博陆侯。一十三年,百姓充实,四夷宾服。昭帝崩,立昌邑王贺,因其多淫行,旋废之,复迎立宣帝。地节初卒,谥曰宣成。金日磾,字翁叔,本匈奴休屠王太子。武帝元狩中,骠骑将军霍去病带兵击匈奴,日磾父不降被杀,与弟伦没入官,为黄门养马,后迁侍中、驸马都尉、光禄大夫。未尝有过失,武帝甚为信任,出则骖乘,入侍左右。贵戚多嫉妒他,称"陛下得一胡儿,反贵重之"。武帝始终不疑,待之愈厚。⑦元、成:西汉元帝刘奭,公元前48年至前33年在位;成帝刘骜,公元前32年至前5年在位。⑧何武:字君公,蜀郡郫县人。居官虽无显称,然处事廉平。为扬州刺史,累官大司空。哀帝时为王莽所诬,自杀。王嘉:字公仲,平陵人。哀帝时为丞相,封新甫侯。师丹:字仲公,琅邪东武人。少以治《诗》名。举孝廉,为郎,累迁大司空,封高乐侯。哀帝时因谏封拜丁傅勉官。平帝即位,复封为义阳侯,卒,谥曰节。以上三人详见《汉书·何武王嘉师丹传》。⑨帷嫱近习:帷嫱,指帝王妻妾。"嫱"字误,当作"墙"。《文选》邹阳《于狱中上书自明》:"今人主沉谄谀之辞,牵于帷墙之制。"李善注解说:"言为左右便辟侍帷墙臣妾所见牵制。"李周翰注解说:"帷墙,妻妾所居也。"⑩世祖:汉光武帝刘秀。⑪寇、邓:东汉开国功臣寇恂和邓禹。耿、贾:东汉开国大将耿弇和贾复。此四人在《后汉书》均有传。⑫置三公之任,而事归台阁:汉代中枢机构为两府一寺。两府为丞相府、太尉府,一寺为御史大夫寺,此三人皆宰相之职,称为三公。汉初时三公权力极大。西汉后期,置尚书台,由原丞相府里的尚书充任。原丞相府的一些职事自然转移到尚书台中。光武帝刘秀即位后,又将尚书台扩大为六曹,六曹尚书分司办事,丞相府反倒成

了清净之地,丞相的权力也大大削减。这种格局便是六朝以后尚书省六部的雏形。《后汉书·仲长统传》:"虽置三公,事归台阁。"⑬燮理阴阳:协助天子调和阴阳治理天下。⑭甚者至于诛死:此指因灾异而赐死的宰相翟方进。方进,字子威,上蔡人。为相九年,因国多灾异,且有星变。占星者贲丽乘机上书,言此灾应于大臣,不去大臣,世不能安。于是帝赐方进死。详见《汉书·翟方进传》。⑮冲、质:东汉冲帝刘炳,公元145年在位;质帝刘缵,公元146年在位。⑯桓、灵:东汉桓帝刘志,公元147年至167年在位;灵帝,公元168年至189年在位。⑰希世:取媚于世俗以求进用。⑱禽息鸟视:喻徒受俸禄而于世无益。⑲"苏秦不信天下"二句:《史记·苏秦列传》载,有人在燕王面前谗毁苏秦为卖国反覆之臣。苏秦见燕王,说道:"臣之不信,王之福也。……信如尾生,与女子期于梁下,女子不来,水至不去,抱柱而死。有信如此,王又安能使之步行千里却秦之强兵哉?"⑳一苏秦倾侧数国之间:意谓一个苏秦将当时各国玩于股掌之间。按:苏秦初持连衡之术游于秦,不为秦所用,去秦而归,妻不下机,嫂不为炊。后改合纵之术游于韩、楚、齐、赵、魏、燕六国,挂六国相印以归。详见《史记·张仪苏秦列传》。㉑于秦独以然者,诚燕君厚之之谓也:对于苏秦却偏偏如此,实在是燕国之君厚待他的缘故。㉒以狗彘畜人:狗彘,犬与猪。此言以狗彘畜人,意思是对待人民像对待猪狗一样,即俗言"不把人当人待"。㉓国士:一国中杰出的人才。

[译文]

帝王感到最难的事是委任官吏,臣子则把交付的差事完成为最终目的。委任的官职重要,要求臣下担负的责任也就重大,如果委任的官职较低却要求他承担重大的职责,那是不可以的。我的见识短浅没有多少知识,只想拿汉朝的旧事说明这番道理。汉高祖刘邦委任官员,可以任用就委任,可以中止就中止。说到具体一个人,他的才干一定有长有短,取用他的所长就不要顾及他的所短;人情有忠诚也有伪善,信任他的忠诚就不要怀疑他是伪装的。具体来说就是:我是因你的所长而委任你某些事务,在其他方面很不擅长,那又有什么妨害呢?我是由于你有忠诚于我的心而委任你,对其他人不忠，那又有什么妨害呢？所以萧何不过是个刀笔小吏，委任他留守在关中，刘邦便没有了西顾之忧。陈平曾是个亡命的逃兵，交给他四万多的黄金，根本不查核他的收支。韩信是个轻浮猾诈的家伙，给他百万之众的军队而不生疑心。这三个人，难道是一向都有忠诚的好名声吗？只不过汉高祖拿出自己的诚心而推及他们身上，于是其他人就不能离间，大事都办成了。

后来的人君按照汉高祖那一套处理人际关系的，很少出现大的失误，不按照汉高祖那一套处理人际关系的，大多数都出现了重大失误。所以孝文帝虽然喜爱邓通，也还是让申屠嘉占了上风；孝武帝不怀疑金日䃅和霍光，最终靠他们定下了平天下的良策。在那个时期，保守祖宗江山的继任君王，只有这两个人而已。元帝、成帝以后就不是这样了，虽然有何武、王嘉、师丹这样的贤人，却受到得宠的外戚和宦官无端的要挟，受到后妃和佞臣无理的制约，因此王道渐渐衰微，而君王本身也难免受到天下人的非议。汉光武帝建立东汉之后，只有光武帝一个人有能力驾驭群臣，以寇恂、邓禹、耿弇、贾复一班人担任重要职务，所以光武帝的威名并不比汉高祖逊色。但他为自己的子孙考虑得却不周密，所以到了元帝、成帝之后，宰辅三公的重任，大多都因受到外戚宦官、后妃女眷的辖制而不得善终。也就是从那时起，虽然三公依旧设置，但重要的政事却已经归入了尚书台，所谓三公，不过是加给那些老臣的一种尊贵的名号而已。然而尚书台里的臣子，地位卑下事务繁杂，又没有统一的意见，往往是众多官员各持己见，这种局面，甚至比原来受外戚宦官、嫔妃女眷的辖制还要糟糕。一有政令不行、突发水灾旱灾，以及各种灾变频频发生，就会指责说三公没有能力调理阴阳而罢免他们，甚至有因此而被诛杀的，岂不让人深感痛心吗？冲帝、质帝之后，桓帝、灵帝在位期间，不过是按照旧规得过且过。虽然有李固、陈蕃那样的贤士，也都惨遭宦官的黑手，其余的臣子大都是取

委任 125

媚于世俗以求进用，保全自身而已，哪里还能出现开明的政治局面呢？这就是人们所说的委任太轻督责过重造成的弊端。

啊！一般人的习性，有才干高的也有才干平平的，有忠诚的也有不忠诚的，了解他的才能则委任他担任重要职务是应该的，认为他忠诚就要以诚相待。能够对别人以诚相待，别人也会以真诚作为回报；对于委以重任的人，他也会尽量将重担挑起来。如果君王和臣下真能做到肝胆相照，恩信深存在人的内心，哪个甘于徒受俸禄而不尽力去做于世有益的事呢？所以说：不去怀疑别人，别人也会以诚相待。况且苏秦得不到天下几乎所有国家的信任，对燕国来说，却诚信得像尾生一样，一个苏秦将当时诸国都玩于股掌之间，对于苏秦来说，能对燕国表现出与众不同，实在是燕国之君厚待并信任他的缘故。所以人君用对待猪狗的态度对待臣下，臣下也就把自己当成猪狗；用对待国家人才的态度待他们，他们也会按国家人才的高标准自强自励。所以说：一般人的习性，有才干高的也有才干平平的，有忠诚的也有不忠诚的，只看为君者待他的心意如何了。

知 人

贪人廉，淫人洁，佞人直①，非终然也，规有济焉尔。王莽拜侯，让印不受；假僭皇命，得玺而喜，以廉济贪者也②。晋王广求为冢嗣，管弦遏密，尘埃被之，陪宸未几，而声色丧邦，以洁济淫者也③。郑注开陈治道④，激昂言辞，君民翕然，倚以致平，卒用奸败，以直济佞者也。於戏！"知人则哲，惟帝其难之"，古今一也。

[题解]

这篇短文是作者在金陵居丧时写的。文章短小精悍，言简意明，发人深思。主要论述的是贪与廉、邪与正的问题。文章列举了历史上三个典型案例加以分析，尤其强调不要被某些别有用心的人欺骗。

[注释]

①"贪人廉"三句：意谓贪婪的人往往装出一副廉洁的外表，淫乱的人总是给人以贞洁的感觉，邪佞的人一定要以忠直的样子出现在王侯面前。②"王莽拜侯"五句：《汉书·王莽传》载，王莽几次受封，都谦让不受。后即天子位，定国号曰新。③"晋王广求为冢嗣"六句：《隋书·炀帝纪》上载，炀帝杨广曾立为晋王。高祖到他那里去时，见乐器弦多已断绝，上有尘埃，认为他不好声妓，善之。及高祖病重，既已淫乱无度，不久天下怨愤，隋朝很快灭亡。④郑注：唐绛州翼城（今山西翼城）人，始以药术游于京师权贵之门。元和十三年，往依襄阳节度使李愬，从此一路高升，以招权力。大和

知人　127

七年,与李训合势,胁持中外为乱,随后被诛。

[译文]

贪得无厌的人有时会表现得很清廉,荒淫无度的人有时会表现得很纯洁,巧言谄媚的人有时会表现得很正直,然而并非永远都是如此,他们伪装成这种状态,只不过是为了达到某种目的罢了。西汉孝元皇后的侄子王莽,最初被封侯时,他执意推让不肯接受。后来却假称汉高祖显灵,发动宫廷政变,代汉自立为帝。这是用假意的清廉达到谋取高位的目的。晋王杨广为了和他哥哥杨勇争夺太子之位,表现得不迷恋声色,甚至琴弦都断了,上面布满了灰尘。然而当他即位之后,却荒淫无度,巡游作乐,不久国家就灭亡了。这是用伪装的纯洁达到荒淫的目的。郑注曾陈述治国大道,表情和言辞都激烈慷慨,皇帝及士民异口同声加以称赞,甚至希望依靠他达到天下大治,后来他终因邪恶狡诈而被诛杀。这是用表面的正直达到邪恶的目的。啊!《尚书·皋陶谟》说:"能真正了解别人,就是明智的哲人,就连历代帝王也很难做到啊!"从古到今都是一样的。

伤仲永

金溪民方仲永①,世隶耕②。仲永生五年,未尝识书具,忽啼求之。父异焉,借旁近与之,即书诗四句,并自为其名。其诗以养父母、收族为意,传一乡秀才观之。自是指物作诗立就,其文理皆有可观者。邑人奇之,稍稍宾客其父③,或以钱币乞之,父利其然也,日扳仲永环丐于邑人,不使学。

予闻之也久,明道中④,从先人还家,于舅家见之,十二三矣。令作诗,不能称前时之闻。又七年,还自扬州⑤,复到舅家,问焉。曰:"泯然众人矣。"⑥

王子曰⑦:仲永之通悟,受之天也。其受之天也,贤于材人远矣。卒之为众人,则其受于人者不至也。彼其受之天也,如此其贤也,不受之人,且为众人。今夫不受之天,固众人,又不受之人,得为众人而已邪!

[题解]

本文意在说明:即使天分超群,也要不断学习,接受良好的教育,若不学习,其结果必然是愚泯无疑。文章起转自如,语言简洁凝练,意味隽永。

[注释]

①金溪:宋县名,属江南西路抚州,在今江西金溪县。②隶耕:指仲永祖上世世代代为农。隶,属于。③稍稍:渐渐。宾客其父:将仲永的父亲当做

宾客。意即对其父另眼相看。④明道：宋仁宗年号，1032年至1033年。⑤扬州：属淮南路。在今江苏扬州。⑥泯然：原有的特质全都消失。⑦王子：作者自谦之词。

[译文]

  金溪百姓方仲永，世代以种田为业。仲永长到五岁时，还不认识什么叫笔墨纸砚，有一次突然哭闹着要这些东西。他父亲对此感到很惊诧，从邻居家借了笔墨给他，仲永当即写了四句诗，并且题写了自己的名字。此诗以孝养父母、和睦宗族为主题，传送给全乡的读书人欣赏。从此以后，只要是指定某物让他作诗，他都能很快写好，诗的文采情致都颇有值得欣赏之处。同县人对他感到十分惊奇，渐渐以宾客之礼来对待他父亲，有人还花钱请仲永题诗。他父亲认为这样做有利可图，每天都拉着仲永四处拜访同县人，不让他继续学习了。

  我听说这件事已经很久。明道年间，我跟随先父回到家乡，在舅舅家里见到仲永，那时他已经十二三岁了。让他作诗，写出的诗已经无法与他历来的名声相称。又过了七年，我从扬州回来，又到舅舅家，问起仲永的情况，舅舅说："他的才能已经完全丧失，和普通人没什么两样。"

  王某以为，仲永的聪明智慧是上天给予的，是受益于天分的。正因为天分高，他的才能当然也会比一般人高得多。但他最终又回归到普通人的行列，是因为他没有接受后天的教育。像他那样天分极高的人，极有才智的人，没有受到后天的良好教育，一样会成为平庸之辈；如今那些没有什么天分，本来就平庸的人，又不能接受后天的教育，想成为一个普通人恐怕都困难吧？

同学一首别子固[①]

江之南有贤人焉，字子固，非今所谓贤人者[②]，予慕而友之。淮之南有贤人焉，字正之[③]，非今所谓贤人者，予慕而友之。二贤人者，足未尝相过也，口未尝相语也，辞币未尝相接也。其师若友，岂尽同哉？予考其言行，其不相似者，何其少也！曰："学圣人而已矣。"学圣人，则其师若友，必学圣人者。圣人之言行岂有二哉？其相似也适然。予在淮南，为正之道子固，正之不予疑也[④]。还江南，为子固道正之，子固亦以为然[⑤]。予又知所谓贤人者，既相似，又相信不疑也。

子固作《怀友》一首遗予[⑥]，其大略欲相扳以至乎中庸而后已[⑦]。正之盖亦常云尔。夫安驱徐行，辅中庸之庭[⑧]，而造于其堂，舍二贤人者而谁哉？予昔非敢自必有至也[⑨]，亦愿从事于左右焉尔。辅而进之，其可也。噫！官有守，私有系[⑩]，会合不可以常也，作《同学一首别子固》，以相警且相慰云。

[题解]

本文立意幽古，开门见山，表明自己的人生志趣和对文学的态度，又讲到人生天地间，知己不必曾相逢的人生哲理，显示作者高远的精神境界、宽广的胸襟以及君子应有的操守。

[注释]

①子固：曾巩，字子固，建昌南丰（今江西南丰）人，嘉祐二年进士。

初为太平州司法参军，入朝为馆阁校勘、集贤校理，出通判越州，知齐州、襄州、洪州、福州、明州、亳州、沧州。《宋史》有传。②非今所谓贤人：意谓曾巩乃好古博雅之君子，非当今世俗所谓聪明练达之徒。③正之：孙侔，字少述，吴兴人。文甚奇古，庆历、皇祐中，与王安石、曾巩等游，名闻江淮。曾任扬州州学教授。后王安石为宰相，路过真州，孙侔待之如布衣之时。④不予疑：不怀疑我。⑤子固亦以为然：《曾巩集》卷六有《寄孙正之》诗，亦可为证。⑥子固作《怀友》一首遗予：吴曾《能改斋漫录》卷一四载，王安石初官于扬州幕职，曾巩尚未中进士，与王安石十分要好。曾作《怀友》一首寄王安石，王安石遂作《同学一首》与曾巩相别。⑦相扳：互相帮助。至乎中庸：达到中庸的境界。中庸是儒家提倡的最高境界。《礼记》当中有《中庸》一篇，论述甚详。⑧辚（lìn）：经过。⑨自必有至：自认为肯定能够达到中庸的境界。⑩有系：有自己的同道之人。系，穿连。

[译文]

　　江南有一位贤人，字子固，他不是现在一般人所说的那种贤人，我敬慕他，并和他交了朋友。淮南有一位贤人，字正之，他也不是现在一般人所说的那种贤人，我敬慕他，也和他交了朋友。这两位贤人，不曾互相往来，不曾互相交谈，也不曾互相赠送过钱财礼物。他们的老师和朋友，难道都是相同的吗？我注意考察他们的言行，二人之间的不同之处竟是那样少。应该说，这是他们向古代圣贤学习的结果。他们都是学习圣贤的人，那么他们的老师和朋友，当然也肯定是学习圣贤的人。圣人的言行怎么可能会有两样呢？因此他们的相似就是必然的了。我在淮南做官时，向孙正之提起过曾子固，正之不怀疑我的话。回到江南后，又向曾子固提起孙正之，子固也很相信我的话。于是我明白，被人们公认为贤者的人，他们的言行既相似，又互相信任而不猜疑。

　　子固写了一篇《怀友》诗赠给我，大意是希望朋友之间互相帮助，达到中庸的标准才肯罢休。孙正之也经常这样说。驾着车子稳步前进，经过中庸的门庭而进入内室，除了这两位贤人还能有谁呢？我过去不敢肯定自己有可能达到中庸的境界，但愿意跟在他们的左右奔走。在他们的帮助下前行，或许也就能够达到目的了。唉！做官的人各有自己的职守，虽然彼此牵挂，也不可能经常相聚，于是写此《同学一首别子固》，用来互相告诫，同时也用来互相慰勉。

读《孟尝君传》①

世皆称孟尝君能得士②，士以故归之，而卒赖其力以脱于虎豹之秦③。嗟乎！孟尝君特鸡鸣狗盗之雄耳④，岂足以言得士？不然，擅齐之强，得一士焉，宜可以南面而制秦⑤，尚何取鸡鸣狗盗之力哉？夫鸡鸣狗盗之出其门，此士之所以不至也。

[题解]

这是一篇读书心得。作者对鸡鸣狗盗之徒颇不以为然，也不同意孟尝君是真正的得士。他认为士应该具有雄才大略，能为其主从大处得人心，得天下，而不能屑屑于鸡毛蒜皮的小技。文章短小精悍，只有八十多字，但情感色彩非常浓烈。清人沈德潜评价此文说："语语转，字字紧，千秋绝调。"

[注释]

①孟尝君：战国四公子之一的齐国公子，姓田名文。以善养门客而著名。②士：春秋战国时靠一技之长谋取利禄的人称为士，当时许多士都被豪族收养于门下。孟尝君有士三千，故称其能得士。③脱于虎豹之秦：《史记·孟尝君列传》载，齐湣王二十五年，孟尝君入秦，秦昭王打算让孟尝君担任秦国宰相。有人劝说秦昭王："孟尝君贤明有威望，但他是齐国人，怎么可能真心为秦国服务呢？"秦昭王觉得有理，于是囚禁了孟尝君，准备杀死他。孟尝君靠门客中有会学狗盗的人盗得狐白裘送给昭王宠爱的幸姬，暂时稳住了昭王，又有会学鸡鸣的门客引得天下公鸡提前打鸣侥幸逃出关口。虎豹之秦，言非常残忍的秦国。④鸡鸣狗盗之雄：鸡鸣狗盗之徒的头目。⑤南面而制秦：面朝南坐

而制服秦国。《庄子·盗跖》篇说:"凡人有此一德者,足以南面称孤矣。"古代帝王面朝南坐,表示自己是可以征服诸侯的主人。

[译文]

　　世人都称赞孟尝君能够招揽士子,有才能的人因为这个缘故愿意归附他,而孟尝君最终依靠他们的技能,从虎豹一般凶狠的秦国逃了出来。啊!孟尝君只不过是一群鸡鸣狗盗之徒的头目罢了,哪能称得上得到了贤士?假如不是如此,孟尝君掌握齐国强大的国力,只要得到一个贤士,齐国便可以依靠国力成为天下霸主,控制秦国,还用得着鸡鸣狗盗之徒的力量吗?鸡鸣狗盗之徒出现在他的门庭,这恰恰是真正的贤士不愿归附他的原因。

读《柳宗元传》①

余观八司马②,皆天下之奇材也,一为叔文所诱③,遂陷于不义。至今士大夫欲为君子者,皆羞道而喜攻之。然此八人者既困矣,无所用于世,往往能自强,以求列于后世,而其名卒不废焉。而所谓欲为君子者,吾多见其初而已,要其终,能毋与世俯仰以自别于小人者少耳!复何议彼哉?

[题解]

本文是庆历中作者任淮南节度判官时写的。作者从柳宗元等人自强不息的事迹出发,阐明人生哲理,针砭时弊。本文言简意赅,清人刘熙载称其文"只下一二语,便可扫他人数大段,是何简贵"。

[注释]

①柳宗元:字子厚。贞元中为监察御史里行。与王叔文、韦执谊相善,擢礼部员外郎,王叔文变法失败后,贬为永州司马。元和十年,徙为柳州刺史。韩愈评其文:"雄深雅健,似司马子长。"②八司马:唐顺宗即位后,擢王叔文等,谋夺中官的兵权,实行改革。王叔文变法失败后,旧派官僚与宦官对参与其事者皆予斥逐,贬韦执谊为崖州司马,韩泰为虔州司马,陈谏为台州司马,柳宗元为永州司马,刘禹锡为朗州司马,韩晔为饶州司马,凌准为连州司马,程异为郴州司马,时称"八司马"。详参《旧唐书·宪宗纪上》。③叔文:王叔文,越州(今浙江绍兴)人。阴结天下有名之士,如韦执谊、陆质、吕温、李景俭、韩晔、韩泰、陈谏、柳宗元、刘禹锡等,结为死友。变法失败

后,贬开州司马,死于贬所。

[译文]

　　我看唐代八司马,都是天下的奇异之材,一旦被王叔文所利诱,随之而陷于不义的境地。直到今天士大夫当中那些想要成为君子的人,都羞于谈论这些人,却动不动就要攻击他们。然而这八个人已经陷入困境,根本不可能再为朝廷所任用时,却大多能够自立自强,以求得到后世人的理解,事实上他们的名声的确没有湮没。而上面提到的那些所谓"想要成为君子的人",我所见到的,也不过是他们开始奋斗的初期而已,考察他们的晚节,能够做到不随俗浮沉与时俯仰来区别于小人的真是太少了,还有什么资格去议论唐朝的他们呢?

《孔子世家》议①

太史公叙帝王则曰"本纪"②,公侯传国则曰"世家"③,公卿特起则曰"列传"④,此其例也。其列孔子为世家,奚其进退无所据耶⑤。孔子,旅人也⑥,栖栖衰季之世,无尺土之柄⑦,此列之以传宜矣,曷为世家哉?岂以仲尼躬将圣之资⑧,其教化之盛,舄奕万世⑨,故为之世家以抗之⑩?又非极挚之论也。夫仲尼之才,帝王可也,何特公侯哉?仲尼之道,世天下可也,何特世其家哉?处之世家,仲尼之道不从而大;置之列传,仲尼之道不从而小。而迁也自乱其例,所谓多所抵牾者也。

[题解]

这是一篇小论文。作者认为司马迁把孔子列在"世家"当中是缺乏依据并自相矛盾的。如果按照孔子的贡献,那要比公侯大多了,但他又没有任何封地,怎么可以和公侯放在一起呢?本文论点清晰,辩说咄咄逼人,很能代表王安石的性格。

[注释]

①《孔子世家》:指《史记》中的《孔子世家》。《史记·太史公自序》:"周室既衰,诸侯恣行。仲尼悼礼废乐崩,追修经术,以达王道,匡乱世反之于正,见其文辞,为天下制仪法,垂六艺之统纪于后世。作《孔子世家》第十七。"②本纪:古代史书的一种体例,专记历代天子帝王的传记。③世家:《史通》卷二说:古有天子,分置诸侯,列为五等。司马迁记诸国,编次之体

与本纪不殊,但须异于天子,名为"世家"。④特起:有特立独行或于国于民有特殊贡献的人。列传:《史记》中记载公卿等的传记。⑤进退无所据:谓安排得不合体例规矩。⑥旅人:长期客居在外的人。⑦无尺土之柄:没有一尺的封地。古代诸侯是有封国的,没有封地,就不符合世家的条件。⑧将圣:大圣人。⑨焉奕:光明显耀绵延不绝。⑩为之世家以抗之:意谓将孔子这个"旅人"有意置于世家当中,借以抬高他的身价。抗,通"亢",高。

[译文]

太史公司马迁记叙帝王的部分叫做"本纪",记述公侯传国的部分叫做"世家",记述公卿大夫以及对国家有特殊贡献的部分叫做"列传",这是《史记》创立的体例。他把孔子列在"世家"里,这样的安排是何等的没有根据呀。孔子是个长期旅居在外的人,在衰败的末世里栖栖惶惶,手中没有任何权柄,把他安排在"列传"里已经很合适了,何必要列在"世家"当中呢?难道是认为孔子具有大圣人的天资,他的教化隆盛,光耀万世,所以把他列在"世家"当中与诸侯抗衡吗?这又不是最真切的理论。凭着孔子的才能,当帝王都是可以的,何止是公侯呢?孔子创立的大道,流传天下都是可以的,何止是传他一家呢?把他安排在"世家"当中,孔子的道德没有因此而变大;把他放在"列传"里,孔子的道德也没有因此而变小。只是司马迁自己把体例搞乱了,这正是人们常说的"多所抵牾"的情况。

回苏子瞻简^①

某启：承诲喻累幅，知尚盘桓江北^②，俯仰逾月，岂胜感怅！得秦君诗^③，手不能舍，叶致远适见^④，亦以为清新妩丽，与鲍、谢似之^⑤，不知公意如何？余卷正冒眩^⑥，尚妨细读，尝鼎一脔^⑦，旨可知也。公奇秦君，数口之不置^⑧，吾又获诗，手之不舍。然闻秦君尝学至言妙道^⑨，无乃笑我与公嗜好过乎？未相见，跋涉自爱，书不宣悉。

[题解]

元丰七年，被贬在黄州的苏轼遇赦移汝州，途经金陵，当时王安石正辞去相位回到金陵，听说苏轼要来看望他，写了这封短信。其实他们二人之间的矛盾是很深的，苏轼被撵出京城，就是因为王安石忌恨他反对新法。《苏轼年谱》说，元丰七年八月，苏轼抵达真州（今江苏仪征），给王安石写信举荐秦观。文章不长，但可以体会北宋时期的大君子之间彼此包容彼此欣赏甚至在人格上彼此信任的阔达襟怀。

[注释]

①苏子瞻：苏轼，字子瞻。②盘桓江北：据《苏轼年谱》卷二三载，苏轼于本年自黄州东归，在京口、常州、真州、宜兴等处往来，其间与王安石及蒋之奇、秦观、王介等人均有交往。③秦君：秦观。《苏轼年谱》卷二三载：元丰七年八月，苏轼在京口，有《次韵滕元发许仲涂秦少游》诗。言"秦观当来自高邮"。④叶致远：叶涛，字致远。处州龙泉（今浙江龙泉）人。神宗

熙宁六年进士,哲宗立,为太学博士。曾布荐为起居舍人,擢中书舍人。罢知光州。以龙图阁待制提举崇禧观,卒。《宋史》有传。⑤鲍、谢:南朝文学家鲍照、谢朓。谢朓,字玄晖。初为齐随王子隆文学。明帝辅政,为骠骑谘议,转中书郎。建武中,为尚书吏部郎。朓长于五言诗,沈约尝云:"二百年来,无此作也。"《南史》有传。⑥冒眩:头晕眼花。⑦尝鼎一脔:《吕氏春秋·察今》说:"尝一脔肉,而知一镬之味、一鼎之调。"喻看几首诗,便知道他的诗作卓然可观。⑧数口之不置:意谓赞不绝口。⑨至言妙道:佛教经典与理论。

[译文]

王某敬启:承蒙赐教数纸,得知先生尚在大江以北逗留,王某在这里等待已经一个多月了,无比感慨惆怅。收到了秦少游君的诗作,拿在手中不忍放下,叶致远恰好得见,也认为此诗格调清新、辞采妩丽,和鲍照、谢朓相伯仲,不知苏公意下如何?其余大作因正在感冒,头昏目眩,不能细细品读,不过品尝鼎中一块肉,其余味道就都能知晓了。苏公认为秦君是个奇才,夸赞秦君不绝口,我又得到了他的诗,手不忍放。然而听说秦君曾经学习佛家妙理,是不是在笑我与苏公都曾研读佛法过于粗浅呢?尚未相见,途中跋涉多加自爱,书信不能表尽心意。

答曾子固书[1]

某启：久以疾病不为问，岂胜乡往！前书疑子固于读经有所不暇，故语及之。连得书，疑某所谓经者，佛经也，而教之以佛经之乱俗。某但言读经，则何以别于中国圣人之经？子固读吾书每如此，亦某所以疑子固于读经有所不暇也。然世之不见全经久矣，读经而已，则不足以知经。故某自百家诸子之书，至于《难经》、《素问》、《本草》、诸小说无所不读[2]，农夫、女工无所不问，然后于经为能知其大体而无疑。盖后世学者，与先王之时异矣，不如是不足以尽圣人故也。扬雄虽为不好非圣人之书，然于墨、晏、邹、庄、申、韩[3]，亦何所不读？彼致其知而后读，以有所去取，故异学不能乱也[4]。惟其不能乱，故能有所去取者，所以明吾道而已。子固视吾所知为尚可以异学乱之者乎？非知我也。方今乱俗不在于佛，乃在于学士大夫沉没利欲，以言相尚[5]，不知自治而已。子固以为如何？苦寒，比日侍奉万福，自爱！

[题解]

这是王安石年轻时任淮南节度幕僚时写的一封信。曾巩和王安石以朋友相交，二人讨论经书应该如何阅读。王安石认为，读书应该既有目标，又要广泛阅读，才能触类旁通，最终理解古代圣人的用心。所谓目标，指的是古代圣贤所讲的大道；所谓广泛阅读，指的是子史百家皆可以去读，只要心中有信念，就不用担心被异端之说浸染，反而会更加真切地加深对圣贤经典的理解。

[注释]

①曾子固：曾巩。唐宋八大家之一。《宋史》有传。②《难经》：古代医书名，相传为黄帝所作，全称《八十一难经》。《本草》：古代药书名，相传为神农氏所作，全称《神农本草经》。③墨、晏、邹、庄、申、韩：均为先秦时期著名的思想家。墨，墨子，名翟，宋国大夫，善守御，为节用。晏，晏婴，春秋时齐国大夫。所著有《晏子春秋》八卷。邹，邹衍，春秋时齐国人。庄，庄周，春秋蒙人，老庄学说的创始人之一。申，申不害，战国时韩国人。其学本于黄、老而主刑名。著书二篇，号《申子》。为法家之祖。韩，韩非子，战国时韩国人，法家学说的集大成者。④异学：非儒家的异端之学。不能乱：谓读书时尽可以不加选择，但心中要有准的，不可因此而乱了儒家根本。⑤以言相尚：以夸夸其谈作为时尚。谓不务儒学之根本，粗知皮毛便自以为是，胡乱吹嘘，眩惑众听。这些低俗之人相互吹捧，反倒使儒学精华不知所在。

[译文]

王某启：很久以来因病没有及时问候，向往之心与日俱增。前一封书信担心子固对于阅读经典有些顾不上，所以多说了几句。接连得到子固的来信，怀疑王某所说的"经"，指的是佛经，而教人读佛经是可以扰乱世俗的。王某只说"读经"，那么又怎么来区别于中国古圣人的经典呢？子固看王某的信总有这样偏离的理解，这也是王某之所以怀疑子固对于阅读经典有些顾不上的原因。然而世人不得见全文的经书已经由来已久了，仅仅是读经而已，却很难真正理解经书的大义。所以王某对于诸子百家的著作，以至于《难经》、《黄帝内经素问》、《神农本草经》以及各种小说杂著，几乎无所不读，农夫如何种田、女工如何刺绣等，没有我不想探究的，然后对于经典，才能知道它的大义而不至于产生疑惑。后世的读书人，和先王的时代已经很不相同了，不这样读书就不足以尽可能准确地理解圣人的心思。扬雄虽然是位不喜欢读圣人经典之外的书的人，但他对于墨子、晏子、邹衍、庄子、申不害、韩非子等人的书，有哪一部是没有读过的呢？不过他是先有自己的立场之后才去读那些书的，本身有所选择和剔除，所以异端之说也无法搅乱他的思想。正因为他的思想不会被搅乱，能够有所选择、有所剔除，所以才能够彰明儒家大道。子固你看王某的做法是其他异端之说能打乱的吗？你真的还不了解王某。如今败乱的世俗并不在于有佛家存在，仅在于学者和士大夫甘心沉沦、贪图财货，把夸夸其谈当成了时尚，而不懂得治自己的学问。不知子固认为王某此话有没有道理？天气太冷，近些日子一定要多加保重，多自珍爱为好。

与王逢原书①

某顿首逢原足下：比得足下于客食中，窘窘相造谢②，不能取一日之闲，以与足下极所欲语者，而舟即东矣。间阅足下之诗，窃有疑焉，不敢不以告。足下诗有"叹苍生垂泪"之说③。夫君子之于学也，固有志于天下矣。然先吾身而后吾人④，吾身治矣，而人之治不治，系吾得志与否耳。身犹属于命，天下之治，其可以不属于命乎？得于行而不得于知，吾耻之也；得于知而不得于行，吾不恤也，尽吾性而已。孔子曰："不知命，无以为君子。"⑤又曰："道之将行也欤？命也；道之将废也欤？命也。"⑥孔子之说如此。而或以为君子之学，汲汲以忧世者，惑也。惑于此而进退之行不得于孔子者，有之矣，故有孔子不暇暖席之说⑦。韩子亦以为言⑧。吾独以圣人之心未始有忧⑨。有难予者曰："然则圣人忘天下矣？"曰："是不忘天下也。"《否》之《象》曰："君子以俭德避难，不可荣以禄。"⑩《初六》曰："拔茅茹以其汇，正吉。"⑪《象》曰："拔茅正吉，志在君也。"⑫"在君"者，不忘天下也。"不可荣以禄"者，知命也。吾虽不忘天下，而命不可必合，忧之其能合乎？《易》曰"遁世无闷"⑬、"乐天知命"是也⑭。《诗》三百，如《柏舟》、《北门》之类⑮，有忧也。然仕于其时而不得其志，不得以不忧也。仕不在于天下国家，与夫不仕者，未始有忧，《君子阳阳》、《考槃》之类是也⑯。借有忧者，不能夺圣人不忧之说。《诗》者，非一人之辞也。出诸国之贤者，则道不能尽轨于圣人也宜矣。然汲汲以忧世事，孔子固有取而不为也⑰。孟子曰："伊尹视天下匹夫匹妇有不被其泽者，若己推而纳之沟中。"⑱可谓忧天下也。然汤聘之，犹嚣嚣然曰⑲："我处畎亩之间，以乐尧、舜之道。"⑳岂如彼所谓忧天下者，仆仆自枉，而幸售其道哉㉑？然其赞孔子曰："可以仕则仕，可以止则止㉒。率皆圣人也，乃吾所愿，则学孔子也。"又论禹、稷、颜回同道曰："乡邻有斗者，被发缨冠而救之，则惑也。"㉓今穷于下㉔，而曰"我忧天下"，至于恸哭者，无乃近救乡邻之事乎？孔子所以极其说于知命不忧者，欲人知治乱有命，而进不可以苟，则先王之道得伸也。噫！且以七十子之贤㉕，亲由于孔子之时，独曰："用之则行，舍之则藏。"㉖惟颜回有是说，况去圣人久，而私力于学者耶？孔子论圣人有先后矣，学者知其然，则宜法孔子，安可慕其所慕而已乎？世有能谕知命之说，而不能重进退者有矣。由知及之，仁不能守之也㉗，始得足下文，特爱足下之才耳。既而见足下衣刓履缺，坐而语，未尝及己之穷；退而询足下，终岁食不荤，不以铢忽妄售于人㉘；世之自立如足下者有几？吾以谓知及之仁又能守之，故以某之所学报足下。荀子曰："途之人可以为禹。"㉙以足下之才行，仆安敢不以孔子之道友足下乎？不宣。安石顿首。

[题解]

　　王安石任提点江东刑狱时，结识了布衣王令，很快被他丰富的学识和高尚的品格所折服。本文旨在鼓励王令无须汲汲于仕途，只要认真修养自己的道德情操，坦然面对社会的选择，终归会步入圣域，而得到所有人的赞赏。

[注释]

　　①王逢原：王令，广陵（今江苏扬州）人。卓有才学，年二十八而卒。王

安石为他写了墓志铭。有《广陵集》十卷行世。②窘窘：匆匆忙忙。③叹苍生垂泪：《王令集》卷九《赠王平甫》诗："当世所立识者稀，十年闻子幸见之。平生所负自信重，他日可期人莫知。谁肯草茅穷钓筑，世方简策诵皋夔。大夫出处诚何较？却痛苍生为泪垂。"④先吾身而后吾人：意思是君子应该先修养自身的道德，入于圣贤之域，然后再去谋求在社会上的地位。⑤不知命，无以为君子：出自《论语·尧曰》："孔子曰：不知命，无以为君子也。不知礼，无以立也。不知言，无以知人也。"杨伯峻译："不懂得命运，没有可能作为君子；不懂得礼，没有可能立足于社会；不懂得分辨人家的言语，没有可能认识人。"⑥"道之将行也欤"四句：出自《论语·宪问》。杨伯峻译："我的主张将实现吗？听之于命运。我的主张将永不实现吗？也听之于命运。"⑦不暇暖席：谓相见时间太短，连席子都没坐热。《文选》卷四五班固《答宾戏》："孔席不暖，墨突不黔。"李善注解说："暖，温也。言坐不暖席也。"⑧韩子：韩愈。⑨吾独以圣人之心未始有忧：意思是说君子只要时时以圣人之心为心，就不会有什么忧愁和烦恼。⑩君子以俭德避难，不可荣以禄：出自《周易·否卦》。孔安国注解说："君子以俭德避难者，言君子于此否塞之时，以节俭为德，辟其危难；不可荣华其身，以居幸位。"⑪拔茅茹以其汇，正吉：出自《周易·否卦》："拔茅茹，以其汇，贞吉亨。"孔颖达疏解说："拔茅茹者，以居否之初处，顺之始未可以动，动则儒邪，不敢前进，犹若拔茅，牵连其根相茹也。己若不进，余皆从之，故曰拔茅茹也。以其汇者，以其同类共皆如此。"否卦是下面三个柔爻向上，如同手"拔茅茹"，根部相连的茅草，拔一草而众草齐动，汇，同类。喻做事过程中有团结精神，善于寻找朋友，相互依靠。正，即"贞"，坚定不移。吉，平安无事。⑫拔茅正吉，志在君也：出自《周易·否卦》："拔茅贞吉，志在君也。"孔颖达疏解说："志在君者，所以居而守正者，以其志意在君，不敢怀谄苟进，故得吉亨也。"⑬遁世无闷：出自《周易·大过》："泽灭木，大过。君子以独立不惧，遁世无闷。"孔颖达疏解说："遁世无闷者，明君子于衰难之时，卓而独立，不有畏惧，遁于世而无忧闷，欲有遁难之心，其操不改。"⑭乐天知命：出自《周易·系辞上》："乐天知命，故不忧。"孔颖达疏解说："顺天施化，是欢乐于天；识物始终，是自知性命。顺天道之常数，知性命之始终，任自然之理，故不忧也。"⑮《柏舟》、《北门》：均为《诗经·邶风》

中的篇名。《柏舟》序说:"《柏舟》,言仁而不遇也。"《北门》序说:"《北门》,刺仕不得志也。"⑯《君子阳阳》、《考槃》:《君子阳阳》为《诗经·王风》中的篇名,《考槃》为《诗经·卫风》中的篇名。《君子阳阳》序说:"《君子阳阳》,君子遭乱,相招为禄仕,全身远害而已。"《考槃》序说:"《考槃》,刺庄公也。不能继先公之业,使贤者退而穷处。"⑰"《诗》者,非一人之辞也"至"孔子固有取而不为也"六句:意谓《诗》三百篇,并非出于一人之手,而是杂出于当时各国贤者之手,所以不可能全部合于圣人的规范。然而热衷于仕进,孔子虽然认为这种精神是可取的,但他自己不会那样做。⑱"伊尹视天下匹夫匹妇有不被其泽者"二句:出自《孟子·万章上》。杨伯峻译:"伊尹是这样考虑的:在天下的百姓中,如果有一个男子或一个妇女,没有沾润上尧舜之道的惠泽,便好像自己把他推进山沟中一样。"⑲嚣嚣然:由于无所求而自得的样子。⑳我处畎亩之间,以乐尧、舜之道:出自《孟子·万章上》:"伊尹耕于有莘之野,而乐尧、舜之道焉。汤使人以币聘之,嚣嚣然曰:'我何以汤之聘币为哉?我岂若处畎亩之中,由是以乐尧、舜之道哉?'汤三使往聘之,既而幡然改曰:'与我处畎亩之中,由是以乐尧、舜之道,吾岂若使是君为尧、舜之君哉?吾岂若使是民为尧、舜之民哉?予将以斯道觉斯民也。非予觉之,而谁也?'"㉑仆仆自枉,而幸售其道:意谓自己风尘仆仆、不厌其烦地到社会中去寻找钻营。仆仆,烦琐之貌。㉒可以仕则仕,可以止则止:出自《孟子·公孙丑上》:"可以仕则仕,可以止则止;可以久则久,可以速则速,孔子也。"杨伯峻译:"应该做官就做官,应该辞职就辞职;应该继续干就继续干,应该马上走就马上走,孔子是这样的。"㉓"乡邻有斗者"三句:出自《孟子·离娄下》:"禹、稷当平世,三过其门而不入,孔子贤之。颜子当乱世,居于陋巷,一箪食,一瓢饮,人不堪其忧,颜子不改其乐,孔子贤之。孟子曰:禹、稷、颜回同道。禹思天下有溺者,由己溺之也;稷思天下有饥者,由己饥之也,是以如是其急也。禹、稷、颜子易地则皆然。今有同室之人斗者,救之,虽被发缨冠而救之,可也;乡邻有斗者,被发缨冠而往救之,则惑也;虽闭户可也。"杨伯峻注解:"被发缨冠,不暇束发而结缨往救,言急也,以喻禹、稷。"译文说:"禹、稷处于政治清明的时代,三次经过自己家门都不进去,孔子称赞他们。颜子出于政治昏乱的时代，住在狭窄的巷子里，一筐饭，一瓢水，别人都受不了那种苦生活，他却自得其乐，孔子也称赞他。孟子说：禹、稷和颜回处世的态度虽然有所不同，道理却一样。禹以为天下的人有遭淹没的，好像自己使他淹没了一样；稷以为天下的人有挨饿的，好像自己使他挨饿一样，所以他们拯救百姓才这样急迫。禹、稷和颜子如果互相交换地位，颜子也会三过家门不进去，禹、稷也会自得其乐。假定有同屋的人互相斗殴，我去救他，纵是披着头发顶着帽子，连帽带也不系去救他都可以。（禹、稷的行为正好比这样。）如果本地方的邻人在斗殴，也披着头发不系好帽带子去救，那就是糊涂了，纵使把门关着都是可以的。（颜回的行为正好比这样。）"㉔今穷于下：意思是个人为天下所不容，找不到能够发挥自己才干的位置。穷，谓道穷。㉕七十子：即孔子"贤人七十，弟子三千"中比较出色的七十个学生。㉖用之则行，舍之则藏：出自《论语·述而》："子谓颜渊曰：'用之则行，舍之则藏，惟我与尔有是夫！'"杨伯峻译："孔子对颜渊道：'用我呢，就干起来，不用呢，就藏起来。只有我和你才能这样吧！'"㉗由知及之，仁不能守之也：意谓君子单纯由智慧取得在社会上的地位，那么他的仁能否守得住，就很难说了。孔子的意思十分明白，他主张还是要以修养自身的仁德为基础，不提倡靠权谋智术去谋取权力和地位。㉘铢忽：喻极微小。铢、忽都是古代计量单位。铢为重量单位，忽为长度单位。一两的二十四分之一为一铢。㉙途之人可以为禹：意谓道路上不认识的人，可能就会是大禹那样的圣人。

[译文]

　　王某顿首再拜逢原足下：此前得遇足下在客栈之中，匆匆忙忙前去拜望，竟不能得一天的空闲，与逢原足下痛痛快快地尽情相叙，而官船已经掉头向东了。在船上阅读足下的诗篇，私下有些疑惑，故而不敢不以此相告。足下的诗中有"叹苍生垂泪"的说法。君子对于学问，本是有志于天下的。然而往往是先从自身做起，而后才去诱导别人，自身有了修养，别人能否接受自己的诱导，在于自身能不能得志。自身尚且属于天命，天下的治理，难道可以不属于天命吗？明白怎么做而不明白为什么要去做的事，我会感到耻辱；明白怎么去做而不去做的事，那是我不屑去做，一切都要发于性情而已。孔子说："不懂得命运，没有可能作为君子。"又说："我的主张将会实现吗？那要听之于命运。我的主张将永远不能实现吗？那也要听之于命运。"孔子的说法就是如此。而有些人却认为君子之于学习，要汲汲营营对社会充满忧患之心，那是理解上有误差。在这方面认识有误差，于是进身退处的行为总和孔子之说无法契合的，可谓大有人在，所以孔子有"不暇暖席"的说法，韩愈也赞同这种说法。我却认为圣人的内心里，并没有什么忧虑。有不赞同我说法的人问我："如果是这样，难道是圣人把天下忘到脑后去了？"我的回答是："这恰恰说明他们没有忘记天下。"《否卦》的《象》说："君子是凭着勤俭的美德躲避灾难的，所以不能用爵禄来改变他。"《初六》说："拔茅草时如果众根齐动，那就吉祥平安。"《象》解释说："拔茅草时吉祥平安，就是志在君王之象。""志在君王"，说的就是不忘记天下。"不能用爵禄来改变他"，恰恰是知晓天命。我虽然不忘记天下，但天命未必都能契合，终日忧虑就能使之契合吗？《周易》中又说"逃避世俗但没有烦闷"、"快乐地对待一切，承认自己的命运"，说的就是这层意思。《诗》三百篇，比如《柏舟》、《北门》之类，是带有忧患色彩的。然而那属于在那个时代里做官却没能得志，不能不产生忧烦。做官不在为天下国家而操心的位置上和那些没有做官的人，根本不可能有什么忧患，《君子阳阳》、《考槃》等诗就属于此类。即使有些忧烦的，也不能因此而否定圣人并不忧虑的说法。《诗》这部作品，并不是出自一人之手，而是出于当时各国的贤能之士，各自所表现出的情感，不可能完全合于圣人之说，那是很自然很正常的情况。然而汲汲营营地忧虑世间之事的做法，孔子的确认为可以理解，但他却不去那样做。孟子说："伊尹每当看到天下百姓中，如果有一个男子或一个妇女没有沾润上尧、舜之道的惠泽，便好像自己把他推进水沟中一样。"称得上是为天下人忧虑了。然而当商汤征聘他时，他还轻松自得地说:"我处在田亩当中,在这里享受尧、舜的恩德。"难道像他那种所谓为天下忧虑的人,需要自己风尘仆仆、不厌其烦地到社会中去寻找钻营吗?然而他称赞孔子说:"可以做官就去做官,应该辞职就辞职。都是古代的圣人,如果问我愿意如何去做,我还是想向孔子学习。"又论述大禹、后稷、颜回处世态度虽然有所不同,道理却一样时说:"街坊邻里之间有斗殴的,也披着头发不系好帽带子去救他,那就是糊涂了。"如今有人自己还处于困穷之中,却要说"我在为天下人忧虑",甚至于为此恸哭,是不是和孟子所说"救乡邻"的情况很相似呢?孔子之所以把知晓天命无须忧虑说得那样肯定,就是想让人们知道天下的治与乱是天命所定,进身决不可以有任何杂念,那么先王的大道才能得以伸张。啊!以七十子的贤能,又都出于孔子那个时代,仅仅说:"被人任用就应该去做官,不被人任用就把自己隐藏起来。"只有颜回一个人得到了孔子这样的评价,何况离开圣人时代已经十分久远,只凭着个人的喜好去学习的人呢?孔子论述圣人是有先后次序的,学者如果能知晓其中的原委,就应该像孔子看齐,怎么可以羡慕自己所羡慕的做法就满足了呢?当今世上能够晓得知天命的学说,却不能慎重地把握自己的进身和退处的人大有人在。那是因为他们都是从理论上理解这番道理的,所以从德行层面上就做不到坚守信念了。最初得到足下的文章,仅仅是喜爱足下的才华而已。随后发现足下衣裳破旧、鞋子穿破,对坐而谈,从没有说到自身的困窘;回来后再询问足下,一年到头都吃不到鱼、肉,却不把丝毫的错误理念教授给别人;当今世上卓然自立像足下这样的君子能有几人?我认为这就是学到了圣人所说的仁义又能恪守仁义的人,所以才把自己学到的学问呈给足下观览。荀子说过:"道路上不认识的人,可能就会是大禹那样的圣人。"凭着足下的才能和品行,王某岂敢不用孔子之道和足下交友呢?不再多言。安石顿首再拜。

与丁元珍书

某顿首。过广曾欲作书①,遣人奉诇动止②,以有故亟归,是以虽作书而不果遣。辱教,承知屡赐问,然不得也。亦尝附状,何为皆不至乎?曹振佳士,已为发令状。如此人,虽微元珍之教③,固不敢失,况重以元珍之见喻乎?前书已报左右,恐不到,故复以闻。求郡固且止④,甚荷见教⑤。然某之所请,不为无辞⑥。若执政不察,直以为罪,则某何敢解免?如欲尽其辞,而然后加之罪,则某事固有本末,非今日苟然欲避烦劳而求佚也。古者一道德以同俗,故士有揆古人之所为以自守,则人无异论。今家异道,人殊德,士之欲自守者,又牵于末俗之势⑦,不得事事如古,则人之异论,可悉弭乎⑧?要当择其近于礼义而无大遣者取之耳。不审足下终将何以为仆谋哉?秋冷,自爱重之。望冬间复到广州,冀或一邀从者,为境上之会,不审可求檄来否耳⑨。不宣。

[题解]

嘉祐四年,王安石担任江东提点刑狱。因公到广州时,给朋友丁元珍写了这封信。信中提到为丁元珍所荐的曹振办妥受官文书,表现了王安石爱惜人才的荐贤之心。又提到自己因与同僚议事不合而求改官,表现了王安石特立独行的做事风格和坚持己见的做人准则。

[注释]

①过广:经过广州。王安石任江东提刑期间,因公务到过广南东路。

②诇（xiòng）：打听，探听。③虽微元珍之教：意谓此人（曹振）虽然不出于元珍门下。微，无。《论语·宪问》："微管仲，吾其被发左衽矣。"杨伯峻注解说："微，假若没有的意思，只用于和既成事实相反的假设句之首。"④求郡固且止：向朝廷请求做一任州郡长官的打算暂时放下不提。按：王安石任江东提刑期间，由于与当地一些官吏意见相左，故一直想离开此任，另换知州差遣。曾巩、孙侔、王令等人皆款言相劝，丁元珍也写信给他，故而给元珍回信，表示接受众人劝告，不再请求州郡之职。⑤荷：承蒙。⑥无辞：没有原因和根据。⑦末俗：颓败的世俗。⑧悉弭：全部堵住。⑨求檄：求得来信。

[译文]

　　王某顿首再拜。途经广州时曾想给足下写信，派人前往探知动静，因有急事须赶快回去，因此虽然书信已经写完却没有发出。承蒙教诲，得知曾多次询问近况，然而始终没有收到来信。王某也曾附去书信，为什么都没有收到呢？曹振是个出色的士子，已经为他发放了任命状。像这样的人才，即使是没有元珍的嘱托，也断然不敢轻忽，何况再加上元珍的嘱托呢？此前的书信已将此事报知了元珍，恐怕没有收到，故而再次说明以告知元珍。王某请求知州的事已经终止，非常感谢元珍的指教。不过王某的请求，不是毫无原因的。如果执政大臣不辨是非，认定王某有过，那么王某怎敢奢求免罪？如果想让王某把话说完，然后再加我之罪，则王某的请求当然有本末来由，绝对不是今天突然想躲避烦劳而请求安逸。上古之世道德同一而时俗无异，所以士子有揣摩前人所作所为当做他的榜样，那么做人们也没有不同的意见。如今各家有各家的道理，各人有各人的品德，士子想要有自己的操守，又会受到庸俗时俗的牵制，做不到事事效法古人，则众人的说辞，谁能全部阻塞呢？只能选择那些近于礼义而没有大不对的事去做而已。不知足下最终能拿出什么主意为王某解脱？秋天渐冷，希望自己多加珍重。希望冬季里能再到广州，或者邀请相从之人，做个境上的会见，不知能不能求得来信说明可否。别不多言。

上杜学士言开河书①

十月十日，谨再拜奉书运使学士阁下：某愚不更事物之变，备官节下②，以身得察于左右，事可施设，不敢因循苟简，以孤大君子推引之意，亦其职宜也。

鄞之地邑③，跨负江海④，水有所去，故人无水忧。而深山长谷之水，四面而出，沟渠浍川⑤，十百相通。长老言钱氏时置营田吏卒⑥，岁浚治之，人无旱忧，恃以丰足。营田之废，六七十年⑦，吏者因循，而民力不能自并，向之渠川，稍稍浅塞，山谷之水，转以入海而无所潴。幸而雨泽时至，田犹不足于水，方夏历旬不雨，则众川之涸，可立而须。故今之邑民最独畏旱，而旱辄连年。是皆人力不至，而非岁之咎也。

某为县于此，幸岁大穰⑧，以为宜乘人之有余，及其暇时，大浚治川渠，使有所潴，可以无不足水之患。而无老壮稚少，亦皆惩旱之数，而幸今之有余力，闻之翕然，皆劝趋之，无敢爱力。夫小人可与乐成，难与虑始⑨，诚有大利，犹将强之，况其所愿欲哉？窃以为此亦执事之所欲闻也。

伏惟执事聪明辨智，天下之事，小之为无间，大之为无崖岸⑩，悉已讲而明之矣，而又导利去害，汲汲若不足⑪。夫此最长民之吏当致意者⑫，故辄具以闻州，州既具以闻执事矣。顾其厝事之详⑬，尚不得彻，辄复条件其详以闻。唯执事少留聪明。有所未安，教而勿诛⑭。幸甚。

[题解]

庆历七年，王安石担任浙江鄞县知县。为了解决当地水利问题，他开动脑筋，想出了储蓄流水防止干旱的办法。这篇书信，就是工程启动之后写给转运使杜杞的"阶段性汇报"材料。王安石在地方官任上关心民事，百姓利益高于一切，而且往往身为民先，受到很多官员的称赞和敬佩。

[注释]

①杜学士：杜杞，字伟长。庆历中知横州，改判真州，徙知解州。权发遣度支判官事。授京西转运按察使，旋充广南西路转运、安抚使，平欧希范之乱，擢广西转运使、提点刑狱，徙两浙路转运使，改河北转运使、环庆路经略安抚使，知庆州。皇祐二年卒。《宋史》有传。②备官节下：在您的节麾之下担任属官。按：宋代设在路分当中的发运使、经略安抚使、转运使、提点刑狱、提举常平以及提点坑冶、提举籴便、提举弓箭手、提举茶马、提举茶盐香矾、提举市舶等，均称为"使臣"，即朝廷派出的特命使节。所谓"节下"，即"使臣旌节"之下的意思。王安石当时任鄞县知县，属于转运使节下的僚属。③鄞：宋代县名，为两浙路明州州治所在县，在今浙江宁波。④跨负江海：《舆地纪胜》卷一一载："四明据会稽之东，抱负沧海，枕山臂江，重阜崇岭，连亘数千里。"四明是明州的俗称，因其境内有四明山而得名。⑤浍川：田地间的沟渠。⑥钱氏：指五代时期占据在两浙地区的吴越钱氏政权。唐末天下大乱，诸节度使纷纷割据自强。后梁朱全忠取代唐王朝后，907年，时任镇海节度使的钱镠也自立为吴越王。至后唐明宗长兴三年，钱镠死，其子钱元瓘继承王位。其后又有钱佐、钱倧，在位计6年，传位于钱俶。960年，赵匡胤代后周而建宋，钱氏曾协助宋军辖制南唐李氏并最终灭掉了南唐。太宗太平兴国三年，钱俶举国归宋。营田：汉代以后，统治者为了节约军费，发展农业生产，采取征集部分兵士或召集流亡壮年驻扎在某地区，无事时屯垦田地，有事时参加作战。这些不以作战为务的军队，叫做屯田卒。唐玄宗时，置营田使一职，专管屯田之事。⑦营田之废，六七十年：自钱镠建国的907年至太平兴国三年的979年，钱氏共计享国72年。⑧大穰：大丰收。⑨"夫小人可与

乐成"二句：《商君书·更法》说："民不可与虑始，而可与乐成。"意谓黎民百姓只能与他们共享成功的喜悦，而不可能理解顺从最初变法的新政。⑩无崖岸：没有尽头。⑪汲汲：内心急切的样子。⑫长民之吏：直接管理百姓的官吏，如知州、知县等。⑬厝事：措置安排事务。厝，通"措"。⑭教而勿诛：意谓希望得到转运大人的教导，而惧怕受到大人的责骂。

[译文]

十月十日，下官王安石谨再拜奉书于转运使学士阁下：王某愚钝，不懂得事物的变迁，在阁下麾节之下担任属官，身在阁下的监察之下，凡事情应该改建休整，绝对不敢因循敷衍苟简度日，以辜负大君子推荐奖拔之心，也是自己的职分所在。

鄞县地域，面临大江大海，水有散去之处，所以这里的人民没有洪水的忧患。但深山长谷里的水，四面八方奔涌而出，沟渠河流，彼此相通。当地长者说吴越钱氏时期曾经设置过营田吏卒，每年疏导开挖进行治理，人民也没有干旱的担忧，就靠这些得到好的收成。营田吏卒被废止到现在已经有六七十年了，当官的因循苟且，靠百姓自身的能力又不能自行解决，以往的沟渠河流，渐渐都被淤塞了，山谷里的水，转而流向大海而无法截留储蓄。有幸雨水应时，田地里的水还是不够用，夏季里如果十来天不下雨，则河流中的水很快干涸，田地却需要立即灌溉。所以当今鄞县之民最怕干旱，偏偏又赶上近年连连干旱。所有这些都是因为人力没有解决，并非年成不好的罪过。

王某在此地担任知县，万幸的是近年风调雨顺，收成很好。下官认为应该趁着百姓生活丰裕，等到农闲之时，大力开展修治河渠的工作，使水有所积蓄，可以改变水源不足的忧患。不论男女老少，也都以近年连连干旱为教训，而近年又遇到丰年没有饥馑之苦，听到这个消息后欣然前往，大家都彼此劝励，没有人敢偷懒惜力。自古小民可以与他们共享成功，很难和他们协力创业，果真有大的利益时，还得强迫他们才行，何况他们出于自愿呢？下官私下认为他们有这样的热情也是阁下最愿意听到的。

转运使阁下聪明辨智，天下之事，小到可以无毫发之间，大到无穷无尽，都已经宣讲明白了，而又能趋利以避害，反复教导唯恐没有讲清楚。这是身为百姓父母的县官最应该感激的，所以立即写成文书呈报到州衙，知州大人也写成文书呈报了阁下。只是具体如何动工，恐怕阁下还不得其详，故而再逐项写明以呈报阁下。唯望阁下闲来多多指教。如有不妥之处，还希望有所指教幸勿责罚，才是下官之大幸。

与马运判书①

运判阁下：比奉书，即蒙宠答，以感以怍，且承访以所闻，何阁下逮下之周也！尝以谓方今之所以穷空，不独费出之无节，又失所以生财之道故也。富其家者资之国②，富其国者资之天下，欲富天下，则资之天地。盖为家者，不为其子生财，有父之严而子富焉，则何求而不得？今阖门而与其子市，而门之外莫入焉③，虽尽得子之财，犹不富也。盖近世之言利虽善矣，皆有国者资天下之术耳，直相市于门之内而已，此其所以困与？在阁下之明，宜已尽知，当患不得为耳。不得为，则尚何赖于不肖者之言耶？

今岁东南饥馑如此，汴水又绝④，其经画固劳心。私窃度之，京师兵食宜窘，薪刍百谷之价亦必踊⑤，以谓宜料畿兵之驽怯者就食诸郡⑥，可以舒漕挽之急⑦。古人论天下之兵，以为犹人之血脉，不及则枯，聚则疽⑧，分使就食，亦血脉流通之势也。傥可上闻行之否？

[题解]

这是作者庆历七年任鄞县知县时写给发运判官马遵的信。那一年东南地区闹灾减产，汴水漕运也出现了问题。作为属官的王安石提出了自己的解决办法。通过此信可以体会到，年轻时期的王安石，就时时把国家利益放在心上。

其后来境界之高远，胸怀之阔大，是担任地方小官时就已经具备了的。

[注释]

①马运判：马遵，字仲涂，饶州（今江西波阳）人，曾任吏部郎官，言事和易。他此时担任江淮荆湖两浙制置发运判官。运判，转运判官、发运判官的简称。与转运使、发运使总一路或数路漕政，兼监察一路官吏。②富其家者资之国：上古时期，大夫的封地叫做家，诸侯的封国叫做国，天子统治的全部地域叫做天下。③"今阖门而与其子市"二句：意谓如今关起门来与自己的儿子做生意，却不许外人进来。④汴水又绝：指旱情严重，汴水已经干涸。据《宋史·五行志》载，庆历七年正月，京师不雨。北宋人把从黄河流入淮河的通济渠东段称为汴水，这段水域是开封通往东南的水运通道。⑤薪刍（chú）：柴草。薪多指烧煮用的柴禾，刍多指喂牲口用的刍草。⑥宜料籖兵之弩怯者就食诸郡：应该将驻扎在京师及左近的老弱之兵分散到各州郡就食。宋代的禁军是终身制的，一旦从军，便是职业军人，至老不变，故宋代军队人数虽多，但战斗力不强，而且军费开支十分庞大。⑦漕輓：水路和陆路的运输。《资治通鉴·后晋天福六年》胡三省注："水运曰漕，陆运曰輓。"⑧疽（jū）：局部皮肤肿胀坚硬的毒疮。

[译文]

运判阁下：此前给您写了一封书信，很快得到了回音，非常感动也非常愧怍，还承阁下向下官访问所见所闻，阁下对待下属是何等谦逊周到啊！下官曾认为当今国家贫穷空虚，不仅仅是由于费用支出没有节制，还由于丧失了积聚财富的手段。一家富裕之后即可有助于他的国家，一个国家富裕了即可有助于普天之下，想要使天下富足，则要求助于天和地。善治家的人，并不着眼于为他的儿子聚集财富，有父亲管教的严格，儿子就会富足，那样的话还有什么求而不得？如今关起门来和自家儿子作交易，而大门之外谁也别想进来，即使是把儿子的财产全都赢过来，还是不能算富。近年以来议论财利的言论虽然听起来很美，但都属于有国的人想要资助于天下的手段而已，和父子同在大门之内作交易一个道理，这是不是国家所以困穷的原因呢？以阁下的聪明，应该了解得很清楚，肯定是苦于不得有所作为而已。自己尚且不得有所作为，还需要依靠那些无能之辈的哓哓胡言吗？

今年东南地区饥荒很严重，汴水又干涸，阁下的筹划和指挥肯定非常劳心。下官私下里考虑，京城之内禁兵的口粮大概已经告急，薪柴饲料和百谷的价格也必然大幅上涨，故而认为应当建议京畿地区的军队最好分散到各地州郡去就地取食，方可缓解粮草运输带来的压力。古人论天下的军队，把他们比做人的血脉，一旦血液供应不上就会枯萎无力，过分聚集则如同身体生毒疮。分散开来使他们到州郡就地取食，才是使血脉流通的根本办法。阁下可不可以以此计上奏朝廷，看能不能施行？

上人书[1]

尝谓文者[2],礼教治政云尔[3]。其书诸策而传之人[4],大体归然而已[5]。而曰"言之不文,行之不远"云者[6],徒谓"辞之不可以已也"[7],非圣人作文之本意也[8]。

自孔子之死久,韩子作[9],望圣人于百千年中[10],卓然也[11]。独子厚名与韩并[12]。子厚非韩比也[13]。然其文卒配韩以传[14],亦豪杰可畏者也[15]。韩子尝语人文矣[16],曰云云[17],子厚亦曰云云。疑二子者徒语人以其辞耳[18],作文之本意,不如是其已也[19]。孟子曰:"君子欲其自得之也[20]。自得之则居之安[21],居之安则资之深[22],资之深则取之左右逢其源[23]。"独谓孟子之云尔[24],非直施于文而已[25],然亦可托以为作文之本意[26]。

且所谓文者,务为有补于世而已矣。所谓辞者,犹器之有刻镂绘画也[27]。诚使巧且华[28],不必适用[29];诚使适用,亦不必巧且华。要之以适用为本[30],以刻镂绘画为之容而已[31]。不适用,非所以为器也。不为之容,其亦若是乎否也[32]?然容亦未可已也[33],勿先之[34],其可也。

某学文久,数挟此说以自治[35]。始欲书之策而传之人,其试于事者[36],则有待矣[37]。其为是非邪,未能自定也。执事正人也[38],不阿其所好者[39]。书杂文十篇献左右[40],愿赐之教,使之是非有定焉。

[题解]

这是作者庆历四、五年间在京师时写的一篇"行卷说明"。唐宋时期的举子要想求取功名，除了具备超人的才学之外，还需要结交当时的名流显贵，以求得他们的揄扬和举荐。不过本文绝无摇尾乞怜的言辞，而主要在阐明自己对文章的看法。作者认为，写文章一定要有自己的独特见解，这样"质"的问题才能解决；文章虽然是讲论道德伦理之工具，但又不能一点也不讲究辞藻，只有二者相得益彰，才算得上是好文章。

[注释]

①上人：呈给别人。此信究竟是写给谁的，现已无从稽考，根据内容来看，可能是作者写给同辈或属下的一封专门论文的信。②尝谓："我尝谓"的省略，意谓我一向认为。③治政：政治。④其书诸策：文章写在书本上。诸，之于。⑤大体归然：谓总体上归结为礼教政治。⑥"言之"句：出自《左传·襄公二十五年》，意谓文章如果没有美丽的辞藻，就不会流传久远。⑦徒谓：只不过是说。辞之不可以已也：这句话出自《左传·襄公三十一年》，意谓辞藻的修饰不能毫不讲究。⑧非圣人作文之本意：并不是圣人写文章主要追求的目标。圣人，这里指孔子。⑨韩子：指唐代散文大家韩愈。作：崛起。⑩望：仰慕。⑪卓然：挺立不群的样子。⑫子厚：唐代散文大家柳宗元，字子厚。名与韩并：与韩愈齐名。⑬子厚非韩比：柳宗元是不能和韩愈相比的。⑭卒：最终。配韩以传：与韩愈的文章一同流传后世。⑮豪杰可畏：雄豪拔萃，令人敬畏。⑯语人文：把作文的方法告诉别人。此处指韩愈的《答李翊书》，这篇书信全面地阐述了韩愈的文章理论。⑰曰云云：告诉他如此这般。这句话用"云云"代指韩愈的文章理论，避免重复。⑱徒语人以其辞：仅仅告诉别人如何遣辞用语。按：这句话说得有些偏颇，韩愈《答李翊书》并不是单纯讲述写作技巧的，对文以载道的原则进行了相当充分的论述，柳宗元也很强调文以明道。⑲不如是其已：不仅仅是有辞藻的修饰就可以了。⑳自得：有自己的心得。按：这几句话出自《孟子·离娄下》。㉑自得之则居之安：有了心得才能守道不移。㉒居之安则资之深：守道不移才能掌握更深切的道理。㉓资之深则取之左右逢其源：掌握了更深切的道理，写作时才能左右逢源。

㉔独谓：我个人认为。孟子之云尔：孟子这番话。㉕直施于文：只把圣贤之道用在文章中。㉖托以为作文之本意：把作文章的深远意义寓于其中。㉗器：日常器具。㉘诚使巧且华：如果一意追求新巧华美。㉙不必适用：就不要强求它适合人们使用。㉚以适用为本：以适合人们使用的根本指导思想。㉛为之容：作为它的装饰。容，外在的形式。㉜其亦若是乎否也：这恐怕也不是一件合格的器物吧。㉝容亦未可已也：外在的形式也不能毫不讲究。㉞勿先之：只要不把它放在首位。㉟自治：要求自己。㊱试于事者：把这些关乎治化的文章运用于社会实践。㊲则有待矣：还要有一段时间的验证。㊳执事：对对方的敬称。正人：君子。㊴不阿其所好者：不是随便附合他们议论的人。㊵左右：对对方的敬称，表示不敢直呼其名，而与他左右下人直接对话。

[译文]

王某曾经说过，所谓文章，主要是讲求礼仪、教化、为政、仁爱等事。把这些思想写在简策上，再传给其他的人看，总体上都要归结到礼仪、教化、为政、仁爱诸事。而有人说过"文章如果没有美丽的辞藻，就不会流传久远"之类的话，只不过是说"辞藻不能毫不讲究"，而单纯片面地讲究辞藻，绝不是圣人写文章的本意。

孔子去世很久，才出现了韩愈，传承圣人大道于千百年之后，成就卓著。就名声而言，只有柳宗元能和韩愈并提。实际上柳宗元的成就并不能和韩愈相提并论，然而他的文章最终借着韩愈得以流传，也算是卓尔不群令人钦敬的了。韩愈曾经告诉过别人如何写文章，如此如此，这般这般，柳宗元也说应该如此如此，这般这般。我怀疑这两个人仅仅把如何遣词用语告诉了别人，而写文章的本旨，绝不仅仅如他们所说而已。孟子说过："君子要使自己有独特的心得，有了心得才能守道不移。守道不移才能掌握更深切的道理。掌握了更深切的道理，写作时才能够左右逢源。"我认为孟子这段话，不仅是在讲论怎么写文章，还完全可以理解为人们写文章的根本用心。

所谓文章，最重要的是要对于世务有所补益。而所谓辞藻，就好比器具上面有雕刻的花纹或涂绘的图画。就算非常精巧华美，也不一定适合于使用；真能适合于使用的东西，也不需要过于精巧华美。重要的是要以适合使用为根本，而把雕刻和绘画作为外观装饰也就足够了。不适合使用，那就不一定非要做成器具了。而不为它装饰精美的外观，恐怕也不能算是一件合格的器物吧？所以外观也不是可以毫不考虑的，只要不把它放在头等重要的位置，也就可以了。

　　王某学习写文章已经很久，总是拿这种理论来指导自己。最初是想写在简策上传给别人，拿到具体实践中去验证，那还要一段时间的验证。所说的话究竟正确还是不正确，自己是无法确定的。阁下是位正直端重的人，所以也就不以逢迎阿谀为事，谨录杂文十篇呈献给阁下，希望能够赐教，使王某之言的正确与否有个定论。

上田正言书①

正言执事：某五月还家，八月抵官。每欲介西北之邮布一书，道区区之怀，辄以事废。扬，东南之吭也②，舟舆至自汴者，日十百数，因得问汴事与执事息耗甚详。其间荐绅道执事介然立朝，无所跛倚，甚盛甚盛！顾犹有疑执事者，虽某亦然。某之学也，执事诲之；进也，执事奖之。执事知某不为浅矣。有疑焉不以闻，何以偿执事之知哉？

初，执事坐殿庑下，对方正策③，指斥天下利害，奋不讳忌。且曰："愿陛下行之，无使天下谓制科为进取一途耳！"方此时，窥执事意，岂若今所谓举方正者猎取名位而已哉？盖曰行其志云尔。今联谏官④，朝夕耳目天子行事⑤，即一切是非，无不可言者。欲行其志，宜莫若此时。国之疵、民之病亦多矣，执事亦抵职之日久矣。向之所谓疵者，今或瘥然若不可治矣⑥；向之所谓病者，今或痼然若不可起矣⑦。曾未闻执事建一言癉主上也⑧。何向者指斥之切而今之疏也？岂向之利于言而今之言不利邪？岂不免若今之所谓举方正者猎取名位而已邪？人之疑执事者以此。为执事解者，或曰："造辟而言，诡辞而出⑨。疏贱之人，奚遽知其微哉？"是不然矣。《传》所谓造辟而言者，乃其言则不可得而闻也，其言之效，则天下斯见之矣。今国之疵、民之病，有滋而无损焉，乌所谓言之效邪？复有为执事解者曰："盖造辞而言之矣，如不用何？"是又不然。臣之事君，三谏不从则去之⑩，礼也。执事对策时，常用是著于篇。今言之而不从，亦当不翅三矣⑪。虽惓惓之义，未能自去。孟子不云乎："有言责者，不得其言则去。"⑫盍亦辞其言责邪？执事不能自免于疑也必矣。虽坚强之辩⑬，不能为执事解也。

乃如某之愚，则愿执事不矜宠利，不惮诛责，一为天下昌言，以寤主上；起民之病，治国之疵，謇謇一心⑭，如对策时，则人之疑不解自判矣。惟执事念之。如其不然，愿赐教答，不宣。某顿首。

[题解]

本文是作者庆历二年担任淮南节度判官时所作。文章对谏官田况不敢谏言的畏缩进行了相当不客气的批评。作者认为，在其位则应该履其职，得到荣禄后便一改当年的忠言谠论，必然会受到人们的质疑。文章笔锋犀利，意气风发，无所忌讳，敢于指责达官显贵的无所作为，凸显出作者秉心为国的无私态度。

[注释]

①田正言：田况，字元均。《宋史》卷二九二有传。正言，分左正言和右正言，宋代谏官名，与左右谏议大夫、左右司谏同掌规谏讽谕之事。②东南之吭：意思是扬州为东南咽喉之地。吭，喻交通要冲。③对方正策：应贤良方正治科之举。唐、宋科举，除国家常设科目以外，另由皇帝亲自出题并主持的考试，叫做制科考试。制科考试的名目非常多，盖因随皇帝之意而出题，故其题目多因当时社会利弊而策问。据清人徐松《唐登科记考》凡例，唐代制科题目多至一百六十种，其中贤良方正直言极谏、博通坟典达于教化、军谋宏远堪任将帅、详明政术可以理人之类用得尤多。④今联谏官：意谓田况如今职在谏官。联，连袂担任某官。宋代有些官署吏员较多，如御史台、谏院、学士院等，同时任御史、学者数人，则称"官联"。⑤耳目：指御史一类负责监察的官吏。⑥瘥然：意谓像痈瘥溃烂一样不可救药。瘥，骭痈一类的毒疮。⑦痼

然：意谓像积久难治的老病一样无法医治，一病不起。⑧寤主上：使帝王开悟。寤，"悟"的通假字。⑨造辟而言，诡辞而出：意谓做官的人在帝王面前说什么话，出来之后用不着如实对别人转达。⑩三谏不从则去之：多次劝谏都不能听从就可以离开了。出自《礼记·曲礼下》："为人臣之礼，不显谏。三谏而不听，则逃之。"⑪翅：通"啻"。仅仅，只是。⑫有言责者，不得其言则去：出《孟子·公孙丑下》。杨伯峻译："有进言的责任的，如果言不听，计不从，也就可以不干。"⑬坚强之辩：固执地为自己辩解。⑭蹇蹇：忠直之貌。

[译文]

正言田执事：王某五月返回家乡，八月抵达官任。曾多次想借通往西北的驿卒给您写一封信，说一说在下无足挂齿的情怀，却往往因琐事耽搁。扬州，乃是东南地区的咽喉之地，乘舟船坐车马从汴京来的人，每天不下几十上百人之多，故而得以询问到汴京近况以及田执事的很详尽的消息。有人提到说，汴京的达官贵人称道田执事立朝耿介，论事没有偏颇，实在是太值得称赞了！只是对田执事还有些少的疑惑，即使是王某也是如此。王某认真学习，田执事就给予教诲；王某有所进步，田执事便会夸奖。执事了解王某，不能算是肤浅了。有了疑问而不对执事讲，怎么能够报答田执事的关照呢？

当初，执事坐在大殿的廊庑之下，对答贤良方正的制策，指斥天下的利害，慷慨激昂没有丝毫的忌讳。而且执事说："希望陛下切实推行这些建议，不要让天下之人说制科只不过是士子进身的一条途径而已！"那个时候，看执事的意气，岂止与当今参加贤良方正科对策只为求取功名之流相比而已？执事说的是要使自己的建议得以推行。如今兼任谏议之官，早早晚晚都在天子身边当官做事，等于说一切的大是大非，没有不能提出谏议的。要使自己的建议得以推行，应该说没有比此时更加便利的了。国家的弊端、百姓的困苦还是很多的，执事到任时间也已经很久了。以往那些所谓弊端，如今有些似乎无法医治了；以往那些所谓困苦，如今有些似乎无法解救了。却根本没有听到执事大人有一句话的建议传到皇帝耳中使皇帝开悟。为什么以往指斥时弊时那么慷慨激切，如今却如此的疏懒不经意呢？难道是以往便于说话，如今说话已经不方便了吗？难道是难免像如今那些所谓举贤良方正的人谋取到名利地位就满足了吗？人们对执事的疑惑也由此而生。希望替执事开解的一些人说："做官的人在帝王面前说了什么话，出来之后用不着如实对别人转达。疏远微贱的小官，凭什么应该很快了解到为官者的所有言论？"这种说法是不正确的。《经传》中所说的"做官的人在帝王面前说什么话"，指的是他说的具体言论不需要转达给别人，而他的话所带来的实效，那是普天之下所有人都能见到的。如今国家的弊端、百姓的困苦，有增而无减，哪里能见到所言的实效呢？还有些替田执事开解的人说："为官者已经把该说的话说过了，天子不予采纳，又有什么办法？"这种说法也不正确。为臣者侍奉君王，多次劝谏而不被采纳就应该离开那个职位，这是合乎礼法的。执事当年对策的时候，经常把这句话写在对策当中。如今提出谏议而天子不采纳，恐怕早已不止三次了吧。即使是出于拳拳事君的忠诚，不愿自行离去。孟子不是说过吗："有进言责任的，如果言不听，计不从，也就可以不干。"执事何不也辞去谏官的职位呢？不辞去此职，那么执事无法避免别人的疑惑也就是必然的了。就算是再强硬的辩解，也无法替执事开脱干净。

像王某这样愚钝的人，也希望田执事不要因获得恩宠名利而沾沾自喜，而要不怕受到责罚，一心替国家慷慨直言，使主上尽快感悟；解救百姓的疾苦，减少国家的弊病，忠直一心，与当初对策时所言相一致，那么别人的疑惑用不着辩解便自然消失了。希望田执事考虑王某之言。如果认为王某所言有误，希望执事赐以教诲，别不多言。王某顿首再拜。

答司马谏议书①

　　某启：昨日蒙教②，窃以为与君实游处相好之日久③，而议事每不合，所操之术多异故也④。虽欲强聒⑤，终必不蒙见察⑥，故略上报⑦，不复一一自辩。重念蒙君实视遇厚⑧，于反复不宜卤莽⑨，故今具道所以⑩，冀君实或见恕也⑪。

　　盖儒者所争，尤在于名实⑫。名实已明，而天下之理得矣。今君实所以见教者⑬，以为侵官、生事、征利、拒谏⑭，以致天下怨谤也⑮。某则以谓受命于人主⑯，议法度而修之于朝廷⑰，以授之于有司，不为侵官；举先王之政⑱，以兴利除弊，不为生事；为天下理财，不为征利；辟邪说⑲，难壬人⑳，不为拒谏。至于怨诽之多，则固前知其如此也㉑。

　　人习于苟且非一日㉒，士大夫多以不恤国事、同俗自媚于众为善㉓。上乃欲变此，而某不量敌之众寡㉔，欲出力助上以抗之，则众何为而不汹汹然？盘庚之迁㉕，胥怨者民也㉖，非特朝廷士大夫而已。盘庚不罪怨者㉗，亦不改其度㉘。盖度义而后动㉙，是而不见可悔故也㉚。如君实责我以在位久㉛，未能助上大有为，以膏泽斯民㉜，则某知罪矣；如曰今日当一切不事事㉝，守前所为而已㉞，则非某之所敢知㉟。无由会晤，不任区区向往之至㊱。

[题解]

王安石变法开始时,司马光任谏官,二人的见解针锋相对。司马光给王安石写了一封长信,抨击变法。王安石态度坚决地申明自己变法的立场。文中对司马光所提侵官、生事、征利、拒谏、致怨五条意见逐一作了反驳,并以笼罩全局的胆识指出当前士大夫不恤国事、苟且偷安的现状必须改变。

[注释]

①司马谏议:司马光。当时司马光任翰林学士兼侍读学士、知谏院。按:此文作于神宗熙宁二年。司马光写信指责王安石侵官、生事、征利、拒谏,王安石写此信进行反驳。②蒙教:承蒙您的教诲。③君实:司马光字君实。游处相好:作者与司马光个人情感并没有芥蒂,故云。④所操之术:所持的政治主张。⑤强聒:强行聒噪,分辨不休。⑥见察:得到理解。⑦略上报:简略地给您一个答复。⑧重念:又考虑到。视遇:看待。⑨反复:书信往来。卤莽:即鲁莽,冒昧失礼。⑩具道所以:全面讲述自己的本意。⑪冀:希望。或见恕:可能会得到您的谅解。⑫名实:名义和内容。⑬见教:教诲我。⑭侵官:侵犯原有官吏的职责权限。王安石执政后,设置制置三司条例司,并使之处于原有三司之上,作为经济决策的最高机构。又差官提举诸路常平广惠仓,以便推行新法。司马光认为这样做是侵官乱政。生事:平添事端。司马光认为王安石的新法尽改前朝旧制,无论士农工商、僧道科举,都制定了新的法令,会使人们无所适从。征利:与民争利。王安石为达到增加国家积累的目的,推行均输、青苗等一系列经济改革措施,司马光认为这种做法是与百姓争利。拒谏:拒绝听取不同意见。⑮以致天下怨谤:因此受到天下人的埋怨和指责。⑯以谓:认为。人主:皇帝,此处指宋神宗。⑰议法度:订立新法。修之于朝廷:得到朝廷认可,而不是自己想怎么干就怎么干。⑱举:倡扬。先王之政:前代圣王施行过的政策。⑲辟邪说:不理会奸邪之论。⑳难:非难,谓针锋相对,绝不退让。壬人:巧言善辩而心怀奸诈的人。㉑前知:变法之前就已经料到。㉒习于苟且:习惯于得过且过,不思变革。㉓同俗自媚:随俗浮沉,讨好众人。㉔不量:没有慎重考虑。㉕盘庚:商代天子。即位后,为巩固商王朝统治和躲避自然灾害,把都城从奄(今山东曲阜)迁至殷(今河南安阳)。这一决策受到当时官吏和民众的普遍反对。㉖胥怨者:相互间共同发出怨愤的人。㉗不罪怨

者：不加罪于怨愤他的人。㉘不改其度：不改变他的主张。㉙度义：对自己的决策考虑成熟，认为必须施行。㉚不见可悔：没觉得有什么值得反悔之处。㉛在位：居于宰相高位。㉜膏泽斯民：为黎民百姓带来实惠。膏泽，雨露。㉝一切不事事：所有的事都不去做。即上文所说"同俗自媚"的态度。㉞守前所为：墨守成规，无所变革。㉟非某之所敢知：这是我不敢领教的。㊱区区：诚恳之心。向往之至：敬慕到极点。这是书信末尾的客气话。

[译文]

王某启：昨天承蒙教诲，私下认为与司马君实交游相处已经很久，但议论事理每每不能相合，是因为所采取的方法大不相同的缘故。即使在下想要一一辩解，也不会得到君实的理解，所以简单地为君实说明，不再逐一讲论。又考虑到君实对我一向很好，回信不该有所不敬，所以只说一说在下变法的原因始末，希望能得到君实的谅解。

读书人争论的焦点，在于名义和实际。名义和实际弄清楚了，天下治乱的大道理就非常明显了。如今君实对我的指教，认为侵官、生事、征利、拒谏，以至于天下人产生了怨恨和非议。王某则认为接受人主的委任，议论现有法度，在朝廷之上修正它们，把修正之后的法令交给相关部门执行，这不能叫做侵官；列举前代帝王施行过的仁政，用以兴利除弊，这不能叫做生事；为天下积聚财富，这不能叫做征利；批评奸邪之论，拒绝心怀奸诈的小人，这不能叫做拒谏。至于怨恨非议之多，则是王某变法之前已经预料到的结果。

人们习惯于得过且过已经不是一天两天了，士大夫大多以不关心国家大事、迎合世俗取媚于时为善。当今皇帝意欲改变这种恶俗，而王某没有考虑到敌对者是多是少，只想尽力帮助圣上来抗击他们，如此，则群小怎么可能不汹汹然大力反对呢？当年盘庚迁都，埋怨最多的是黎民，并非仅仅只是朝廷里的士大夫。盘庚没有加罪于有怨气的人,但也并没有改变他的打算。这是因为他考虑到最高利益然后才采取行动,因此没有见到他有丝毫的后悔。如果君实批评王某在位时间已久,却没能帮助圣上大有作为,因而使黎民百姓得到益处,那王某是知罪的;如果批评王某今日应该什么事都不要做,只把分内职事做好就可以,那王某实在是不敢领命了。没有见面的机会,顺致钦慕向往之意。

答段缝书①

段君足下：某在京师时，尝为足下道曾巩善属文，未尝及其为人也。还江南，始熟而慕焉友之，又作文粗道其行。惠书以所闻诋巩行无纤完②，其居家，亲友惴畏焉，怪某无文字规巩，见谓有党③。果哉，足下之言也！巩固不然。巩文学论议，在某交游中，不见可敌。其心勇于适道，殆不可以刑祸利禄动也。父在困厄中④，左右就养无亏行，家事铢发以上皆亲之⑤。父亦爱之甚，尝曰："吾宗敝，所赖者此儿耳。"此某之所见也。若足下所闻，非某之所见也。巩在京师，避兄而舍⑥，此虽某亦罪之也，宜足下之深攻之也。于罪之中有足矜者，顾不可以书传也。事固有迹，然而情不至是者，如不循其情而诛焉，则谁不可诛耶？巩之迹固然耶，然巩为人弟，于此不得无过。但在京师时，未深接之，还江南，又既往不可咎，未尝以此规之也。巩果于从事，少许可⑦，时时出于中道⑧，此则还江南时尝规之矣。巩闻之，辄矍然⑨。巩固有以教某也。其作《怀友》书两通⑩，一自藏，一纳某家，皇皇焉求相切劘，以免于悔者略见矣。尝谓友朋过差，未可以绝，固且规之⑪。规之从则已；固且为文字自著见然后已邪，则未尝也。凡巩之行，如前之云，其既往之过，亦如前之云而已，岂不得为贤者哉？

天下愚者众而贤者希，愚者固忌贤者，贤者又自守，不与愚者合，愚者加怨焉。挟忌怨之心，则无之焉而不谤，君子之过于听者⑫，又传而广之，故贤者常多谤，其困于下者尤甚，势不足以动俗，名实未加于民，愚者易以谤，谤易以传也。凡道巩之云云者，固忌怨固过于听者也。家兄未尝亲巩也，顾亦过于听耳。足下乃欲引忌者、怨者、过于听者之言，县断贤者之是非⑬，甚不然也。孔子曰："众好之，必察焉；众恶之，必察焉。"⑭孟子曰："国人皆曰可杀，未可也，见可杀焉，然后杀之。"⑮匡章，通国以为不孝，孟子独礼貌之以为孝⑯。孔、孟所以为孔、孟者，为其善自守，不或于众人也⑰。如或于众人，亦众人耳⑱，乌在其为孔、孟也。足下姑自重，毋轻议巩。

[题解]

这是作者嘉祐三年任常州知州时写的一封书信。当时有人传言曾巩与其兄不和，兄弟反目。段缝也在议论和指责曾巩的人群当中，还埋怨王安石袒护曾巩。王安石认为曾巩的所谓"不悌"属于小人忌恨贤者的恶毒诽谤，劝段缝不要人云亦云，伤害善类。文中说"愚者固忌贤者，贤者又自守，不与愚者合，愚者加怨焉。挟忌怨之心，则无之焉而不谤，君子之过于听者，又传而广之，故贤者常多谤"，揭示了一条很容易被人忽视的规律，也很值得今人深思。

[注释]

①段缝：字约之，曾与王安石有交，但政见不合。任地方官时，曾上书论免役法不便。元丰初年，知泰州，不久被弹劾而守宫祠。元祐中致仕。居闲十余年，安贫守道，为江东缙绅之望。②行无纤完：谓某人德行没有什么可赞扬之处。③见谓有党：甚而至于说我与曾巩有结党之嫌。按，因王安石盛赞曾巩，所以段缝认为他丧失交友原则，庇护其短。④父在困厄中：谓曾巩之父病重期间。曾巩父名易占。《名臣碑传琬琰集》有李清臣所作《曾博士易占神道碑》。⑤铢发：极细微的小事。铢，古代重量单位，一两的二十四分之一为一铢。发，头发丝。⑥避兄而舍：与自己的兄长分庭而居。意谓与其兄不相和

气。⑦少许可：有独立的见解，很少随声附和他人的意见。⑧中道：处世平和，持中庸之道。⑨矍然：惊惧之貌。⑩《怀友》书两通：《曾巩集》卷一六载有《与王介甫书》三篇。此处所言，不知所指为哪两篇。⑪固且：即"姑且"。⑫过于听：意谓听了别人的话没有加以辨别就信以为真。⑬县断：凭空地断定。县，"悬"的古字。悬而断之，即无根由的臆断。⑭"众好之，必察焉"四句：出自《论语·卫灵公》。杨伯峻译："大家厌恶他，一定要去考察；大家喜爱他，也一定要去考察。"⑮"国人皆曰可杀"四句：出自《孟子·梁惠王下》："左右皆曰可杀，勿听；诸大夫皆曰可杀，勿听；国人皆曰可杀，然后察之。见可杀焉，然后杀之。故曰国人杀之也。如此，然后可以为民父母。"孙奭疏解说："如左右皆曰此人之罪可以杀之，则王又当莫听。以至诸大夫皆曰此人之罪，当杀之，则王又当勿听。迨至一国之人皆曰此人之罪，可以杀之，则王然后详察，亦见其人实有可杀之罪，故然后方可杀之也。"按，此四句作者裁减不当，致使文意不通，所以在翻译时稍作补充，谨此说明。⑯"匡章"三句：出自《孟子·离娄下》。⑰不或于众人：不为世俗庸人的道听途说所惑。或，通"惑"，下句同。⑱如或于众人，亦众人耳：意谓孔子、孟子如果也为世俗庸人的道听途说所迷惑，也就和世俗庸人没什么区别了，他们也就称不上是圣人了。

[译文]

段缝君足下：王某在京师的时候，曾经在足下面前说到曾巩善于写文章，并没有涉及他的为人。回到江南之后，才开始和他逐渐熟悉并非常欣赏他，愿意和他交朋友，才又写文章大概地介绍了他的品行。您的来信，凭着您的所闻把曾巩说得一无是处，说他居家之时，亲戚朋友都感到惶恐畏惧，责怪我没有写信规劝曾巩，并据此说我交朋友缺乏原则。足下这话说得果真正确吗？曾巩本来就不是这样的人嘛。曾巩的文学和论议，在王某所交游的友人当中，还没有见到有哪个可以和他匹敌。他的本意是为了使文章合于大道而奋勇不顾，恐怕不是用刑罚灾难和名利爵禄所能改变的。他父亲处在困厄当中，曾巩服侍在其身边并没有不孝之举，家中的事即使再小，也要亲自去做。他父亲也非常爱他，曾说："我们曾家门楣衰败，能依赖的也就是这个儿子了。"这些都是王某亲眼所见。足下所说的那些，王某却没有见过。曾巩在京城的时候，避开他哥哥独自居住，对这件事，王某也要加以指责，所以足下批评他就更加不遗余力。人们的过错当中有些是情有可原的，千万不能光相信文字的传播。事情原本各有各的因果，然而情绪却未必和事情本身完全吻合。如果不根据实际情况去分析而一味谴责，那还有哪个不可以谴责呢？曾巩的行迹的确是那样的，故而曾巩作为一个弟弟，在这件事情上不能说一点过错都没有。只是我在京城的时候，和他没有太多的交往，回到江南后，又觉得人家以往的错处没有必要总是提起，所以没有举出此事来规劝他。曾巩做事一向果断干脆，很少苟同他人的意见，大部分行为都出于自己的内心，这个毛病在我回到江南后已经规劝过他了。曾巩听了之后，立刻露出惊悚的神色。曾巩原本有很多长处是值得我学习的。他写的《怀友》书两篇，一篇收藏在自家，另一篇交到我这里，诚恳而急切地希望与我互相切磋探讨，免得日后出现问题再后悔。他曾经说朋友有过错，不能断然决裂，姑且规劝他。规劝他如果听从也就算了，如果非要人家形成文字承认错误才肯宽容，那我的确没有说过类似的话。大凡曾巩的行迹，如上所说，他以往的过错，也如上所说而已，难道不能称为贤者吗？

　　天下的人，愚钝的多而贤明者少。愚钝的人原本就嫉妒贤明的人，而贤明之士又自有操守，不愿与愚钝者取齐，于是愚钝的人就更加怨恨贤者。既然怀着忌恨埋怨之心，那就没有什么事不可以加以诽谤，君子之流误听误信之后，又传播那些话使更多的人听到，所以贤人总是不断地遭受诽谤，那些暂时困在底层的贤者受害尤其深。任何权势也改变不了世俗，因为名节并没有加到平民头上，愚钝的人很容易出言诽谤别人，诽谤之言又特别容易流传。凡是指责曾巩这不好那不对的言论，肯定都是那些忌恨他和传播了错误消息的人而为。他哥哥并没有和曾巩有过太多的接触，所以此事也属于误听误传。足下竟然要引用忌恨他的人、埋怨他的人、误听误传的人所讲的话，凭空裁断贤人的是非，这是很没有道理的。孔子说："众人都喜欢他，一定要认真考察一番；众人都憎恶他，也一定要认真考察一番。"孟子说："全国的人都说可以诛杀，也不可以马上诛杀，必须要得到确实可以诛杀的罪证，然后再杀他。"匡章，全国人都认为他不孝，孟子却对他另眼相看，认为他是孝的。孔子、孟子之所以成为孔子、孟子，就是因为他们具有自己的观点和看法，不受众人、外界的干扰。如果他们也受众人或外界的欺蒙，那也就和众人一样了，哪里还是孔子、孟子呢？足下还是把握自己，稳重一些，千万不要轻易地斥责曾巩。

上邵学士书①

仲详足下②：数日前辱示乐安公诗石本及足下所撰《复鉴湖记》③，启封缓读，心目开涤，词简而精，义深而明，不候按图而尽越绝之形胜④，不候入国而熟贤牧之爱民⑤，非夫诚发乎文，文贯乎道⑥，仁思义色，表里相济者，其孰能至于此哉？因环列书室，且欣且庆，非有厚也⑦，公义之然也。

某尝悉近世之文，辞弗顾于理，理弗顾于事，以襞积故实为有学⑧，以雕绘语句为精新，譬之撷奇花之英⑨，积而玩之，虽光华馨香，鲜缛可爱，求其根柢济用，则蔑如也⑩。某幸观乐安、足下之所著，譬犹笙磬之音，圭璋之器⑪，有节奏焉，有法度焉，虽庸耳必知雅正之可贵⑫、温润之可宝也⑬。仲尼曰："有德必有言。"⑭"德不孤，必有邻。"⑮其斯之谓乎？昔昌黎为唐儒宗⑯，得子婿李汉⑰，然后其文益振，其道益大。今乐安公懿文茂行，超越朝右⑱，复得足下以宏识清议，相须光润。苟力而不已，使后之议者必曰："乐安公，圣宋之儒宗也，犹唐之昌黎而勋业过之。"又曰："邵公，乐安公之婿也⑲，犹昌黎之李汉而器略过之。"则韩、李、蒋、邵之名，各齐驱并骤，与此金石之刻不朽矣。所以且欣且庆者，在于兹焉。

郡庠拘率⑳，偶足下有西笑之谋㉑，未获亲交谈议，聊因手书以道钦谢之意,且贺乐安公之得人也。

[题解]

本文是作者嘉祐三年知常州时写的一封书信,主要内容是议论文章应该如何写作。作者认为,文章一定要说理充分,并且结合实际。单纯堆砌辞藻的所谓华丽之文,并没有什么生命力。

[注释]

①邵学士:邵必,字不疑,丹阳(今江苏丹阳)人,仁宗宝元元年进士。历国子监直讲,出知常州,召为开封府推官。坐在常州日杖人至死,责监邵武军酒税。后知高邮军,提点淮南路刑狱,为京西转运使。入修起居注,知制诰,权三司使,知成都府,卒于道。《宋史》有传。②仲详:当是邵必的字,但《宋史》本传载其字为不疑,或邵必又字仲详。足下:古代同辈或同僚之间的尊称。③乐安公:蒋堂,字希鲁,常州宜兴(今江苏宜兴)人。仁宗景祐初,任江东转运使,淮南转运使兼发运事。又知越州,徙知苏州,入判刑部,历户部、度支、盐铁三部副使。康定元年,任江淮制置发运使,知洪州、应天府。庆历元年知杭州,三年,知益州,徙河中府,再知杭州、苏州。皇祐五年,以礼部侍郎致仕。《宋史》有传。石本:古人将诗文刻在石上,以求不朽,再由石上捶拓下来的印本,叫做石本,即今所谓拓本。《复鉴湖记》:今已不传。鉴湖,又叫长湖、太湖、庆湖、镜湖,跨山阴、会稽二县。④越绝:越州的古称。旧有《越绝书》十六卷,无名氏撰。其书流传甚广,故后人遂以"越绝"代称绍兴一带地区。⑤贤牧:贤而有德的州郡长官。牧,郡守的别称。⑥文贯乎道:文章当中要贯彻儒家之大道。李汉《韩昌黎集序》:"文者,贯道之器也。"⑦非有厚也:并不是由于我与邵必有什么亲厚的关系。⑧襞积:重复,堆砌。襞本意为折叠衣裙,引申之为衣裙重复。⑨撷(xié):采集。⑩蔑如:微不足道。⑪圭璋之器:本指两种贵重的玉制礼器,此处形容德才卓绝,与众不同。⑫雅正:典雅纯正。⑬温润:温和柔润。本指美玉的颜色,后用以形容人的品性。⑭有德必有言:出自《论语·宪问》:"有德者必有言,有言者不必有德。"杨伯峻译:"有道德的人一定有名言,但有名言的人不一定有道德。"⑮德不孤,必有邻:出自《论语·里仁》。何晏集解说:"方以类聚,同志相求。故必有邻,是以不孤。"⑯昌黎:唐代大文学家韩愈,

字退之,河阳(今河南孟州)人,因世居颍川,常据先世郡望自称昌黎(今河北昌黎)人。德宗贞元八年进士。新、旧《唐书》有传。⑰李汉:韩愈的女婿。字南济,宗室淮阳王李明道后裔。唐宪宗元和七年进士。穆宗长庆末为左拾遗。文宗大和中,历兵部员外郎、知制诰、御史中丞。武宗会昌中卒。⑱朝右:位列于朝班之右。指朝廷的重臣。⑲邵公,乐安公之婿:据胡宿写的《蒋公神道碑》,蒋堂的长女嫁给了邵必。⑳郡庠:指常州州学。作者此时为常州知州。拘率:局促简陋。此句是荆公自谦之辞,意思是小小常州郡学,不足以容邵必讲经论道。㉑西笑之谋:意谓谋任京官。西笑,桓谭《新论·祛蔽》说:"人闻长安乐,则出门西向而笑;肉味美,对屠门而嚼。"长安乃汉代京城。西望长安而笑,谓渴慕帝都。

[译文]

仲详足下:数日之前承蒙出示乐安公蒋堂诗作的拓本以及足下所写的《复鉴湖记》,展开文字慢慢品读,感到心里非常豁亮,眼目像是被清洗过一样,记文遣词简约而精当,义理深刻而鲜明,不必察看地图便可以对越中的胜境一览无余,不用等到进入其郡便能了解贤郡守是何等地爱护百姓。如果不是真诚灌注在文章之中,文章终始有大道贯穿,仁爱之思礼义为色,表里相辅相成,谁能写出如此生动感人的记文?因此我将此记挂在书房四周,又是欣喜又是庆幸,这并不是由于我和足下的交情深厚,完全是足下文中散发出来的道义力量使我不得不如此。

王某曾读过很多近代文章,文辞没有合于道理,道理没有切于事物,仅仅用堆积典故来显示其有学问,用雕琢描绘语句来表现其精美新奇,好比是采摘奇花的花瓣,把它们累积起来赏玩,虽说是既光鲜又芳香,看上去鲜亮可爱,然而探求它的根基和实用价值,则完全没有。王某有幸见到乐安公和足下的大作,就如同闻听了笙和磬的声音,见到了圭和璋这样的器具,既有节奏于其中,又有法度在其内,即使是凡夫俗子的耳目,也能听出它的雅正之音是何等的可贵,见到它的温润之色是何等值得珍藏。仲尼曾说:"有德的人必定会有相应的言论。"又说："有德的人是不会孤独的，肯定会有气味相投的同道人。"大概就是说的这种情况吧？当年韩昌黎作为唐代儒子的宗师，遇到了他的女婿李汉，此后李汉的文章大为长进，所载的道也越来越大。如今乐安蒋公文章粹美、德行丰茂，超越于朝廷众多官员之上，又得足下有宏远的学识和清新的议论，可以彼此切磋琢磨。只要坚持不懈，日后的评论家必然会说："乐安蒋公，大宋朝的儒学宗师，如同唐朝的韩昌黎而功勋事业却超过了他。"又说："邵公，乐安蒋公的女婿，如同韩昌黎的女婿李汉而器局智略却超过了他。"那样的话，韩昌黎、李汉、乐安蒋公和邵君的大名将会并驾齐驱，和这首金石之刻一同不朽了。王某之所以又是欣喜又是庆幸，原因就在这里。

郡学窄狭局促，因足下有到京为官的计划，没能得到亲口交谈议论的机会，聊且写这封信表达钦敬感激之意，并恭贺乐安蒋公觅得了真正的人才。

上富相公书①

　　某不肖,当朝廷选用才能、修立法度之时,不以罪废,而蒙器使②,此其幸固已多矣。某窃自度,守一州尚不足以胜任,任有大于一州者,固知其不胜也。自被使江东③,夙夜震恐,思得脱去。非独为私计,凡以此也。三司判官④,尤朝廷所选择,出则被使漕运⑤,而金谷之事⑥,某平生所不习,此所以蒙恩反侧,而不敢冒也。

　　惟不肖常得出入门下,蒙眷遇为不浅矣。平居不敢具书,以勤左右之观省⑦,幸缘恩惠所及,敢布其私心,诚望阁下哀其忠诚,载赐一州,处幽闲之区,寂寞之滨。其治民,非敢谓能也,庶几地闲事少,夙夜悉心力,易以塞责,而免于官谤也。若夫私养之势⑧,不便于京师,固尝屡以闻朝廷,而熟于左右者之听矣。今兹蒙恩厚赐禄多,岂宜复言私计不便乎?虽然,所辞者才力所不能,而所愿犹未安理分也。亦冀阁下哀之。

[题解]

　　本文是作者嘉祐五年担任江东提刑任满,宰相富弼举荐他回朝担任三司判官后给富弼写的答谢文字。王安石中进士后,在州县工作了十几年,对社会弊端有较深刻的了解,这次调任他做经济工作,是符合他力求改革的心愿的。虽然文中用了不少谦逊之词,但从心里,他还是希望跻身三司,有所作为。

[注释]

①富相公：富弼，字彦国，河南（今河南洛阳）人。以枢密直学士出使契丹，力拒割地。后历知青、郑、蔡、河阳、并等州郡，官至枢密副使。至和二年，召拜同中书门下平章事、集贤殿大学士。英宗即位，为枢密使。判扬州，徙汝州。王安石用事，自相位出知亳、汝二州。神宗元丰六年卒，赠太尉，谥文忠。《宋史》有传。②器使：量才而用。③被使江东：任江东提点刑狱。《王荆公年谱》载，仁宗嘉祐四年王安石自知常州移提点江东刑狱。④三司判官：此指王安石所任的三司度支判官，是北宋前期主管经济的官员。《王荆公年谱》载，嘉祐五年五月，王安石召入为三司度支判官。当时富弼为宰相，向朝廷举荐了他。⑤出则被使漕运：谓三司官员如果放外任，多半都是担任转运副使。漕运，宋代转运使主管的粮米运输等事。⑥金谷：钱财和粮食。⑦勤左右之观省：麻烦您观看。左右，古人不敢直称对方，而称对方左右之人，表示谦卑。⑧私养之势：王安石自谓养活一家必须在外任的理由。宋代京官俸禄不多，比较清贫，而地方官员则有职田以助其俸之不足。王安石初不愿在京为官，屡屡以此为由，上书求退。

[译文]

下官不贤，值此朝廷选用人才能吏、修立法度的时节，下官没有因罪罢黜，反而承蒙朝廷量才而用，对下官来说实在是大幸之事。下官私下忖度，当个知州尚且不能胜任，官职比知州再大，就深知更不能胜任了。自从被任命为江东提刑，日日夜夜震惊惶恐，总希望能脱身而去。当时并不是单纯为了私家利益，确实是这样想的。三司判官，是朝廷慎重拣选的人，出使就会掌管漕粮运输。而金钱粮谷一类的事，恰恰是下官平时深感陌生的事务，这就是下官之所以承受皇恩后辗转反侧，不敢贸然接受其职的原因。

下官有幸得以时常出入于阁下之门，受到阁下的奖拔恩遇已经不浅了。平常无事不敢给阁下写信，以烦劳阁下阅读，今有幸借阁下施恩惠于下官为由，方敢袒露私情，诚恳地希望阁下理解下官的真诚，只须赐给下官一个知州，安排在幽远闲散之地，寂寞荒僻之滨。下官对于治理民事，不敢自称有多大能力，或许可以因地闲事少，日夜尽心尽力，还容易敷衍塞责，避免为官之谤。还有养家糊口的压力，不便在京城任官。以前曾多次向朝廷奏报，阁下也早已了解下官的心思。如今蒙受的恩典隆厚所赐的俸禄也多，怎么可以再说不便于养家糊口呢？话虽如此说，之所以还要辞官，实在是因才力有所不及，平生所愿还没有合于应有的职分。还希望阁下能理解下官。

上欧阳永叔书一[1]

今日造门[2],幸得接余论,以坐有客,不得毕所欲言。某所以不愿试职者[3],向时则有婚嫁葬送之故,势不能久处京师。所图甫毕[4],而二兄一嫂相继丧亡。于今窘迫之势,比之向时为甚。若万一幸被馆阁之选,则于法当留一年,藉令朝廷怜闵,不及一年,即与之外任,则人之多言,亦甚可畏。若朝廷必复召试,某亦必以私急固辞[5]。窃度宽政,必蒙矜允。然召旨既下,比及辞而得请,则所求外补,又当迁延矣。亲老口众,寄食于官舟而不得躬养,于今已数月矣。早得所欲,以纾家之急,此亦仁人宜有以相之也[6]。

翰林虽尝被旨与某试[7],然某之到京师,非诸公所当知。以今之体,须某自言,或有司以报,乃当施行前命耳。万一理当施行,遽为罢之,于公义似未有害,某私计为得,窃计明公当不惜此[8]。区区之意,不可以尽,唯仁明怜察而听从之。

[题解]

王安石嘉祐元年受到欧阳修举荐参加馆职考试。这是王安石第一次与欧阳修正式交往。据叶梦得《避暑录话》载,曾巩在欧阳修面前力荐王安石,但王安石并不想成为欧阳修的门生。这种说法在本文中也能体现出来。对于欧阳修的热情举荐，王安石表现得很冷静，他只希望凭着自己的本事得到朝廷的认可，如果不是如此，他宁可还到地方上去担任小官。这也是王安石一贯的倔强性格。

[注释]

①欧阳永叔：永叔是欧阳修的字。②造门：上门，登门拜望。③试职：试用为馆职。宋代史馆、昭文馆和集贤院合称三馆。一般官员如果希望高升，大都需要在三馆工作一段时间，所以入馆阁是当时士子很向往的工作。④所图甫毕：这些事情刚刚处理完毕。⑤私急：私家生活方面的困难。⑥相之：帮助他。⑦翰林：翰林学士的简称。此处是对欧阳修的尊称。⑧明公：对有名位者的尊称。此处也是对欧阳修的敬称。

[译文]

今日前往府上拜谒，有幸能够闻听高论，只因已有宾客在场，不能把心里话说尽。下官之所以不愿就试于馆职，因此前家里婚嫁丧葬诸事，按情理不可能长期待在京城。想办的事刚刚办完，两位兄长和一位嫂嫂又相继过世。现在这种困窘程度，和此前比起来更为严重。如果万一被馆阁选中，按照规矩至少应该留京城一年，就算是朝廷怜悯下官的难处，不满一年就可以放外任，那么人们的闲言碎语也是非常可畏的。如果朝廷一定要再行召试，下官也只能以私家有困难为理由坚决不去参考。我揣摩朝廷所施之政崇尚宽简，肯定会同意下官的请求。然而诏旨已经发下，再去辞官并等待批复，请求担任在外官职，又要拖延很久。下官双亲衰老、家口甚多，暂时寄身于官船上度日，而下官不能亲自孝养，到今天已经有好几个月了。尽早地遂了心愿，以解决自家的急难，这也是仁义之人应该予以帮助的。

欧阳翰林虽然曾奉旨要下官参加考试，然而下官到了京城，并非是其他各位大人都了解的。按照当今规矩，还需要下官自己去游说，或者是到有关部门呈报，那就应该按先前的任命施行了。万一依理应当施行，然后很快再报罢，对于舆论来说似乎并没有什么妨害，下官的私愿也可以实现，所以私下揣摩，欧阳公应当不惜为下官操持。感激之意，无法用文字表达，只希望欧阳公仁爱贤明，考虑下官的个人难处而准予下官的请求。

上欧阳永叔书二

某以不肖,愿趋走于先生长者之门久矣。初以疵贱①,不能自通。阁下亲屈势位之尊,忘名德之可以加人,而乐与之为善。顾某不肖,私门多故,又奔走职事,不得继请左右。及此蒙恩出守一州②,愈当远去门墙③,不闻议论之余,私心眷眷,何可以处。道途遭回④,数月始至敝邑,以事之纷扰,未得具启,以叙区区向往之意。

过蒙奖引,追赐诗书⑤,言高旨远,足以为学者师法。惟褒被过分,非先进大人所宜施于后进之不肖,岂所谓诱之欲其至于是乎?虽然,惧终不能以上副也。辄勉强所乏,以酬盛德之贶,非敢言诗也。惟赦其僭越,幸甚。

[题解]

欧阳修举贤若不及,对王安石非常欣赏。本文是王安石自馆阁外任常州知州到任后给欧阳修写的感谢信,能看出此时的王安石已经被欧阳修的真情所感动。尤其是欧阳修在给他的诗中盛赞他的文章,使王安石感到十分满足。

[注释]

①疵贱:谦称自己低贱而有瑕疵。②出守一州:嘉祐二年,王安石出知常州。③门墙:《论语·子张》说:"夫子之墙数仞,不得其门而入,不见宗庙之美,百官之富。"后因称师门为"门墙"。④遭(zhān)回:因道路难走

而行进缓慢。⑤追赐诗书：欧阳修《居士外集》卷七有《赠王介甫》诗："翰林风月三千首，吏部文章二百年。老去自怜心尚在，后来谁与子争先。朱门歌舞争新态，绿绮尘埃试拂弦。常恨闻名不相识，相逢樽酒盍留连。"这里指的就是这首诗。

[译文]

　　下官只因不贤，希望奔走于先生长者之门已经很久了。最初嫌自己卑微低贱，没有机会与阁下交接。阁下亲自委屈高官大位的尊显，忘记了阁下的名声威望可以使他人大增荣耀，而乐意与下官结为友好。只因下官不成气候，私家变故又接连不断，再加上奔走于所任之职，不能经常请教于阁下。如今蒙受皇恩出守常州，更要远离阁下的高门，无法聆听阁下的高论，内心的眷恋之情，如何可以搁置？道路遥远难行，几个月才抵达这里，因为杂事纷扰，没来得及立即写信以叙述深深怀念和向往之意。

　　承蒙阁下奖引太过，又追赐给下官佳诗和书信，诗文词旨高远，足以作为后学者师从的典范。只是阁下对下官的褒奖有些过分，这不是先进大人应该施给后进学者的荣誉，难道是人们常说的诱导而使他达到这样的高度吗？不管怎么说，下官还是战战兢兢，不敢自比于阁下所说的境界。只希望借此勉励自己，弥补不足，来酬答阁下盛情的褒奖，不敢和阁下诗中所称相提并论。真诚地希望阁下能原谅下官的不识高低，那就是下官的大幸了。

与刘原父书①

辱手教勤勤,尤感愧,伏承动止万福,又良慰也。河役之罢②,以转运赋功本狭,与雨淫不止,督役者以病告,故止耳。昔梁王堕马,贾生悲哀③;泔鱼伤人,曾子涕泣④。今劳人费财于前,而利不遂于后,此某所以恨愧无穷也。

若夫事求遂,功求成,而不量天时人力之可否,此某所不能,则论某者之纷纷,岂敢怨哉?阁下乃以初不能无意为有憾,此非某之所敢闻也。方今万事所以难合而易坏,常以诸贤无意耳,如鄙宗夷甫辈稍稍骛于世矣⑤。仁圣在上,故公家元海未敢跋扈耳⑥。阁下论为世师,此虽戏言,愿勿广也。前月被使江东⑦,朝夕当走左右,自余须面请。

[题解]

本文写于嘉祐三年,作者已被任命为提点江东刑狱还没赴任之时。文中对自己的错误决策十分懊悔,也作了自我批评。但刘敞批评他事先没有把百姓的艰难放在心上,他却提出了反驳,认为自己只是工作方法问题,而不是对百姓不负责任。由此又提出当前高官宰辅都是夸夸其谈之人,幸亏有圣明天子在上,所以契丹、西夏才不敢跋扈,表示了对朝政涣散、不思变革的不满。

[注释]

①刘原父:刘敞,字原父,临江军新喻(今江西新喻)人。庆历进士第

一。至和元年知制诰，二年奉使契丹，三年使还。知扬州，迁起居舍人，徙知郓州。《宋史》有传。②河役之罢：据《宋史·司马旦传》载，司马旦知宜兴县时，王安石知常州，开挖运河，从各县调集夫役，司马旦称此役甚大，民力不胜，请求各县轮番出役，时间虽然长一些，但不会影响工役。王安石不听，入秋大雨不止，百姓苦之，甚至有不堪重役而自杀者，此役遂罢。③"梁王堕马"二句：《史记·屈原贾生列传》载，贾谊为汉文帝少子梁怀王太傅。后怀王骑马摔死，贾谊自伤为太傅失职，哭泣岁余，亦死。④"沺鱼伤人"二句：出自《荀子·大略》："曾子食鱼有余，曰：'沺之。'门人曰：'沺之伤人，不若奥之。'"杨倞注解说："沺与奥皆烹和之名。"此典为检点过失、悔改前非的意思。⑤鄙宗夷甫辈稍稍鹜于世矣：鄙宗，与我同宗之人，指晋代的王衍。《晋书·王衍传》载，王衍，字夷甫，神情明秀，风姿详雅。少年时拜访山涛，山涛嗟道："何物老妪，生宁馨儿！然误天下苍生者，未必非此人也。"魏泰《东轩笔录》说，嘉祐初年，刘敞曾以书戏王安石曰："要当如宗人夷甫，不与世事可也。"⑥公家：与刘敞同姓之人。此处指十六国汉皇帝刘渊。《晋书·刘元海传》载，刘元海，匈奴人，冒顿之后。⑦前月被使江东：嘉祐三年二月，王安石自常州知州调任提点江南东路刑狱。

[译文]

承蒙阁下殷勤写信赐教，非常感动。闻知阁下起居安好，也深感欣慰。开河之役已经停止，因转运司拨付的资财太少，加之淫雨不停，催督河役的官员告知百姓有所不堪，所以停了下来。当年梁王堕马而死，贾谊深感悲哀；烹鱼反而伤了人，曾参为此而哭泣。如今劳民费财在先，而益处未必跟随其后，这也是王某感到深深愧疚的。

只想求事遂人愿，只想求大功告成，而没有考虑到天时和人力的可能性，这恰恰是王某没做好此事的原因。批评王某的人一个接一个，王某岂敢有怨言？不过阁下认为王某最初没有考虑到百姓的辛苦并为此感到遗憾，这样的说法王某可不敢苟同。当今所有的事情之所以难以同心协力将其办成，反倒很容易被毁坏，常常是因为各位贤能之人没有考虑周到,如同王某之宗人王夷甫渐渐超脱世俗。仁圣天子在上,所以阁下宗人刘元海不敢飞扬跋扈了。阁下论王某的文章堪为当世师表,这虽然是句戏言,还是希望不要肆意传播。上个月王某受命奉使江南东路,早早晚晚当前去拜访,其余的话恳请当面指教。

与祖择之书①

治教政令,圣人之所谓文也。书之策,引而被之天下之民,一也。圣人之于道也,盖心得之,作而为治教政令也,则有本末先后,权势制义,而一之于极②。其书之策也,则道其然而已矣。彼陋者不然,一适焉,一否焉③,非流焉则泥④,非过焉则不至⑤。甚者置其本,求之末,当后者反先之,无一焉不悖于极。彼其于道也,非心得之也,其书之策也,独能不悖耶?故书之策而善,引而被之天下之民反不善焉,无矣。二帝、三王⑥,引而被之天下之民而善者也;孔子、孟子书之策而善者也,皆圣人也,易地则皆然⑦。

某生十二年而学,学十四年矣。圣人之所谓文者,私有意焉,书之策,则未也。间或悱然动于事而出于词⑧,以警戒其躬⑨。若施于友朋,褊迫陋卑,非敢谓之文也。乃者执事欲收而教之,使献焉,虽自知明,敢自盖邪⑩?谨书所为书、序、原、说若干篇,因叙所闻与所志献左右,惟赐览观焉。

[题解]

这是作者庆历中在京师时作,当时作者只有二十五六岁。从性质上看,这是一篇自我推荐希望得到长官达人举荐和彰扬的实用文字,这种做法在唐、宋时期属于一种时尚,没有什么可指责的。从内容上看,作者说到无论何时无论何人，只有认真学习，理解圣贤理论的精髓，才能称为君子。那些曲解圣贤之说的人，只能称为小人。

[注释]

①祖择之：祖无择，字择之，上蔡（今河南上蔡西南）人。宝元元年进士。仁宗皇祐中，提点广东、湖北刑狱，改广东转运使。英宗朝，纠察在京刑狱，知开封府及郑、杭二州。神宗立，知通进银台司。为王安石所斥，谪忠正军节度副使。元丰八年卒。《宋史》有传。②一之于极：指使人们的思想意志达到统一。极，统一的标准。③一适焉，一否焉：有利于己的则采用之，不利于己的则否定之。④非流焉则泥：不是流于形式，就是过于拘泥。⑤非过焉则不至：不是把握太过分，就是理解不透，达不到圣人要求的标准。⑥二帝：尧与舜。三王：夏禹、商汤、周文王。⑦易地则皆然：谓两者交换了地位，也会有完全相同的处理方法。《孟子·离娄下》说："禹、稷当平世，三过其门而不入，孔子贤之。颜子当乱世，居于陋巷，一箪食，一瓢饮，人不堪其忧，颜子不改其乐，孔子贤之。孟子曰：禹、稷、颜回同道。禹思天下有溺者，由己溺之也；稷思天下忧饥者，由己饥之也，是以如是其急也。禹、稷、颜子易地则皆然。"杨伯峻译："禹、稷处于政治清明的时代，三次经过自己家门都不进去，孔子称赞他们。颜子出于政治昏乱的时代，住在狭窄的巷子里，一筐饭、一瓢水，别人都受不了那种苦生活，他却自得其乐，孔子也称赞他。孟子说：禹、稷和颜回处世的态度虽有所不同，道理却一样。禹以为天下的人有遭淹没的，好像自己使他淹没了一样；稷以为天下的人有挨饿的，好像自己使他挨饿一样，所以他们拯救百姓才这样急迫。禹、稷和颜子如果互相交换地位，颜子也会三过家门不进去，禹、稷也会自得其乐。"⑧悱然：想说而又不便说出。动于事而出于词：见到或听到某些事情有些感想，不由自主地作为文章。⑨警戒其躬：用来告诫警醒自己。⑩虽自知明，敢自盖邪：意思是自己虽然不乏自知之明，然而在大人面前，怎敢自掩其丑？这是王安石呈递文章时的自谦说法。

[译文]

治理天下的教化政令，就是古代圣人所说的文。这些文字写在简策上面，传达转引能使天下所有的人都看到，而且看到的文字是完全相同的。圣人对于大道，完全是内心感悟到的，然后编制成为治理天下的教化政令，于是便有了本末先后的次第，有了王权贵势、礼制道义，而所有这一切都归于一个统一的标准。他们写在简策上的，只是说明人们应该怎么去做而已。那些浅陋者则不是这样，有利于自己的则采用之，不利于自己的则否定之。不是流于形式，就是过于拘泥；不是把握太过分，就是理解不透。更有甚者，放弃大道的根本，求取大道是末端，应该靠后的反而提到前面来，没有一点不是和统一标准相悖的。这些人对于所行之道，并非从心中感悟出来的，把这样的所谓道理写下来，还能不和大道相悖吗？所以古代贤人写在简策上的道理本来很完善，转引而教导天下人民反倒不完善的情况是不存在的。尧、舜、禹、汤、周文王的话，转引而教导天下人民的道理都是完善的；孔子、孟子写在简策上的道理也都是完善的，他们都是圣贤之人，即使他们彼此交换了地位，也会有完全相同的处理方法。

王某十二岁开始学作文章，到如今已经有十四年了。圣人所说的文，私下有了自己的理解，但把这些理解再写成文章，还没有这样的能力。偶尔有想说而又不便出口，或是见到、听到某些事有些感想，有了作文章的冲动，也不过是写下来告诫自己而已。假如是写给朋友的，那些浅薄鄙陋的文字，绝不敢称之为文章。此前阁下有意收取王某为弟子而想施教于我，命我呈上所写文字，虽然不乏自知之明，然而在大君子面前，怎敢自掩其丑？谨誊录旧日所作的序、原、说若干篇，只是叙述所见所闻和自己的看法，呈给阁下，希望阁下能赏光浏览。

请杜醇先生入县学书①

　　人之生久矣，父子、夫妇、兄弟、宾客、朋友其伦也②。孰持其伦？礼乐、刑政、文物数制事为其具也③。其具孰持之？为之君臣，所以持之也。君不得师，则不知所以为君；臣不得师，则不知所以为臣。为之师，所以并持之也。君不知所以为君，臣不知所以为臣，人之类其不相贼杀以于尽者，非幸欤？信乎其为师之重也。

　　古之君子，尊其身，耻在舜下④。虽然，有鄙夫问焉而不敢忽⑤，敛然后其身似不及者，有归之以师之重而不辞，曰："天之有斯道，固将公之，而我先得之，得之而不推余于人，使同我所有，非天意，且有所不忍也。"

　　某得县于此逾年矣，方因孔子庙为学⑥，以教养县子弟，愿先生留听而赐临之，以为之师，某与有闻焉。伏惟先生不与古之君子者异意也，幸甚。

[题解]

　　本文是作者庆历八年知鄞县时所作。王安石年轻时做地方官，很能尽心民事，而且很重视教育。他不但兴建了鄞县县学，还亲自出面为县学弟子聘请最优秀的老师任教。

[注释]

　　①杜醇：越州（今浙江绍兴）人，有大才而不仕，耕桑钓牧，以养其亲。

后在慈溪县学教书为业,当时人称其学行应为人师。②父子、夫妇、兄弟、宾客、朋友其伦也:出自《孟子·滕文公上》:"人之有道也,饱食、暖衣、逸居而无教,则近于禽兽。圣人有忧之,使契为司徒,教以人伦:父子有亲,君臣有义,夫妇有别,长幼有序,朋友有信。"③文物:朝廷的礼乐制度。④尊其身,耻在舜下:意思是说君子对自己的修养非常看重,就个人品质修养而言,他们以不能与舜等列而感到羞耻。⑤有鄙夫问焉:出自《论语·子罕》。鄙夫,庸俗浅陋的人。杨伯峻译:"孔子说:'我有知识吗?没有哩。有一个庄稼汉问我,我本是一点也不知道的;我从他那个问题的首尾两头去盘问,才得到很多意思,然后尽量地告诉他。'"⑥孔子庙:据《乾道四明图经》载,至圣文宣王庙在鄞县东半里,唐元和九年建。当时各州县都建有孔子庙。

[译文]

人生活在这个世界已经很久了,父子之间要慈爱孝敬、夫妇之间要相处和睦、兄弟之间要尊卑有序、宾客之间要热情友好、朋友之间要真诚有信,这是做人的基本伦理。谁来把握人伦大理呢?礼乐、刑政、制度等的规定和约束便是保证人伦的工具。这个工具由谁来把握呢?制定君臣间的礼仪,就能有效地保证尊卑上下;君主得不到良师,就不知道应该如何当君主;臣子得不到良师,就不懂得如何当好臣子。做他们的老师,是可以与他们共同遵守人伦大理的。君主不知道如何做君主,臣子不知道如何做臣子,人与人之间没有彼此残杀殆尽,难道还不算大幸吗?可见作为老师的责任是何等的重大。

上古的君子,看重自身,以自己居于舜之下而感到羞辱。即使如此,有田夫野老向他询问,他也不敢轻忽,态度谦和地回答问题,好像还不如询问者有学问,把回答询问看成是为师之道而不敢辞,他会说:"上天所以有人伦大理,本来就是公之于众的道理,只不过我先一步了解了它,了解了它却不推及于其他人,使其他人和我一样共同具有,这不是上天的本意,而且我也不忍心不讲给他听。"

王某知鄞县已经一年有余了，此前刚刚傍着孔子庙建了县学，用来教养本县子弟。希望杜先生留心听取弟子们的请求而光临我县之学，作为子弟们的老师，王某替他们给杜先生传达此意。诚恳地希望先生不要与上古大君子有所不同，才是我等的大幸。

答王景山书①

某愚不量力,而唯古人之学,求友于天下久矣。闻世之文章者,辄求而不置,盖取友不敢须臾忽也,其意岂止于文章耶?读其文章,庶几得其志之所存。其文是也,则又欲求其质②,是则固将取以为友焉。故闻足下之名,亦欲得足下之文章以观。不图不遗而惠赐之③,又语以见存之意。幸甚幸甚!书称欧阳永叔、尹师鲁、蔡君谟诸君④,以见比此数公⑤。今之所谓贤者,不可以某比。足下又以江南士大夫为能文者,而李泰伯、曾子固豪士⑥,某与纳焉⑦。江南士大夫良多,度足下不遍识,安知无有道与艺,闭匿不自见于世者乎⑧?特以二君概之⑨,亦不可也。况如某者,岂足道哉?恐伤足下之信,而又重某之无状⑩,不敢当而有也。孔子曰:"十室之邑,必有忠信如丘者。"⑪圣人之言如此,唯足下思之而已。闻将东游,它语须面尽之。

[题解]

这篇书信写于庆历八年作者知鄞县时。当时作者虽然年轻,但文名已经传播甚广,所以王景山盛赞他的文章堪与欧阳修、尹洙、蔡襄等名流相伯仲;又说到江南学子名气最大的只有李觏、曾巩二人。王安石一方面表示谦虚,另一方面告诉王景山说,江南能文之士很多,看问题不能过于狭隘。

[注释]

①王景山:大概是江浙一带的一位学子,仰慕王安石文章,曾写信给王

安石谈论当今学人，王安石给他回了这封信。②其文是也，则又欲求其质：意思是文采很好了，还要考察它是否能把道理述说清楚。《论语·雍也》："质胜文则野，文胜质则史。文质彬彬，然后君子。"③不图：没想到。④欧阳永叔：欧阳修。尹师鲁：尹洙，洛阳人。曾知泾州，又知渭州。因事贬监均州酒税，途中得病，缺乏医药，死于南阳。他作文章简而有法。有文集二十七卷。蔡君谟：蔡襄，字君谟，兴化军仙游（今福建仙游）人。曾知谏院，知福州，为福建路转运使。又知开封府，知泉州、福州，召拜翰林学士、三司使。工于书法。《宋史》有传。⑤以见比此数公：拿王某和以上数公相比。⑥李泰伯：李觏，以文章知名。通经术，四方从学者常数百人。《宋史》有传。曾子固：曾巩。⑦某与纳焉：王某和他们都有交往。⑧不自见于世：不自我表现于世。见，"现"的古字。⑨特以二君概之：只拿这二位君子涵盖江南士子。⑩重某之无状：加重王某的不谦逊。⑪"十室之邑"二句：出自《论语·公冶长》。杨伯峻译："就是十户人家的地方，一定有像我这样又忠心又信实的人。"

[译文]

　　王某愚钝不自量力，作文章只向古人看齐，寻求朋友于天下已经很久了。只要听说有以文章名世者，则追求不歇，寻求朋友不敢有一时的怠忽，本意岂止仅在于学他的文章？读他的文章，差不多也能看出他的志向所在。见到他的文章已经纯美，接着还要探求其文章的内涵，如果也很有见地，那就一定要与他交为朋友。所以听到足下的大名，也想得到足下的文章来观看。没想到足下没有轻视，很快寄来大作，又告以希望留存之意。非常荣幸！非常荣幸！来信说到欧阳修、尹洙、蔡襄各位君子，并拿王某和他们相比。这些人都是当今所谓贤人君子，拿王某和他们相比很不妥当。足下又说到江南士大夫当中善于作文的人，还有李觏、曾巩两位豪杰之士，王某和他们都有往来。江南士大夫很多，估计足下不可能都认识，怎么会知道他们是不是具有道德与才艺，把自己隐蔽起来不浮现于尘世的高士呢？只举这两位为例而发感慨，恐怕是不够全面的。何况像王某这样的人，有什么值得称道的？担心伤害了足下对王某的信任，又担心不申明的话会增重王某的不知谦逊，不敢当足下的夸赞而误认为自己真的是什么文章高手。孔子说过："只有十户人家的小村镇里，也一定会有忠谨诚信像孔丘一样的人。"圣人的话就是这样说的，希望足下仔细思索吧。听说足下将有东方之行的打算，剩下的话还须当面才能说清。

答龚深父书①

某得手笔,感慰,尤喜侍奉万福。所示王深父事甚晓②。然不为小廉曲谨以投众人耳目,而趣舍必度于仁义,是乃深父所以合于古人,而众人所以不识深父者也。言之于深父何病?

扬雄亦用心于内,不求于外,不修廉隅以徼名当世③。故某以谓深父于为雄,几可以无悔。扬雄者,自孟轲以来未有及之者。但后世士大夫,多不能深考之尔。孟轲,圣人也。贤人则其行不皆合于圣人,特其智足以知圣人而已。故某以谓深父其知能知轲,其于为雄几可以无悔。扬雄之仕,合于孔子"无不可"之义,奈何欲非之乎?若以深父不仕为过于雄,则自雄以来,能不仕者多矣,岂皆能过于雄乎?若以深父之不仕为与雄异,则孟子称禹、稷、颜回同道④。深父之于为雄,其以强学力行之所至,仕不仕,特其所遭义命之不同,未可以议于此。

深父,吾友也,言其美,尤不敢略,亦不敢诬,所以致忠信于吾友。然以久废学,恐所论尚不中,不惜更详喻及也。

[题解]

这篇文章的主旨在于辩论士子应该采取何种态度对待社会。龚原认为扬雄出仕为官,就不能称为贤者了。王安石则认为,士子出仕与否和贤德与否是两回事,只要本于圣人大义,汲汲于宣扬仁义道德,即使出仕为官,也不应该成为贬低他的理由。

[注释]

①龚深父：龚原，字深之，一字深父，处州遂昌（今浙江遂昌）人，少年时曾与陆佃同师于王安石。仁宗嘉祐八年进士，元丰中，为国子监直讲。哲宗即位，为国子监丞、太常博士。加秘阁校理，出为两浙转运判官。历知润、扬、寿、庐、亳等州，卒。《宋史》有传。②王深父：王回，字深父。王安石的朋友。③不修廉隅以徼名当世：《汉书·扬雄传》上说："不汲汲于富贵，不戚戚于贫贱，不修廉隅以徼名当世。"廉隅，指端方不苟的行为和品行。④孟子称禹、稷、颜回同道：出自《孟子·离娄下》："孟子曰：'禹、稷、颜回同道。'"朱熹集注说："圣贤之道，进则救民，退则修己，其心一而已矣。"

[译文]

王某收到了深父的亲笔信，深感欣慰，尤其高兴侍奉双亲一切安好。所说王深父的事已经十分清楚。深父足下不愿用细小的廉洁和拘谨的谦和去迎合众人的耳目，而你的取舍肯定会提升到仁义的高度考虑，这也是深父足下之所以合乎古人，而芸芸众生之所以不能理解深父足下的原因。那些话能对于深父足下有什么妨害？

扬雄也是用心于内，不求于外界的赞誉，不谨小慎微地修养细节去求得当世赞美。所以王某把深父足下看成是扬雄，大约不会后悔。扬雄那个人，自打孟轲以来没有能赶上他的。只是后世的士大夫，大多不能深入考察研究他罢了。孟轲，是位圣人。贤人们的行为不可能完全合乎圣人的标准，只是他们的智慧足以了解圣人而已。所以王某认为深父足下的聪明是能够了解孟轲的，把足下看成是扬雄大概不会有什么后悔。扬雄在当官方面，符合孔子所说的"无不可"之义，为什么还要批评他呢？如果把深父足下的不出仕看成是超过了扬雄，那么自扬雄往后数，能不出仕的君子是很多的，难道都能超过扬雄吗？如果把深父足下的不出仕看成是与扬雄不同，那么孟子却称大禹、后稷和颜回是同道之人。深父足下和扬雄相比，都是凭着勤奋学习、身体力行而达到相当的高度。出仕与不出仕，仅仅是你们所遭遇的天命不相同，恐怕不能按照扬雄是否出仕来发表议论。

　　深父足下是王某的朋友，称颂他的美善，尤为不敢忽略，同时也不敢有所指责，这才是以忠诚守信对待朋友的态度。然而因为长期以来荒废学业，深恐上面所发的议论还有不中肯之处，请深父足下不吝再赐教诲。

答徐绛书①

某启：某鄙朴，未尝得邂逅，而蒙以书辱于千里之远，固已幸甚。足下求免于今之世，而求合于古之人，不以问世之能言，而欲有取于不肖②，此某之所以难于对也。

自生民以来③，为书以示后世者，莫深于《易》。《易》之所为作，不出足下之所求。文王以伏羲为未足以喻世也④，故从而为之辞。至于孔子之有述也⑤，盖又以文王为未足。此皆聪明睿智，天下至神，然尚于此不能以一言尽之，而患其喻之难也。况以区区之中材，而遇变故之无穷，其能皆有所合而卒以自免乎？虽能有所合而有以自免，其可以《易》言而遽晓乎？此某夙夜勉焉而惧终不及者也，其能遽有以进左右者乎？

然学者患其志之不同，而有志者欲其为之不已，某与足下幸志同矣。如为之不已，他日邂逅，得各讲其所闻，择其可以守之，庶其卒将有得焉。盖古之人，其成未尝不以友者，此亦区区有望于君子也。

[题解]

本文是与求学者商讨学习方法的一封书信。作者首先肯定徐绛坚持研读经典的态度，鼓励他坚持学习，认真探讨；同时告诫他：任何艰深的学问都需要长时期耐心地去探讨研究，企图在短时间内解决难题，是不切实际的。

[注释]

①徐绛：可能是向王安石求学的年轻人。②"不以问世之能言"二句：意思是说徐绛不去向那些能言会道的人去请教，却和自己这个没本事的人来商讨。这是作者自谦之词。③生民：人民。④文王以伏羲为未足以喻世：相传伏羲氏发明了八卦，可以分阴阳，测吉凶。但八卦毕竟过于深晦，人不易晓，且其中许多奥理并没有揭示出来。周文王在此基础上推衍八卦而成六十四卦，并对每一卦都作了解说。今所传《周易》六十四卦象及卦说，即文王所演述。⑤孔子之有述：据《史记·孔子世家》载："孔子晚而喜《易》，序《彖》、《系》、《象》、《说卦》、《文言》。"张守节正义说："序，《易·序卦》也。夫子作《十翼》，谓《上彖》、《下彖》、《上象》、《下象》、《上系》、《下系》、《文言》、《序卦》、《说卦》、《杂卦》也。"

[译文]

王某启：王某鄙野朴陋，未曾有机会和足下见面，却承蒙足下不远千里赐给王某书信，已经是非常之大幸。足下志在不逢迎于当今之世，而力求契合于古代的贤人，不去请教当今能说会道的哲人，而要与王某这个拙人探讨，这恰恰是王某难以应对的原因。

自从有黎民以来，用书的形式昭示后世的，没有比《易经》更深奥的了。《易经》这部著作，能满足足下所有的探究。周文王担心伏羲氏的八卦不足以满足世用，故而在八卦基础上作了解说之辞。到了孔子，对于此书又有所补充论述，是认为文王的六十四卦仍旧无法满足世用。这些人都是聪明睿智者，是天下最通达神明的人，尚且不可能对《易》用一句话来概括，为他们将此书解说清楚而感到非常困难。何况以微不足道的中等之才，而遭遇无穷无尽的变化，能件件都合于《易》而最终免于灾难吗？就算能有所契合而自免于灾难，岂能拿《易》来解释而骤然明白呢？这是王某日夜自勉却担心最终也弄不清楚的难题，怎么可能突然之间就有心得来为足下解说清楚呢？

然而求学者最担心的是彼此之间志向不同，如果有志于学的人又想探求不止,那王某与足下恰恰有幸属于志同道合者。如果能够不断探究,有朝一日能见面,得以各自讲述自己的心得,选择那些值得肯定的论点坚持不懈,或许最终真的能有所收获。古代的贤人,他们学有所成没有一个不是与朋友相互切磋的,这也是王某真诚寄希望于徐君足下的。

答曾公立书[①]

某启：示及青苗事[②]。治道之兴，邪人不利，一兴异论，群聋和之，意不在于法也。孟子所言利者，为利吾国、利吾身耳[③]。至狗彘食人则检之[④]，野有饿莩则发之，是所谓政事。政事所以理财，理财乃所谓义也。一部《周礼》，理财居其半，周公岂为利哉？奸人者因名实之近，而欲乱之，眩惑上下，其如民心之愿何？始以为不请，而请者不可遏；终以为不纳，而纳者不可却。盖因民之所利而利之，不得不然也。然二分不及一分，一分不及不利而贷[⑤]，贷之不若与之。然不与之而必至于二分者，何也？为其来日之不可继也。不可继则是惠而不知为政，非惠而不费之道也，故必贷。然而有官吏之俸，輓运之费，水旱之逋，鼠雀之耗，而必欲广之，以待其饥不足而直与之也，则无二分之息可乎？则二分者，亦常平之中正也[⑥]，岂可易哉？公立更与深于道者论之，则某之所论无一字不合于法，而世之诡诡者，不足言也。因书示及，以为如何？

[题解]

本文是王安石推行青苗法遇到阻遏后写的一封信。从中我们可以看到一个政治家在体制变革的关键时刻作出的反应。就文章而言，本文是最能代表王安石咄咄逼人风格的作品，笔锋凌厉，滔滔雄辩，一气呵成，读来令人几乎没有喘息之机。事实上，王安石此信所说的情况并不完全符合当时的实际。

[注释]

①曾公立：与王安石辩论新法利弊的官员。②青苗：熙宁变法诸法中的一道法令。该法规定，当青黄不接之时，由官府借贷给农民种子，收获后收取二分之息。③利吾国、利吾身：出自《孟子·梁惠王上》："孟子见梁惠王。王曰：'叟不远千里而来，亦将以利吾国乎？'孟子对曰：'王何必曰利？亦有仁义而已矣。王曰何以利吾国，大夫曰何以利吾家，士庶人曰何以利吾身。上下交征利而国危矣。'"④狗彘食人则检之：出自《孟子·梁惠王上》："狗彘食人而不知检，途有饿莩而不知发。人死，则曰：'非我也，岁也。'是何异于刺人而杀之？"杨伯峻注解说："狗彘食人而不知检，这句有两种解释。《汉书·食货志赞》说：孟子亦非狗彘食人之食而不知敛。颜师古说：言岁丰熟，菽粟饶多，狗彘食人之食，此时可敛之也。《汉书·食货志》检作敛，意思是收成好，谷贱伤农，国家便当平价收买，免得用以饲养狗彘。这和李悝的平籴、管子的国蓄同意。但清初阎若璩的《四书释地三续》云：古虽丰穰，未有以人食予狗彘者。"⑤一分不及不利而贷之：谓官府征十分之一的利税，在某些人看来，还不如一点税都不征白白贷给民众。这是王安石说的气话，认为那些说风凉话的人根本不懂得经济运作的规律。⑥常平：唐代以来为应付突发自然灾害，官府储备一定数量的粮食，遇到灾害，便用这些存粮救济灾民，叫做常平。中正：恰到好处的利息标准。

[译文]

王某启：来信说到推行青苗法的事。治理国家的大道兴起之后，邪佞小人们感到对他们不利，一番异论出现之后，一群聋子便跟着随声附和，他们的用意其实并不在青苗法上。孟子说到"利"的问题，就是那句"利吾国"、"利吾身"的议论。还有"狗彘食人则检之，野有饿莩则发之"，这就是古圣贤所说的政事。政事其实就是理财，理财也就是所谓的义。一部《周礼》，理财的内容占了一半，难道周公也是为了谋利吗？奸邪之人因为名义和实际非常接近，就想把事情搞乱，以此来迷惑君主和万民，也不想一想他们这样做是不是合于万民的心愿？初始时他们以为不会有多少人前来申请借贷，实际上前来申请借贷的人挡都挡不住；其后他们又认为不会有多少人给官府缴纳利息，实际上前来缴纳利息的人推都推不及。朝廷完全是根据百姓的利益而把部分的利益让给他们，不得不这样做。当然，二分利肯定是不如一分利，一分利不如不收利白白借贷给百姓，借贷给他们又不如干脆送给他们。然而朝廷不可能白白送给他们而必须征收二分利，为什么要这样做呢？因为都送出去，以后就没有用来继续维持的了。送到没的可送的确是恩惠，但那属于不懂得如何为政，并非只施与恩惠而不需要偿还的所谓仁义之道，所以必须采取借贷的方式。这其中包括有官员们的俸禄，运输产生的费用，因水灾、旱灾而给予逃亡者的救助，老鼠、麻雀偷食的损耗，故而一定要增加官府的收入，以便在百姓受灾无食的时候拿出来贴补他们，你说没有两分利息能行吗？取二分利息，也是以往常平救灾当中实行的标准利息，岂能随便改动？公立足下可以再去和道行更深的人讨论讨论，王某今天这番话没有一个字不符合古法，而世上那些胡乱嚷嚷的人，根本不值得和他们去辩论。借此信把王某的心思交代清楚，不知足下以为如何？

虔州学记^①

　　虔于江南地最旷，大山长谷^②，荒翳险阻，交、广、闽、越铜盐之贩，道所出入，椎埋、盗夺、鼓铸之奸^③，视天下为多。庆历中，尝诏立学州县^④，虔亦应诏，而卑陋褊迫不足为美观。州人欲合私财迁而大之久矣。然吏尝力屈于听狱，而不暇顾此，凡二十一年，而后改筑于州所治之东南，以从州人之愿。盖经始于治平元年二月，提点刑狱宋城蔡侯行州事之时^⑤，而考之以十月者，知州事钱塘元侯也^⑥。二侯皆天下所谓才吏，故其就此不劳，而斋祠、讲说、候望、宿息^⑦，以至庖湢^⑧，莫不有所。又斥余财市田及书^⑨，以待学者，内外完善矣。于是州人相与乐二侯之适己，而来请文，以记其成。

　　余闻之也，先王所谓道德者，性命之理而已^⑩。其度数在乎俎豆、钟鼓、管弦之间^⑪，而常患乎难知，故为之官师，为之学，以聚天下之士，期命辩说^⑫，诵歌弦舞，使之深知其意。夫士，牧民者也。牧知地之所在，则彼不知者驱之尔。然士学而不知，知而不行，行而不至，则奈何？先王于是乎有政矣。夫政，非为劝沮而已也。然亦所以为劝沮。故举其学之成者，以为卿大夫。其次虽未成而不害其能至者，以为士，此舜所谓庸之者也^⑬。若夫道隆而德骏者，又不止此，虽天子，北面而问焉，而与之迭为宾主，此舜所谓承之者也⑭。蔽陷畔逃⑮，不可与有言，则挞之以诲其过，书之以识其恶，待之以岁月之久而终不化，则放弃杀戮之刑随其后⑯，此舜所谓威之者也⑰。盖其教法，德则异之以智、仁、圣、义、忠、和⑱，行则同之以孝、友、睦、姻、任、恤⑲，艺则尽之以礼、乐、射、御、书、数⑳。淫言诐行诡怪之术，不足以辅世，则无所容乎其时。而诸侯之所以教，一皆听于天子，天子命之矣，然后兴学。命之历数，所以时其迟速㉑；命之权量，所以节其丰杀㉒。命不在是，则上之人不以教，而为学者不道也。士之奔走、揖让、酬酢、笑语、升降，出入乎此，则无非教者。高可以至于命，其下亦不失为人用。其流及乎既衰矣，尚可以鼓舞群众，使有以异于后世之人。故当是时，妇人之所能言，童子之所可知，有后世老师宿儒之所惑而不悟者也；武夫之所道，鄙人之所守，有后世豪杰名士之所惮而愧之者也。尧、舜、三代，从容无为，同四海于一堂之上，而流风余俗咏叹之不息，凡以此也。

　　周道微，不幸而有秦。君臣莫知屈己以学，而乐于自用，其所建立悖矣，而恶夫非之者。乃烧《诗》、《书》㉓，杀学士，扫除天下之庠序㉔，然后非之者愈多，而终于不胜，何哉？先王之道德，出于性命之理，而性命之理出于人心。《诗》、《书》能循而达之，非能夺其所有而予之以其所无也。经虽亡，出于人心者犹在，则亦安能使人舍己之昭昭㉕，而从我于聋昏哉？然是心非特秦也，当孔子时，既有欲毁乡校者矣㉖。盖上失其政，人自为义，不务出至善以胜之，而患乎有为之难，则是心非特秦也。墨子区区，不知失者在此，而发"尚同"之论㉗，彼其为愚，变独何异于秦？

　　呜呼！道之不一久矣。扬子曰："如将复驾其所说，莫若使诸儒金口而木舌。"㉘盖有意乎辟雍学校之事㉙，善乎其言！虽孔子出，必从之矣。今天子以盛德新即位，庶几能及此乎？今之守吏，实古之诸侯，其异于古者，不在乎施设之不专，而在乎所受于朝廷未有先王之法度；不在乎无所于教，而在乎所以教未有以成士大夫仁义之材。

虔虽地旷以远，得所以教，则虽悍昏嚚凶㉚，抵禁触法而不悔者，亦将有以聪明其耳目而善其心，又况乎学问之民？故余为书二侯之绩，因道古今之变及所望乎上者，使归而刻石焉。

[题解]

英宗治平元年，作者在金陵守丧，虔州州学落成，太守元积中派人来到金陵，请乡人王安石写一篇记文。王安石在文中特别强调了学习的重要性，而且强调所学内容必须是圣贤经典，更要学以致用。这种思想在王安石脑子里是一贯的，三年之后的熙宁变法也是在这样的指导思想下推行并实施的。

[注释]

①虔州：属江南西路，在今江西赣州。②大山长谷：《舆地纪胜》载，赣州在江南地最旷大，山长谷荒，是通往福建、广东的交通枢纽。③椎埋：杀人。鼓铸：指私自开采矿山，冶炼金银。虔州处群山之间，矿产丰饶，仁宗景祐二年，始在此地专置江浙、福建等路都大提点坑冶官一员，主管冶铸之事。④庆历中，尝诏立学州县：据《宋会要辑稿·崇儒》载，仁宗庆历四年三月，诏各路州、府、军、监除旧有学校者之外，均设立学校。⑤提点刑狱宋城蔡侯行州事之时：指英宗治平元年，江南西路提点刑狱蔡挺兼任赣州知州的时候。行州事，指本州因故暂无知州时，由路分高级官员临时代理知州事。蔡挺，字子正，应天府（今河南商丘）人。嘉祐中，知南安军，擢江西提点刑狱。治平初，为陕西转运副使，知庆州。神宗即位，徙渭州。熙宁五年，拜枢密副使。七年，以疾罢判南京留司御史台，卒。⑥知州事钱塘元侯：据《江西通志》卷四六载，元积中，治平间知赣州。元积中，《宋史》无传。《舆地纪胜》载："元积中，治平中知郡，兴学校，王文公为之记。又后人作四贤堂以祠之。"⑦斋祠：斋戒祭祀。此处指祭祀孔子的庙。讲说：即学校的讲堂。候

望：观测天象之所。⑧庖湢：学校里的厨房和浴室。⑨市田及书：田，学田，办学用的公田，以田地收益作为学校建设的基金。⑩性命：指万物的天赋和禀受。⑪其度数在乎俎豆、钟鼓、管弦之间：度数，道理。俎豆，古代祭祀、宴飨时盛食物所用的两种礼器。此处指祭祀之事。钟鼓，钟和鼓，古时的礼乐之器。⑫期命：对事物进行综合分析理解。⑬舜所谓庸之者也：出自《尚书·益稷》。庸之，即用之。言卿大夫以下虽不能成就大器但有一定能力的人，可以让他们做士，以利用他们的才能。⑭舜所谓承之者也：出自《尚书·益稷》。此言人们接受教育后，有些人能达到有道的程度，即所谓贤者的程度，那就任以官职。承之，殷勤地接待他们。⑮蔽陷畔逃：由于蒙昧混沌而陷于犯罪，由于不懂礼义而叛逆逃亡。畔，通"叛"。⑯放弃：摈弃流放。⑰舜所谓威之者也：出自《尚书·益稷》。孔颖达疏解说："否，谓不从教者，则以刑威之而罪其身也。"⑱忠、和：忠信温和。⑲任、恤：谓个人有诚信且能给人以帮助和同情。⑳书、数：六书和数学方面的知识。《周礼·地官·大司徒》："三曰六艺：礼、乐、射、御、书、数。"郑玄注解说："书，六书之品数；数，九数之计。"㉑命之历数，所以时其迟速：意思是教人懂得天命运历的道理，则可以让人学以致用，静以待时。早得世用不为之喜，晚得世用勿为之躁。㉒命之权量，所以节其丰杀：谓教人懂得衡量利弊得失，则可以让人知畏知勇。㉓烧《诗》、《书》：指秦始皇建立秦朝之后，采用宰相李斯建议，凡《诗》、《书》、百家语均须烧毁。㉔扫除天下之庠序：《尚书序》说："秦始皇灭先代典籍，焚书坑儒。天下学士逃难解散。"庠序，学校。《孟子·梁惠王上》："谨庠序之教。"杨伯峻注解说："古代的地方学校叫庠序。"㉕昭昭：明白显著之貌。㉖欲毁乡校：《左传·襄公三十一年》说："郑人游于乡校，以论执政。然明谓子产曰：'毁乡校何如？'子产曰：'何为？其所善者，吾则行之；其所恶者，吾则改之，是吾师也。若之何毁之？'"㉗尚同：墨子的主要政治思想。谓在"尚贤"的基础上，推选贤者仁人。主张地位居下者逐层服从于居上者，如家君服从于国君，国君服从于天子，从而达到"一同天下之议"的治世。㉘"如将复驾其所说"二句：出自扬雄《法言·学行》："天之道不在仲尼乎？仲尼，驾说者也。"刘宝楠注解说："谓修圣道于孔子既没之后，譬复驾其已舍之车，有若孔子复生然也。"汪荣宝注解说："使诸儒金口而木舌者，欲其宣扬圣人制作之义，亦如奋木铎以警众也。"金口木舌，指木铎，古时施行政教时，击木铎以振告万民。后用来比喻宣扬圣人的教化。㉙辟雍：周天子所设的大学，校址为圆形，围以水池，前门外有小桥。汉代以后，历代皆有。㉚嚚（yín）凶：愚蠢而凶恶。嚚，愚蠢而顽固。

[译文]

虔州在大江以南地域最广，山高谷长，人烟稀少，险阻遍布全州，交州、广州、福建、南越贩卖铜和盐的商人，经常取道本州出入，杀人、抢劫、私自铸铜等犯罪行为，在全国属于多发之地。庆历年间，朝廷曾经下诏命各州设立学校，虔州也遵守圣旨，但所建州学既简陋又偏僻，看上去很不像样子。州中士民想捐资迁移增建的打算已经很久了。然而地方官员审理案件狱讼的任务非常繁重，实在顾不上建学的事了，经过了二十一年之后，才将州学迁到了州衙的东南方，了却了州人的夙愿。整个工程开始于治平元年二月，提点刑狱宋城人蔡侯兼任虔州知州的时候，而最终建成于当年的十月，则是知州钱塘人元侯。二位郡侯都是天下人称颂的有才之官，所以修建州学不辞劳苦，祭孔子的祠堂、讲课的课堂、观测天象的楼台、弟子歇息住宿的棚舍，以至于厨房和浴室，没有一项不安排得井井有条。又用剩余的钱财购买了学田和书籍，以待前来就学的弟子，里里外外都修建完善了，于是州中百姓感激两位郡侯的行动符合了人们的心愿，派人前来请王某写一篇记文，以记录州学建成的经过始末。

王某记得有这样的说法：前世帝王所谓的道德，无非性命之理而已。此理的表现形式在于祭祀之事，以及钟鼓管弦等礼乐当中，不少人深深患苦这些规矩难以掌握，故而为人们设立了老师，为人们建立学校，聚集天下的士人，对种种事物进行综合的分析和解说，吟诵歌曲、学习管弦舞蹈，使他们深深体会圣人的心意。士子，是管理民众的人。放牧的人必须让牛羊知道牧地在何处，那些不知道的则可以驱赶它们到那里去。然而士子学了圣贤之说还不知道那是何物，知道了圣贤之说却不去施行，施行了却半途而废，那该怎么办？于是前代帝王便有了政令。政令，不仅仅是为了规劝士子而已。当然也有规劝的成分。所以重用那些学有所成的人，以他们为卿、为大夫。其余那些虽然学无所成却不妨碍他还能有所成的人，以他们为士子，这就是大舜所说的"用之"之意。如果发现他们当中有道德高深、德行茂盛的，则又不止于此，即使贵为天子，也需要向他们询问，并且和他们互为主人和宾客的角色，这就是大舜所说的"承之"之意。如果其间有由于蒙昧混沌而陷于犯罪，由于丧失礼义而叛逆逃亡的人，那就无须和他们再说什么，鞭挞他们，使他们悔过自新，将他们的罪恶记录下来，让人们都晓得他们的罪过。如果等候很久之后他们还是顽固不化，那就可以流放摈弃甚至杀死他们，这就是大舜所说的"威之"之意。教导士子的方法，道德方面要考虑到智慧、仁爱、圣明、信义、忠诚、宽和，行为方面则一律要教给他们孝顺、友爱、和睦、婚姻之礼、诚信、具有怜悯之心，技能方面要把礼仪、乐律、射箭、驾驭、六书、九数尽可能教授详尽。夸夸其谈的言语和歪门邪道的法术，都不足以辅佐治世，所以不留容纳这些东西的空间。诸侯所受的教诲全部来自天子，天子对他们有了命令之后，他们便可以兴办学校。教人懂得天命运历的道理，则可以让他们学以致用，静以待时，不必计其早晚。教给人们懂得衡量利弊得失，则可以让他们知道什么事应该做什么事不应该做。命令没有出现在这上面的，那么居于高位的人是不会用来教导人的，作为学习的人也不应该去谈论那些。士子应该如何奔走，如何揖让，如何酬答，如何言笑，如何升降进退，出入于这些礼节仪制当中，没有哪一项不是需要教导的。学习好的可以到达有爵位秩禄的高度，学得差些的也不会失去为人所用的机会。哪怕世风即将衰微，也还可以鼓舞激励大众，使他们做到和后世的人大不相同。所以在那个时代里，妇女说出来的话，孩子知道的道理，有许多都是后世的老先生、大学问家都没弄明白甚至终生无法弄明白的；武将军卒所遵守的规矩，田夫野老所具有的操守，有许多都是后世豪杰名士无法接受却又自愧不如的。尧、舜、三代时期，帝王往往从容闲暇，无事可做，九州四海黎民百姓所思所想都和帝王如出一辙，好像和和睦睦同坐在一堂，那时留传下来的美好风尚和佳美习俗令人感叹、羡慕不已，就是因为这些。

周代大道衰微，不幸而有了秦朝，从君主到臣下没有一个人懂得自我谦虚认真学习，只喜欢凭着自己的意志任意行事。他们在根本上出了问题，与圣贤所教相背离了，却很不喜欢那些给他们提意见和建议的人，于是焚烧《诗》、《书》，诛杀学士，将天下的学校清除殆尽，其后反对他们的人越来越多，最终支撑不住亡了国。什么原因呢？前代帝王所谓的道德，都是出于人性天命的根本道理，而人性天命的大道理又是出于人的内心。《诗》、《书》能遵循这个道理而使人们弄懂什么是人性天命，并不能褫夺人们具有的认知而填补人们缺乏的认知。经书虽然都被烧光了，出于人内心的那些道理还存在，谁能让人们丢掉已经明明白白印在心中的道理，而服从于暴君的耳聋心昏呢？这种想强行改变人心的事不仅仅表现在秦朝，在孔子那个时代，就有想要拆毁乡校的人了。在上者失去了仁义之政，各人都凭着自己的意志处理问题，不想用最大的善意取信于他人，又惧怕有所作为的艰难，那么这种心思确实不仅仅存在于秦朝。墨子见识短浅，不懂得他的失误就在于此，却乱发"尚同"的理论，他确实很愚蠢，如果真的按照他的设想改变这个世界，其后果和秦朝有什么两样？

啊！大道无法归一已经很久了。扬雄说："如果重新去驾孔子之车，还不如让所有读书人都成为金口木舌的传播者。"正是着眼于设立学校的事，这话说得太好了！即使是孔子复生，也一定会赞成他的说法。如今新天子以盛德继承大位,差不多能达到这种境界了吧?当今的太守,相当于上古的诸侯,此官之所以和上古有所不同,并不在于设官不用心,而在于所受制的朝廷中缺乏前代帝王定下的法度;不在于没有可以教育的对象,而在于所教的内容不足以成就士子乃至大夫的才能。

虔州虽然地域广阔远在南方,只要是教育得法,那么即使是强悍昏昧、顽固凶恶的人,违了禁令、犯了法度还不知改悔的人,也将会使他们变得耳聪目明,改恶从善,更何况对于那些懂得学问的人呢?所以王某在书写二位郡侯功绩的同时,顺便说一说古今的变化以及身居高位者对人们的期望,使来人回到州中将这些言语刻在石上。

度支副使厅壁题名记^①

　　三司副使，不书前人姓名。嘉祐五年，尚书户部员外郎吕君冲之始稽之众史^②，而自李纮已上至查道^③，得其名，自杨偕已上^④，得其官^⑤，自郭劝已下^⑥，又得其在事之岁时，于是书石而镵之东壁。

　　夫合天下之众者财，理天下之财者法，守天下之法者吏也。吏不良，则有法而莫守；法不善，则有财而莫理。有财而莫理，则阡陌闾巷之贱人，皆能私取予之势，擅万物之利，以与人主争黔首^⑦，而放其无穷之欲，非必贵强桀大则后能^⑧。如是而天子犹为不失其民者，盖特号而已耳^⑨。虽欲食蔬衣弊，憔悴其身，愁思其心，以幸天下之给足而安吾政，吾知其犹不得也。然则善吾法，而择吏以守之，以理天下之财，虽上古尧、舜犹不能毋以此为先急，而况于后世之纷纷乎！

　　三司副使，方今之大吏^⑩，朝廷所以尊宠之甚备。盖今理财之法，有不善者，其势皆得以议于上而改之。非特当守成法，吝出入，以从有司之事而已。其职事如此，则其人之贤不肖，利害施于天下如何也？观其人，以其在事之岁时，以求其政事之见于今者，而考其所以佐上理财之方，则其人之贤不肖，与世之治否，吾可以坐而得矣。此盖吕君之志也。

[题解]

作者曾担任度支判官，此前又长期担任地方官，亲眼目睹了富豪兼并土地，人民贫窘的现实。所以他主持变法时，核心问题就是富国，这种主张早在他担任度支判官时就已经酝酿成熟了。作者写这篇题名记，用意并不在题名，而是着眼于国家经济的振兴。蔡上翔《王荆公年谱考略》说："此公抑兼并之意，诗文屡言之。即异日青苗法行，所谓'昔之贫者举息之于豪民，今之贫者举息之于官'是也。"

[注释]

①度支副使：北宋三司为全国最高经济管理部门，下面有户部、度支、盐铁三个部门，每个部门只设副使。度支副使即三司度支的分部门最高长官。题名：唐宋以来，将某部门或某州县的长官按照在任年月依次书写或刻石，称为题名。②尚书户部员外郎吕君冲之：吕景初。《宋史·吕景初传》载，吕景初，字冲之，开封人。嘉祐四年至六年间担任三司度支副使。稽之众史：从史籍中查找。③李纮：字仲纲。明道初年担任三司度支副使。查道：字湛然，歙州休宁（今安徽休宁）人。咸平六年任度支副使。后纂修《册府元龟》。④杨偕：《宋史》本传载，杨偕，字次公，唐左仆射杨於陵六世孙。历任三司度支判官、判吏部流内铨、三司度支副使、河北转运使等职。杨偕任度支副使在仁宗景祐初年。⑤得其官：官，此处指官阶及带职，而非实职。如本文"尚书户部员外郎吕君冲之"，其中"尚书户部员外郎"即为所带之官，而其实职则为"三司度支副使"。⑥郭劝：《宋史》本传载，郭劝，字仲褒，郓州（今山东东平）人。历知莱州、齐州、淄州、磁州、凤翔府，召为三司户部副使。《长编》载，郭劝任三司度支副使在仁宗景祐年间。⑦黔首：平民，百姓。《礼记·祭义》郑玄注解说："黔首，谓万民也。黔，谓黑也。凡人以黑巾覆头，故谓之黔首。"⑧贵强：位尊势大者。桀大：凶恶霸道的贵族。⑨特号而已：意谓在这种情况下，作为天子，也不过是个名号罢了。⑩大吏：高官。北宋时三司副使是可以上朝言事的高级官员。

[译文]

三司的副使，没有记录前代官员的姓名。嘉祐五年，尚书户部员外郎吕君冲之开始勾检相关史书，而从李纮以上直到查道，索得了曾任此官的官员姓名；从杨偕以前的人都得到了他们的官职；而自郭劝以下的人，又得知了他们任职与离任的具体年月，于是将这些官员的资料书写下来并镌刻在厅东的墙壁上。

聚合天下万民的是财货，管理天下财货的是法令，遵守天下法令的是官吏。官吏不好，即使有法令也没人遵守；法令不好，即使聚集了财货也无法有效地管理。有了财货而无法有效管理，那么草野间巷之中的微贱之人，都可以自行决定获取和给予，可以私自拥有种种的财利，并与君王争夺人民，进而放纵他们无穷无尽的私欲，不是一定要豪贵强大之后才有可能。如果有这么一天，天子还认为并没有失去天下万民，也仅仅是剩下个空名而已。即使想要吃粗粮穿旧衣，满脸憔悴，满心忧愁，希望得到天下万民的奉给而保持自己的统治，我深知那也是绝对不可能的。既然如此，那么改善我们的法令，拣择有才力的官员守护天下财货，并管理天下的财货，纵使是上古时期的唐尧和虞舜，也不可能不将此事当做最急迫最重大的事务，何况对于后代纷扰之世呢！

三司副使，乃是当今天下有名的大官，朝廷尊重宠信他们可谓无以复加。如今管理财货的法令有不甚合理之处，朝廷自然而然都要和他们商议并加以改进。所以此官不仅仅是恪守已经形成的法令，谨慎掌握支出和收入，以奉行上司的指令而已。他的职事如此重大，那么担任此职的人贤能与否，施行于天下的利与害将是何等的不同！考察这些官员，以他们在任期间全国的年成丰凶来探求他们推行的哪些政令能够持续到今天，考察他们究竟有哪些帮助天子管理财货的良方，那么他们的贤能与否和世道的治与乱，我们很快就可以了解到了。这大概就是吕君作题名的初衷吧。

石门亭记

石门亭在青田县若干里①，令朱君为之。石门者，名山也②，古之人咸刻其观游之感概，留之山中，其石相望。君至而为亭，悉取古今之刻立之亭中，而以书与其甥之婿王③，使记其作亭之意。

夫所以作亭之意，其直好山乎？其亦好观游眺望乎？其亦于此问民之疾忧乎？其亦燕闲以自休息于此乎？其亦怜夫人之刻暴剥偃蹐而无所庇障且泯灭乎④？夫人物之相好恶必以类。广大茂美，万物附焉以生⑤，而不自以为功者，山也；好山，仁也⑥。去郊而适野，升高以远望，其中必有慨然者。《书》不云乎："予耄逊于荒。"⑦《诗》不云乎："驾言出游，以写我忧。"⑧夫环顾其身无可忧，而忧者必在天下，忧天下，亦仁也。人之否也敢自逸⑨？至即深山长谷之民，与之相对接而交言语，以求其疾忧，其有壅而不闻者乎？求民之疾忧，亦仁也。政不有小大，不以德则民不化服，民化服然后可以无讼。民不无讼，令其能休息无事，优游以嬉乎？古今之名者，其石幸在，其文信善，则其人之名与石且传而不朽，成人之名而不夺其志，亦仁也。作亭之意，其然乎？其不然乎？

[题解]

这是一篇非常优美而又非常独特的记文。作者在文中使用了相当多的设问句,又设置了相当多的论述层次,然后在众多的设问中寻求最佳答案,在众多的论述层次中寻求最终的结论。然而文章的最后,却把"是如此呢,还是并非如此"的选择留给了读者,真可谓"横看成岭侧成峰,远近高低各不同。不识庐山真面目,只缘身在此山中"。

[注释]

①青田:宋县名,属两浙路处州,在今浙江青田。②石门者,名山也:《大明一统志》卷四四载:"石门山在青田县西七十里,两峰壁立,相对如门,中有洞。西南高谷有瀑布,自上潭直泻至天壁三十余丈,自天壁飞洒至下潭四十余丈。有亭曰喷雪,上有轩辕丘,《道书》以为青田玄鹤洞天。唐叶法善尝居此。"③以书与其甥之婿王:写信给他的外甥女婿王安石。据此,本文所说的青田县令朱君,当是王安石的外舅。④怜夫人之刻暴剥偃踣而无所庇障且泯灭:意谓担心这些前人的碑刻暴露在野外,任风雨剥蚀,久而漫灭毁坏。偃踣,跌倒。指碑刻仆倒在地上。⑤广大茂美,万物附焉以生:意谓土地唯其广大,所以万物生于其上。《礼记·中庸》说:"今夫山,一拳石之多,及其广大,草木生之,禽兽居之,宝藏兴焉。"⑥好山,仁也:《论语·雍也》说:"智者乐水,仁者乐山。"⑦予耄逊于荒:出自《尚书·微子》篇:"我其发出狂?吾家耄逊于荒?"孔安国解释说:"我念殷亡,发疾生狂,在家耄乱,故欲遁出于荒野。言愁闷。"⑧"驾言出游"二句:出自《诗·邶风·泉水》。高亨注解说:"写,宣泄,通作泻字。"意谓出外游览,是为了发泄内心的忧愁。⑨人之否也敢自逸:《周易》有《否卦》,言"否之匪人,不利君子贞"。意谓君子遇到了不如意事或遭到排斥,也不能放纵自己,放浪形骸。

[译文]

石门亭在青田县旁若干里,是县令朱君修建的。石门,是一座名山,古代到过这里的人都把他们游览后的观感刻在石上,留在此山之中,那些石刻一块接着一块。朱君到任后修建了此亭,将古今的石刻都矗立在亭子当中,又写信给他的外甥王安石,命他将修建此亭的原委写成记文。

那么朱君之所以修建此亭的心意，仅仅是他喜欢名山吗？还是他喜好观览游玩或是登高眺望呢？抑或是在这里询问百姓的疾苦忧虑呢？再或是官余无事的时候到这里来休息呢？又或是怜惜那些人的刻石暴露在外，东倒西歪，没有遮蔽而渐渐泯灭了呢？人对物的爱惜肯定是以类相投，比如名山恢弘广大、丰茂优美，万物便会附着在它上面生长，而并不自以为功的，是山；喜好山的，是仁者。离开近郊到野外去，登上高处向远处眺望，所见必然会有令人感慨的事物。《尚书》中不是这样说吗："我在家里感到昏乱，所以想到旷野来。"《诗经》里不是也说吗："出外游览，是为了发泄内心的忧愁。"如果自视没有什么可以忧虑的事，那么他的忧虑就肯定在天下万民了，为天下万民而忧虑的，也是仁者。君子遇到了不如意的事或遭到排斥陷害，也不能放纵自己，放浪形骸。至于来到高山深谷，和那里的百姓相互交往并真心交谈，探求他们的疾苦忧患，还能有被阻遏而不能传闻于上的话吗？探求百姓的疾苦忧患，同样也是仁者。为政没有大小之分，不施行仁德百姓就不会被感化而诚信服从，只有百姓被感化而诚心服从，才能做到没有狱讼。百姓休养生息，没有烦恼争讼，岂不就可以优哉游哉玩耍嬉笑了吗？古往今来留下姓名的人，他们的石刻有幸保留下来，他们的文字一定是主张善美的，那么他们的名字就会和刻石一同流传不会朽烂。成就别人的美名而不强夺别人的意志，也是仁者。修建此亭的心意，是这样呢？或不是这样呢？

太平州新学记[①]

太平新学在子城东南,治平三年,司农少卿建安李侯某仲卿所作[②]。侯之为州也,宽以有制,静以有谋,故不大罚戮,而州既治。于是大姓相劝出钱,造侯之庭,愿兴学以称侯意。侯为相地迁之,为屋百间,为防环之[③],以待水患。而为田二十顷,以食学者。自门徂堂,闳壮丽密,而所以祭养之器具。盖往来之人,皆莫知其经始,而特见其成。既成矣而侯罢去,州人善侯无穷也,乃来求文,以识其时功。

嗟乎!学之不可以已也久矣[④]。世之为吏者或不足以知此,而李侯知以为先,又能不费财伤民,而使其自劝以成之,岂不贤哉?然世之为士者知学矣,而或不知所以学,故余于其求文而因以告焉。

盖继道莫如善,守善莫如仁。仁之施,自父子始。积善而充之,以至于圣而不可知之谓神,推仁而上之,以至于圣人之于天道,此学者之所当以为事也,昔之造书者实告之矣。有闻于上,无闻于下,有见于初,无见于终,此道之所以散,百家之所以成[⑤],学者之所以讼也[⑥]。学乎学,将以一天下之学者,至于无讼而止。游于斯,铺于斯,而余说之不知,则是美食逸居而已者也。李侯之为是也,岂为士之美食逸居而已者哉?治平四年九月四日,临川王某记。

[题解]

英宗治平四年,作者担任知江宁府,写了这篇记文。文中强调教育的重中之重不是设立学校,而是要使受教育者实实在在地学到圣贤所教导的实际内容,并将所学应用到变革社会当中。

[注释]

①太平州:属江南东路,在今安徽当涂。②司农少卿:宋代司农寺的次官。北宋前期,九寺少卿皆无实职,仅作为所带之官。建安:宋福建路建州的俗称,在今福建建瓯。李侯某仲卿:康熙《太平府志》卷一九载:"治平三年,守臣李仲卿建学于子城之东南隅。"李仲卿的仕履今已难考,《宋史》、《东都事略》等均无传。③为防环之:在学校四围建筑墙垣,以防水患之侵。④学之不可以已:学习不能中止。《荀子·劝学》说:"君子曰:学不可以已。青,取之于蓝,而青于蓝;冰,水为之,而寒于水。"⑤百家:各种学说或学派。⑥学者之所以讼:百家学说既成,彼此讦难不休。王安石一向主张以经书为治国立身之本,所以称种种学说之间的争论为嚣讼。

[译文]

太平州新建的学校在内城的东南方,治平三年,由司农少卿建州人李侯仲卿主持修建。李侯担任知州,政令宽简却很有章法,安静不扰却心有安排,所以没有大肆责罚杀戮,而州中的治安非常之好。于是豪门大族彼此相约拿出钱财,来到李侯的厅堂,表示愿意捐助钱财兴建学校,以完成李侯的心愿。李侯亲自划拨土地,将旧学迁到了新址,修建了房屋一百间,其形制如同一个圆环,以这种方式防备水灾。又划出田地二十顷,以满足求学者的口粮之需。从大门直到正堂,雄丽壮观而又紧凑,用以祭祀先圣和养育弟子的一应设施都已具备。南来北往的人们,都不知道这项工程何时开始的,而只见到了它的落成。学校刚刚建成,李侯就任满离开了,全州百姓都对李侯的善举深深怀念,于是前来请求王某写一篇记述文字,以便后人了解李侯当时所付出的辛劳。

啊！教育不能缺少和中断，这种认识由来已久了。那些当官的人有的还不懂得教育的重要性，而李侯却深知教育为本，又能做到不费民财不强取于百姓，而是使他们自己劝励自觉出力建成此学，岂不是贤明之举吗？当今世上的士子，虽然都明白应该学习，但有人还不懂得学什么、怎么学，所以我想借该州来人请我作记的机会讲讲这个问题。

继承圣道没有比守善更重要的了，恪守善心没有比仁义更重要的了。仁义所施，要从父慈子孝的伦理开始。积蓄善心并不断地丰富它，从而达到圣人的境界而不可自知，那就可以称之为神了。推行仁义并使之及于天下社稷，从而达到圣人对天道的理解高度，这才是学者应该终生孜孜以求的事业，这些道理早在圣贤造字的时候就已经实实在在地告诉了人们。一切听从君上的旨意，不去听闻下面百姓的声音，初学之时有些心得，却不能将大道贯穿起来理解，这是圣人之道之所以发生歧义、百家之说之所以能够形成、学者之间之所以有所争论的原因。学习所以称之为学习，最终是要使天下的学者达到思想认识的高度统一，而不再有什么可以争论的问题。游学在那里，饮食在那里，而我上面所说的那些内容却一无所知，那还仅仅是享受可口之食、安逸之居而已。李侯之所以修建此学，难道仅仅是给士子可口之食、安逸之居就算达到目的了吗？治平四年九月四日，临川王某记。

抚州通判厅见山阁记①

通判抚州、太常博士施侯②,为阁于其舍之西偏,既成,与客升以饮③,而为之名曰"见山"。且言曰:"吾人脱于兵火,洗沐仁圣之膏泽,以休其父子者余百年。于今天子恭俭,陂池、苑囿、台榭之观,有堙毁而无改作,其不欲有所骚动,而思称祖宗所以悯仁元元之意殊甚④。故人得私其智力,以逐于利而穷其欲⑤。自虽蛮夷湖海山谷之聚,大农富工豪贾之家,往往能广其宫室,高其楼观,以与通邑大都之有力者争无穷之侈⑥。夫民之富溢矣,吏独不当因其有余力,有以自娱乐、称上施耶⑦?又况抚之为州,山耕而水莳⑧,牧牛马,田虎豹⑨,为地千里,而民之男女以万数者五六十⑩。地大人众如此,而通判与之,为之父母,则其人奚可不贤?虽贤,岂能无劳于为治,独无观游食飨之地,以休其暇日,殆非先王使小人以力养君子之意?吾所以乐为之就此而忘劳者,非以为吾之不肖能长有此⑪,顾不如是不足以待后之贤者尔。且夫人之慕于贤者,为其所乐与天下之志同而不失,然后能有余以与民,而使皆得其所愿。而世之说者曰:'召公为政于周,方春舍于蔽芾之棠⑫,听男女之讼焉,而不敢自休息于宫,恐民之从我者勤,而害其田作之时。盖其隐约穷苦,而以自媚于民如此。故其民爱思而咏歌之,至于不忍伐其所舍之棠，今《甘棠》之诗是也。嗟乎！此殆非召公之实事、诗人之本指，特墨子之余言赘行，吝细褊迫者之所好⑬，而吾之所不能为。"

于是酒酣，客皆欢，相与从容誉施侯所为，而称其言之善。又美大其阁，而嘉其所以名之者曰："阁之上，流目而环之，则邑屋、草木、川原、阪隰之无蔽障者皆见⑭，施侯独有见于山而以为之名，何也？岂以山之在吾左右前后，若蟠若踞⑮，若伏若鹜⑯，为独能适吾目之所观邪？其亦吾心有得于是而乐之也？"

施侯以客为知言，而以书抵予曰："吾所以为阁而名之者如此，子其为我记之。"数辞不得止，则又因吾叔父之命以取焉，遂为之记，以示后之贤者，使知夫施侯之所以为阁而名之者，其言如此。

[题解]

本文是作者皇祐二年由京师南下临川时作。文章赞美了抚州通判以民为本的良吏襟怀，强调了为官就应该时时刻刻把百姓的苦乐放在心上。作者巧妙地利用小阁"四面见山"的特征，又联系古人所说"仁者乐山"借题发挥，构思独特，意境深远。

[注释]

①抚州：属江南西路，在今江西抚州。通判：宋代设在州郡中的主要官员，位在知州、知府之下，但负有监察州郡的特权。②太常博士施侯：谓施君是以太常博士的资格来到抚州担任通判官的。③升：登上。④元元：黎民百姓。⑤人得私其智力，以逐于利而穷其欲：意谓天子恭俭，不事土木之功，所以百姓得以积累自己的财富。如今人人都绞尽脑汁地赚钱，以满足个人的奢侈之欲。⑥通邑大都：大的都市。有力者：权豪势要之家。⑦称上施：满足较高的娱乐要求。⑧山耕而水蒔（shì）：谓抚州处在高山与川谷地带，或者在山间耕种，或者在低洼地上种植。蒔，栽种。⑨田：通"畋"，狩猎。⑩民之男女以万数者五六十：谓在抚州境内，上万人的大乡镇有五六十个。⑪非以为吾之不肖能长有此：谓并非以为像我这样的平庸之人能够长期在抚州任职。不肖，

通判自谦之词。⑫蔽芾之棠：出自《诗经·召南·甘棠》："蔽芾甘棠，勿翦勿伐，召伯所茇。"毛亨注解说："召伯听男女之讼，不重烦劳，百姓止舌小棠之下，而听断焉。国人被其德，说其化，思其人，敬其树。"⑬吝细褊迫：王安石一向认为墨子提出的"节葬"、"节用"等理论是顾及了小节而忽略了大义。所谓"吝细褊迫"，指墨子所关注的一些小节。⑭阪隰（xí）：阪指坡地，隰，指洼地。⑮若蟠若踞：谓群山或如龙盘，或如虎踞。⑯若伏若鹜：谓有的山峰像伏在地上的禽鸟，有的山峰像行走的野鸭。

[译文]

太常博士、抚州通判施侯在他的居所西边修建了一座小阁，修成之后，与宾客登上此阁饮宴，既而为此阁取名为"见山"，并且说道："我大宋臣民脱离兵火，沐浴仁圣天子的恩泽，使百姓代代休养生息已经一百多年。当今的天子谦恭节俭，池塘、苑囿、台榭之类游观之所，只有埋灭毁坏的，没有改建兴修的，这是天子不想使百姓有所骚动，只想着合于祖宗提出的爱养百姓之意十分明确。所以人人都能凭着个人的智术，满足个人的奢侈之欲。即使是居处在河湖海边高山深谷当中的蛮夷，农村土豪以及做工经商的富户之家，也往往能增广他们的宫室，加高家中的楼阁亭台，和大城市里的豪门大族争相攀比无穷无尽的奢侈。人民的富裕几乎到了满盈的地步，为官者怎么不可以因为人们的富足而满足自身的娱乐，并逐渐进入更高级的享乐呢？更何况是抚州，山上也可以耕种，水田也可以栽培，可以放牛放马，也可以猎取野兽，方圆千里，男男女女超过万人的大集镇就不下五六十个。地域广大人烟稠密到这等地步，而施通判来到此处，作为父母官，此人又怎么能不是贤人呢？虽然是贤君子，又怎能不为管理此地之民而劳心费力？没有游览观赏饮宴的处所，在假日里稍事休息，这恐怕也不是前代圣王驱使小民出力奉养君子的本意吧。我之所以乐于修建此阁来游于此而忘记劳累，并不是认为我不够贤德故而不可能永久拥有它，只是不如此不足以等待后来的贤德之人而已。况且人们仰慕贤德之人,就因为他们乐于与天下万民志同道合而没有缺失,然后才能绰有余力地施与百姓,使他们都能够遂了心愿。世上流传着这样的说法:当年召公在周南理政,春天时在甘棠树下搭起一间屋舍,听断男男女女的诉讼,却不敢回他的官里去休息,担心百姓反反复复来寻找自己,耽误了他们耕耘劳作的大好时光。他约束自己到了自甘穷苦的地步,竟能如此取悦于百姓。所以那里的人们热爱他并且歌颂他,乃至于不忍心将他屋舍前的甘棠树伐掉,今天所见《诗经》中的《甘棠》诗就是讲的这件事。唉!其实这并不是召公身上发生的实事和本诗作者的本意,只是墨子鼓吹的小道小事,那些目光短浅、心胸褊迫之人的所好,是我辈所不屑去做的事。"

此时酒已饮至半酣,宾客们都十分兴奋,彼此叹赏赞誉施君的所作所为,称赞他这番话的淳美。同时赞美这座精美的小阁,并赞美给此阁取名的人说:"此阁之上,放眼四望,此城的民居屋宇、草木山川、高坡洼地,只要没被遮挡的都能一览无余,而施侯却单单看见高山并以此名阁,这是为什么呢?难道是因为这些山就在我的前后左右,或如龙盘,或如虎踞;其山峰有的像伏地的禽鸟,有的像行走的野鸭,只有这些景物能使我们的观览感到舒适吗?这也是我的心得并乐于来此阁的原因吗?"

施侯认为这位宾客的话是知己之言,于是写信给王某说:"我之所以要建此阁并以'见山'为名的心意恰恰如此,请你为我写一篇记文。"我几次推辞都没有推掉,施侯又拿着我叔父的文字前来求记,于是写下这篇记文,用来昭示后来的贤德之人,使他们能了解施侯之所以要建此阁并用"见山"为它命名的原因,他的话就是这样讲的。

余姚县海塘记^①

自云柯而南^②，至于某，有堤若干尺，截然令海水之潮汐不得冒其旁田者，知县事谢君为之也^③。始堤之成，谢君以书属予记其成之始，曰："使来者有考焉，得卒任完之以不隳。"谢君者，阳夏人也^④，字师厚，景初其名也。其先以文学称天下，而连世为贵人，至君，遂以文学世其家^⑤。其为县，不以材自负而忽其民之急。方作堤时，岁丁亥十一月也^⑥，能亲以身当风霜氛雾之毒，以勉民作而除其灾，又能令其民翕然皆劝趋之，而忘其役之劳，遂不逾时，以有成功。其仁民之心，效见于事如此，亦可已，而犹自以为未也，又思有以告后之人，令嗣续而完之，以永其存。善夫！仁人长虑却顾图民之灾如此其至，其不可以无传。而后之君子考其传，得其所以为，其亦不可以无思。

而异时予尝以事至余姚，而君过予，与予从容方天下之事。君曰："道以阂大隐密，圣人之所独鼓万物以然^⑦，而皆莫知其所以然者，盖有所难知也。其治政教令施为之详，凡与人共，而尤丁宁以急者^⑧，其易知较然者也^⑨。通途川，治田桑，为之堤防沟浍渠川以御水旱之灾；而兴学校，属其民人相与习礼乐其中，以化服之，此其尤丁宁以急，而较然易知者也。今世吏者，其愚也固不知所为。而其所谓能者，务出奇为声威，以惊世震俗，至或尽其力以事刀笔簿书之间而已⑩，而反以谓古所为尤丁宁以急者，吾不暇以为。吾曾为之，而曾不足以为之，万有一人为之，且不足以名于世而见其材。嘻！其可叹也。夫为天下国家且百年，而胜残去杀之效⑪，则犹未也，其不出于此乎⑫？"予良以其言为然。既而闻君之为其县，至则为桥于江，治学者以教养县人之子弟，既而又有堤之役，于是又信其言之行而不予欺也。已为之书其堤事，因并书其言终始而存之，以告后之人。庆历八年七月日记。

[题解]

这篇记文写于庆历八年，那时作者为鄞县知县。当时余姚知县谢景初修筑了捍海堤，作者对他肯为百姓做实事做好事的作风给予了极大的肯定和彰扬。他认为为官一任就要造福一方，那些只以升迁为心不以百姓为念的人，不配称之为君子士人。这也是作者一贯以民为本思想的一次具体阐述。

[注释]

①余姚：宋县名，在今浙江余姚。海塘：即东部塘。据《嘉泰会稽志》载，东部塘在余姚县北四十里，庆历中谢景初修建。②云柯：余姚所属乡名。《嘉泰会稽志》载，云柯乡在余姚县西北三十五里。③谢君：谢景初。钱塘（今浙江杭州）人，曾任余姚知县。④阳夏：古地名，在今河南太康。这里说的是谢景初的郡望。《范忠宣公集·朝散大夫谢公墓志铭》载："公讳景初，字师厚。谢氏本姜姓，世为阳夏人，其子孙显于江左。公之先出于江左之谢，十世祖宾，始居河南缑氏；六世祖希图，因官家吴越，葬钱塘，遂为钱塘人。"⑤以文学世其家：谓自谢景初始，即通过参加科举的途径进入仕途，也同样光大了谢氏门风。⑥岁丁亥：仁宗庆历七年。⑦鼓万物：兴起种种制作之事。语出《周易·系辞上》："鼓万物而不与圣人同忧，盛德大业至矣哉！"孔颖达疏解说："言道之功用，能鼓动万物，使之化育。……万物由之而通，众事以之而理，是圣人极盛之德，广大之业，至极矣哉！于行谓之德，于事谓之业。"⑧丁宁以急：反复叮咛嘱咐。⑨较然：明确，明白。⑩刀笔：指州县官吏审理狱讼之类的事。簿书：州县官吏和朝廷部门之间的往来文书。⑪胜残去

杀：谓以仁治民，去除杀戮。⑫出于此：谓其原因是由于官吏们没有把关心民事放在心上。

[译文]

　　从云柯乡往南，到某处，有堤坝数尺，截断了潮汐，让海水无法越过堤坝侵害田地，乃是知县谢君景初所筑。堤坝修成之后，谢君来信请我写篇记文记述它的修筑始末，信中说："我要让后来人对此有深入的了解，能够最终将它完善而永世不坏。"谢君景初，乃阳夏谢氏之后裔，字师厚，名叫景初。他的祖先以文学高名著称于天下，接连数代都是贵人，到了谢君，依然以文学高名延续家风。他任县令，不以才干超群自负而忽略一县百姓的急迫之事。堤坝开始修筑，是在庆历七年的十一月，他能亲身冒着风霜雨雾的侵害，来勉励百姓积极兴建，希望尽快地消除海潮带来的灾害，又能号召百姓欣然自愿并且彼此劝勉参与其事，而不计较工程的辛苦，于是没用多久，便将堤坝修好了。他的爱民之心和为民做实事的成效已经如此，也算是可以歇脚了，而他却自认为事业远没做完，又考虑了一些告诫后人的话，使接替他职务的官员继续将堤坝完善，使此堤能够永世长存。这真是一片善心啊！仁爱之人对事物有长远的考虑，而希望一方百姓永不再受潮水灾害之苦到了如此地步，这种精神不能不使它流传于后。后来的君子考察它的流传，得知他为什么要这样做，也就不会对此坝无动于衷任其毁坏了。

　　有一次我因为公务到了余姚，谢君会见了我，和我从从容容地说起天下大事。谢君说："大道既宏大又隐秘，圣人陶冶万物成就了现在的模样，而人们却都不知道万物为什么是现在这个模样，想了解它的究竟确实很难。但人世的治政教令和应当兴造的事却是很详尽的，只要是和人民休戚相关的事，都叮咛嘱咐以为急切不可耽搁，这些则是容易知晓明确的。疏通道路山川，治理农田桑麻，并为一方百姓修建堤防、沟渠，来防御水旱之灾；兴建学校，使人民相互切磋，在那里学习礼乐，以教化绥服他们，这是朝廷叮咛嘱咐尤为急切之事，也是非常明确容易知晓的。当今为官的人，那些愚钝者固然不知道应该干些什么；就算那些所谓有才能的，也只是想弄些惊世骇俗的事显扬自己，或者是竭尽全力从事于刀笔狱讼和往来文书而已，反过来却说古圣贤所叮咛嘱咐非常急切的事务，我是没时间去做的。即使去做那些事，心里也会认为那是些不值得做的事，万人里有一人做些实实在在惠民的事，也不足以凭借这些善举闻名于世而被人们认为有才干。唉，真是可悲可叹啊！大宋朝建立已经将近百年之久，而推行仁义免除杀戮，尚且没有做好，究其原因，难道不是由于官吏们认识上有大的偏差吗？"我深感他的话很有道理。不久听说谢君已经担任了余姚县令，刚到任便在江上修建了一座桥，聘请有学问的老师教导县里的子弟，随后又开始筑堤的工程，于是更加相信他的言行举动都没有欺骗我。我已经为谢君记录了修筑堤坝的始末，因而一并记下他的言论留存起来，以此告诉后来之人。庆历八年七月日记。

通州海门兴利记①

余读《豳》诗："以其妇子，馌彼南亩，田畯至喜。"②嗟乎！豳之人帅其家人戮力以听吏，吏推其意以相民③，何其至也。夫喜者非自外至，乃其中固有以然也④。既叹其吏之能民⑤，又思其君之所以待吏，则亦欲善之心出于至诚而已，盖不独法度以驱之也。以赏罚用天下，而先王之俗废。有士于此，能以豳之吏自为，而不苟于其民，岂非所谓有志者邪？

以余所闻，吴兴沈君兴宗海门之政⑥，可谓有志矣。既堤北海七十里以除水患，遂大浚渠川，酾取江南⑦，以灌义宁等数乡之田。方是时，民之垫于海⑧，呻吟者相属。君至，则宽禁缓求，以集流亡。少焉，诱起之以就功，莫不蹶蹶然奋其急而来也⑨。由是观之，苟诚爱民而有以利之，虽创残穷敝之余，可勉而用也，况于力足者乎？

兴宗好学知方⑩，竟其学，又将有大者焉，此何足以尽吾沈君之材，抑可以观其志矣。而论者或以一邑之善不足书之。今天下之邑多矣，其能有以遗其民而不愧于豳之吏者，果多乎？不多，则予不欲使其无传也。至和元年六月六日，临川王某记。

[题解]

这篇文章写于至和元年作者担任群牧判官之时。沈兴宗是作者的晚辈，但他能以百姓利益为重，关心民众疾苦，并能积极引导百姓返回受灾的家园重新耕作，宽以待民，作者认为这种做法很值得赞赏和提倡。

[注释]

①通州：属淮南路，在今江苏南通。海门：在通州东二百里。②"以其妇子"三句：出自《诗经·豳风·七月》："四之日举趾，同我妇子，馌彼南亩，田畯至喜。"高亨注："馌，给耕作者送饭。田畯，奴隶主所设的田官，掌管监督农奴的农事工作。"③相民：辅助、帮助百姓。相，佑助。④中心：即心中，内心。⑤能民：意谓其吏能够关心民众，使民众心悦诚服地尽心农事。能民，懂得理民。⑥吴兴：宋代湖州的旧称，在今浙江湖州。沈君兴宗：沈起。沈括《长兴集·故天章阁待制沈兴宗墓志铭》载："公讳起，字兴宗。知通州海门县。海门负海土卑，间一二岁潮一至，辄冒人庐舍。民逃徙以避之，至相奴隶以自给。公为设防障水，为堤百里以长，引江水以灌其中，田益辟，民相招携以归。僮仆其民者感公义，亦折券归之，户口大息。公抚纳休劳，民以阜饶。人德公，相与筑祠以报之。长吏欲表上其事，公力止之，曰：'此令职也，安可以为利？'"⑦酾取江南：谓将洪水排泄到江南。⑧垫于海：在海水造成的灾害中挣扎、呻吟。⑨蹶蹶然：勤勉之貌。⑩知方：明白大道理。

[译文]

我读《诗经·豳风》中的《七月》诗，有"以其妇子，馌彼南亩，田畯至喜"的诗句。啊！古代的豳人带领他的家属尽力听从官吏的指挥，官吏推广圣意来帮助人民，是多么地周到啊。田官的喜悦不是从外界获得的，而是他内心本已具有的。我既感叹那时的官吏能够真心帮助人民，又想到那时的君王对待官吏的态度，也一定是想把自己的善心传达给他们，让他们感觉到自己的真诚，并不仅仅是靠法度来强迫人民的。仅仅用奖赏和刑罚来统治天下，前代圣王的美好风俗就被毁坏了。如果有这样的士子，能以古豳国的官吏作为榜样来管理人民，而不对他的百姓过于索求，岂不就是人们常说的有志的官员了吗？

以我的所见所闻，吴兴人沈君兴宗在海门县施行的政令，就是上面所说的"有志者"了。在县北面修建了防潮大堤七十里消除水患之后，又广泛地疏通河流水渠，将余水排泄到江的南面，用来灌溉义宁等数乡的田地。那个时候，百姓被海潮所害，呻吟待毙者成片相连。沈君来到县里，放宽法禁减少赋税，以此召集流亡在外的人口。不多时，又鼓励他们努力自救从事农业生产，灾民们无不奋然而起，强忍着饥饿回归本县。从这件事来看，只要是出于诚心热爱人民并肯于让他们获得利益，即使在大灾之后，也还是可以使用的，更何况是在民力充足的时候呢？

　　沈兴宗喜好学习而深明大理，学有所成之后，肯定还会有大的作为，一县之长哪里能尽展沈君的才干呢？但这足以看到他的大志了。有些人认为在一县之内做点好事不值得书写记录，当今天下的县有很多，能把惠爱留给百姓而不愧于古循国官吏那样的县官，真的很多吗？既然不多，我就更不想使沈君的作为得不到流传。至和元年六月六日，临川王某记。

游褒禅山记①

　　褒禅山亦谓之华山,唐浮图慧褒始舍于其址②,而卒葬之③,以故其后名之曰"褒禅"。今所谓慧空禅院者,褒之庐冢也④。距其院东五里,所谓华山洞者,以其乃华山之阳名之也⑤。距洞百余步,有碑仆道⑥,其文漫灭,独其为文犹可识⑦,曰"花山"。今言"华"如"华实"之"华"者,盖音谬也。

　　其下平旷,有泉侧出,而记游者甚众,所谓前洞也。由山以上五六里,有穴窈然⑧,入之甚寒。问其深,则其好游者不能穷也⑨,谓之后洞。余与四人拥火以入⑩,入之愈深,其进愈难,而其见愈奇⑪。有怠而欲出者⑫,曰:"不出,火且尽。"遂与之俱出。盖予所至,比好游者尚不能十一⑬,然视其左右,来而记之者已少。盖其又深⑭,则其至又加少矣。方是时,予之力尚足以入,火尚足以明也。既其出⑮,则或咎其欲出者⑯,而予亦悔其随之,而不得极夫游之乐也⑰。

　　于是予有叹焉:古人之观于天地、山川、草木、虫鱼、鸟兽,往往有得,以其求思之深而无不在也⑱。夫夷以近⑲,则游者众;险以远,则至者少。而世之奇伟瑰怪非常之观⑳,常在于险远,而人之所罕至焉。故非有志者不能至也。有志矣,不随以止也㉑。然力不足者,亦不能至也。有志与力而又不随以怠,至于幽暗昏惑㉒,而无物以相之㉓,亦不能至也。然力足以至焉㉔,于人为可讥㉕,而在己则为有悔。尽吾志也而不能至者㉖,可以无悔矣,其孰能讥之乎?此予之所得也㉗。余于仆碑,又以悲夫古书之不存,后世之谬其传而莫能名者㉘,何可胜道也哉㉙!此所以学者不可以不深思而慎取之也。

四人者:庐陵萧君圭君玉㉚,长乐王回深父㉛,余弟安国平父、安上纯父。至和元年七月某甲子㉜,临川王某记。

[题解]

这是一篇很有哲理的游记文字,作者把游览的种种不同与人生的努力进取巧妙结合起来,揭示出人生哲理。当读者还想弄清褒禅山洞的奇妙时,作者却把笔锋转到了议论上:所有世之奇伟瑰怪非常之象,无一不在险远之处,要想真正领略无限风光,非要有决心和毅力不可。

[注释]

①褒禅山:在今安徽含山县北。②浮图:佛徒。慧褒:唐朝高僧。③卒葬之:死后埋葬在此地。④庐冢:住所和坟墓。⑤华山之阳:华山的南面。⑥有碑仆道:有块石碑仆倒在路旁。⑦独其为文犹可识:只剩某些残存文字尚可辨识。⑧窈然:幽深的样子。⑨好游者不能穷:喜好游玩的人也没有人能走到尽头。⑩拥火以入:举着火把进入其中。⑪其见愈奇:所见的景致越加奇特。⑫怠而欲出者:因疲劳而想返回的人。⑬比好游者尚不能十一:与喜好游玩的人相比,还没有达到他们所进的十分之一。⑭又深:更深之处。⑮既其出:出来之后。⑯咎其欲出者:埋怨提议要返回的人。⑰不得极夫游之乐:没能极尽游玩之趣。⑱以其求思之深而无不在也:因为他们探究思考十分深入,无所不包。⑲夷以近:平坦而且近。⑳非常之观:不寻常的景象。㉑不随以止:不跟随别人中途停止。㉒至于幽暗昏惑:到达幽深黑暗、使人迷惑的地方。㉓无物以之:没有外力的帮助。比如火把、绳索等物。相,辅助。㉔力足以至焉:自己的力量足以达到却没有达到。㉕于人为可讥:在他人看来是应该受到嘲笑的。㉖尽吾志也:用尽自己的力量。㉗此予之所得:这就是我此次游览的心得感受。㉘"后世"句:后来人错误地流传而说不出真相。㉙何可

胜道：这样的事多得说也说不完。㉚庐陵：旧郡名，宋代为吉州，在今江西吉安。㉛长乐：宋县名，在今福建长乐。㉜至和：宋仁宗赵祯的年号，公元1054年至1056年。

[译文]

　　褒禅山又叫做华山，唐代和尚慧褒最先在这里开始佛事活动，死后就埋葬在这里，所以后来人们便称此山叫"褒禅"了。如今那座叫做慧空禅院的建筑，就是慧褒的坟墓。从慧空禅院向东五里的洞穴，人们称为华山洞，是由于它在华山的南面而命名的。离洞口一百多步远的地方，有块古碑横躺在道路上，上面的文字已经漫漶不清了，只剩下几个残存文字还可以辨认，即"花山"。如今把"华"字理解成"春华秋实"的"华"，是由于读音错了。

　　山下是一片开阔的平野，有一眼清泉从山侧涌出，到此处游览作题记的人很多，这里叫做前洞。经山路向上走五六里，有个洞穴，一派幽深的样子，进到里面会使人感到寒气逼人。打听它的深度，就是那些喜欢探险的人，也都没能走到尽头，那里则是人们所说的后洞。我与四个人举着火把走进洞里，进去越深，前进就越困难，所见到的景象也就越奇妙。有个懈怠而想退回去的伙伴说道："再不回去，火把就要熄灭了。"于是我们只好跟着他退了出来。算一算我们进去的深度，比起那些喜欢探险的人，大概还不足他们的十分之一，然而看看左右的石壁，来此题记的人已经很少了。洞内更深处，大概游人会更少些。此时我的体力还可以坚持往前走，火把也还能继续照明。我们出洞以后，便有人埋怨那个主张退出的人，我也后悔跟着他出来，没能极尽游洞之乐。

　　于是我有所感慨。古人观察天地、山川、草木、虫鱼、鸟兽，往往有所收获，是因为他们思考深邃而广泛。平坦而又近的地方，前来游览的人便多；危险而又远的地方，前去游览的人便少。但世上奇妙雄伟、珍异奇特、非同寻常的景观，往往都在险阻、僻远、少有人至的地方，所以没有意志的人是不可能到达的。就算有志，也不可盲从别人而半路中止。当然，那些体力不足的，也不可能到达。有了志气和体力，不盲从别人有所懈怠，到了幽深、昏暗、令人迷乱的地方却没有必要的物品相助，也还是不能到达。但力量足以达到目的地却没能达到，别人就可以讥笑他了，就自己而言，也会有所悔恨；尽了自己的力量而没能达到，便可以没有遗憾了，谁还能讥笑他呢？这就是我此次游山的感悟。我对于那座倒地的石碑，又感叹古代石刻文献没能存留，后世讹传而没有人弄清真相的事，哪能说得尽？这是学者不可不深入思考而谨慎地援用资料的缘故。

　　与我同游的四个人是：庐陵人萧君圭，字君玉；长乐人王回，字深父；我的弟弟安国，字平父；安上，字纯父。至和元年七月，临川王某记。

君子斋记

天子诸侯谓之君，卿大夫谓之子，古之为此名也，所以命天下之有德。故天下之有德，通谓之君子。有天子、诸侯、卿大夫之位而无其德，可以谓之君子，盖称其位也。有天子、诸侯、卿大夫之德而无其位，可以谓之君子，盖称其德也。位在外也，遇而有之，则人以其名予之，而以貌事之。德在我也，求而有之，则人以其实予之，而心服之。夫人服之以貌而不以心，与之以名而不以实，能以其位终身而无谪者，盖亦幸而已矣。故古之人以名为羞，以实为慊①，不务服人之貌，而思有以服人之心。非独如此也，以为求在外者，不可以力得也②。故虽穷困屈辱，乐之而弗去，非以夫穷困屈辱为人之乐者在是也，以夫穷困屈辱不足以概吾心为可乐也已。

河南裴君主簿③，于洛阳治斋于其官，而命之曰"君子"。裴君岂慕夫在外者而欲有之乎？岂以为世之小人众，而躬行君子者独我乎？由前则失己，由后则失人，吾知裴君不为是也，亦曰勉于德而已。盖所以榜于其前，朝夕出入观焉，思古人之所以为君子④，而务及之也。独仁不足以为君子，独智不足以为君子。仁足以尽性，智足以穷理，而又通乎命，此古之人所以为君子也。虽然，古之人不云乎："德辅如毛，毛犹有伦。"⑤未有欲之而不得也。然则裴君之为君子也，孰御焉？故余嘉其志，而乐为道之。

[题解]

本文重点谈论什么叫君子。上古时期，只要有爵位有地位的贵族都称为君子，作者认为那只是外在的名号而已。真正的君子应该具有仁德、智慧以及通达事理、懂得天命的广阔襟怀。只要由衷地、不懈地追求君子的高尚境界，普通人也可以成为实际意义上的君子。

[注释]

①以实为傣：把实际上具有道德看做快乐。②求在外者，不可以力得也：单纯追求外在的荣耀，往往不是凭借自己的力量能够取得的。意思是说还有天命的因素在起作用。③河南：府名，亦名西京，在今河南洛阳。裴君：河南府的主簿官。主簿，古代中央部门及地方州县当中的主要幕僚，掌管一部门或一州县的文书起草传达以及本衙其他具体事务，相当于现在的部门办公室主任。④思古人之所以为君子：出自《论语·颜渊》："司马牛问君子。子曰：'君子不忧不惧。'曰：'不忧不惧，斯谓之君子矣乎？'子曰：'内省不疚，夫何忧何惧？'"⑤德輶如毛，毛犹有伦：出自《礼记·中庸》："《诗》曰：'德輶如毛。'毛犹有伦，至矣！"郑玄注解说："言化民常以德，德之易举而用其轻如毛耳。"

[译文]

天子和诸侯称为君，卿大夫称为子，这是古代就定下的称呼，是用来赐命天下有德行的人的。所以天下那些有道德的人，都被人称为君子。有天子、诸侯、卿大夫的爵位却没有相应的道德，可以称之为君子，那是根据他的爵位而称呼的；有天子、诸侯、卿大夫的道德却没有相应的爵位，也可以称之为君子，那是根据他的道德来称呼的。爵位是外在之物，有机遇而得到了它，那么人们便会把这个名分给予他，并用相应的礼节来侍奉他。道德是内在的美德，追求它并且学到了它，那么人们就会把对君子的尊重奉献给他，心里也非常敬重他。如果人们仅仅从礼节上侍奉他而内心并不尊重他，仅仅给他一个名分而没有实际的尊重，能够在那个爵位上度过终生没有受到贬谪，那也只是侥幸而已。所以古代的贤人把仅仅有名分当做羞辱，把实际上具有道德看做快乐。不追求以名分使人畏服，而希望具有令人从心底尊重的高尚道德。甚至还不仅仅如此，他们认为追求外在的爵位和尊显是无法凭借个人能力得到的。所以尽管处在贫穷、困顿、委屈、羞辱当中，也会感到快乐而不轻易改变它，这并非是因为贫穷、困顿、委屈、羞辱是人生的快乐而自己拥有了它，而是因为贫穷、困顿、委屈、羞辱并不足以充塞自己的内心才认为那也是快乐的。

　　河南府主簿裴君，在洛阳的官舍中修建了一座小斋，为它取名叫做"君子"。裴君难道是羡慕那些外表上拥有高官厚爵的人而希望自己也能得到吗？难道是认为世间小人太多，而身体力行君子之道以求唯我独尊吗？如果是前者则失去了自我，如果是后者则失信于别人，我深知裴君不是为了上述两者，只是要以仁义道德自勉而已。之所以将牌匾悬挂在斋前，是便于一早一晚出入之时能见到它，使自己时时想到古人之所以成为君子的道理，从而警醒自己要尽量向他们学习，使自己也成为君子。仅仅有仁德不足以称之为君子，仅仅有智慧也不足以称之为君子。仁德足以陶冶性情，智慧足以研究物理，还要通达命运的道理，这才是古人所以成为君子的途径。虽然如此，古人不是说过吗："感化人民要用仁德，仁德的应用其实轻如羽毛。"世上没有想要修养道德而做不到的。如此说来，裴君成为君子，还需要谁来驾驭吗？所以我赞赏他的志气，并乐意为他传诵。

明州慈溪县学记①

　　天下不可一日而无政教，故学不可一日而亡于天下。古者井天下之田，而党庠、遂序、国学之法立乎其中②。乡射饮酒、春秋合乐、养老劳农、尊贤使能、考艺选言之政③，至于受成、献馘、讯囚之事④，无不出于学。于此养天下智仁圣义忠和之士⑤，以至一偏一伎一曲之学⑥，无所不养。而又取士大夫之材行完洁，而其施设已尝试于位而去者，以为之师。释奠、释菜⑦，以教不忘其学之所自。迁徙逼逐，以勉其怠而除其恶。则士朝夕所见所闻，无非所以治天下国家之道。其服习必于仁义，而所学必皆尽其材。一日取以备公卿大夫百执事之选，则其材行皆已素定，而士之备选者，其施设亦皆素所见闻而已，不待阅习而后能者也。古之在上者，事不虑而尽，功不为而足，其要如此而已。此二帝、三王所以治天下国家而立学之本意也。

　　后世无井田之法，而学亦或存或废。大抵所以治天下国家者，不复皆出于学。而学之士，群居族处，为师弟子之位者，讲章句、课文字而已⑧。至其陵夷之久⑨，则四方之学者，废而为庙，以祀孔子于天下，斫木抟土⑩，如浮屠、道士法，为王者象。州县吏春秋帅其属释奠于其堂，而学士者或不预焉。盖庙之作出于学废，而近世之法然也。

今天子即位若干年，颇修法度，而革近世之不然者。当此之时，学稍稍立于天下矣，犹曰县之士满二百人，乃得立学。于是慈溪之士不得有学，而为孔子庙如故，庙又坏不治。今刘君在中言于州⑪，使民出钱，将修而作之，未及为而去，时庆历某年也。

后林君肇至⑫，则曰："古之所以为学者，吾不得而见，而法者，吾不可以毋循也。虽然，吾之人民于此，不可以无教。"即因民钱作孔子庙，如今之所云，而治其四旁为学舍，构堂其中，帅县之子弟，起先生杜君醇为之师⑬，而兴于学。噫！林君其有道者耶！夫吏者，无变今之法，而不失古之实，此有道者之所能也。林君之为，其几于此矣。

林君固贤令，而慈溪小邑，无珍产淫货以来四方游贩之民；田桑之美，有以自足，无水旱之忧也。无游贩之民，故其俗一而不杂；有以自足，故人慎刑而易治。而吾所见其邑之士，亦多美茂之材，易成也。杜君者，越之隐君子，其学行宜为人师者也。夫以小邑得贤令，又得宜为人师者为之师，而以修醇一易治之俗，而进美茂易成之材，虽拘于法，限于势，不得尽如古之所为，吾固信其教化之将行，而风俗之成也。夫教化可以美风俗，虽然，必久而后至于善。而今之吏，其势不能以久也。吾虽喜且幸其将行，而又忧夫来者之不吾继也，于是本其意以告来者。

[题解]

本文是作者担任鄞县知县时写的。作者强调了学校的极端重要性，指出所有人才都必须经过学校的培养造就，所以教育是政治统治中的重中之重。首先要有学校，学校培养人才，人才强国，国强才能不受任何威胁，这是作者一贯的认识，其后的变法，其根本指导思想也是基于此论。

[注释]

①明州慈溪：宋代州、县名，明州在今浙江宁波，慈溪在今浙江慈溪。

县学：据《延祐四明志》卷一四载，慈溪县学在县衙西四十步。庆历八年，县令林肇迁到县治东南一里处。②党庠、遂序、国学：乡党、遂、国都有学校。《礼记·学记》说："古之教者，家有塾，党有庠，术有序，国有学。"孔颖达疏解说："党有庠者：党谓《周礼》五百家也；庠，学名也，于党中立学教闾中所升者也。术有序者：术，遂也，《周礼》二千五百家为遂；遂有序，亦学名，于遂中立学教党学所升者也。国有学者：国，谓天子所都及诸侯国中也。"③乡射饮酒：谓乡射之礼与乡饮酒礼。《礼记·射义》说："古者诸侯之射也，必先行燕礼；卿大夫之射也，必先行乡饮酒之礼。"《白虎通义·乡射》说："所以十月行乡饮酒之礼何？所以复尊卑长幼之义。春夏事急，浚井次墙，至有子使父，弟使兄，故以事闲暇，复长幼之序也。"④受成、献馘、讯囚：意谓帅军出发之前、战胜之后及讯问囚俘，都要到学校举行相应的典礼。《礼记·王制》说："天子将出征，受命于祖，受成于学。出征，执有罪；反，释奠于学，以讯馘告。"⑤智仁圣义忠和：儒家所谓的六德。⑥一偏一伎一曲之学：指偏向于某一方面的学习。儒家有所谓六艺，是圣人认为君子都应该学习和掌握的，如果不能，则退而求其次，此即所谓一偏之学。他若一般的技能，亦不失其教育之意，此即所谓一伎之学。若再退一步，哪怕学无所成，闻十而知一，或混沌不解大意，总比不学为好，即所谓一曲之学。⑦释奠：古代在学校中设置酒食，奠祭先圣先师的一种典礼。释菜：古代学生入学时祭祀先圣先师的一种典礼。⑧讲章句、课文字：意谓后来为师者不通经书大意，唯知辨析篇章句意，或汲汲于字词训诂。章句，离章辨句。⑨陵夷：衰颓，败落。⑩斫木抟土：谓用木料和泥土雕塑圣人之像而供奉之。古佛寺及道观中往往塑释迦牟尼和老子像供人膜拜，所以作者说"如浮屠道士法为王者象"。⑪刘君在中：当是庆历五年慈溪县令林肇到任之前代理县事的人。⑫林君肇：据《宝庆四明志》慈溪县令题名载，林肇，庆历五年知慈溪县。⑬杜君醇：杜醇，慈溪县学的老师，王安石任鄞县令时曾聘请他讲学。

[译文]

天下不可以一天没有政教，因此学校也不可以一天从天下消失。上古时期把天下的田地划分成井田，而乡党之学、遂中之学、国家之学都按照规定在各处建立。乡射之礼、乡饮酒礼、春秋二季的合乐、赡养老人奖劝农耕、尊崇贤者任用能人、考察才艺接受谏言等所有政治活动，甚至于将帅出发之前的誓师、战胜之后及讯问囚俘等事，无一不在学校里举行。在这里培养管理天下的智、仁、圣、义、忠、和之士，直到掌握一技之长的专门学问和技术的人，没有一个不是经学校培养出来的。选取士大夫当中那些才干超群德行完美、其主张和建树已经在某些官位上经过检验而又离开官位的人担任弟子们的老师，教给弟子们释奠、释菜等仪式，让他们不要忘记了学习内容的源头。迁移他们，锻炼他们，使他们做些难以完成的事，来激励他们不要怠惰，除去他们身上的某些恶习。这样，士子们每天每时的所见所闻，无一不是治理天下国家的大道理。使他们的行为和学习内容都必须本于仁义，就学的士子一定要使他们各尽其才。有朝一日选取他们作为公卿大夫以及各个部门官员，他们的才干和道德早已涵养成熟，而士子中那些被挑选的，他们的主张和建树也都是平素所见所闻之事，不需要重新学习才能去做。上古的君王，事务无须亲自考虑就已经办妥了，功业无须亲自去做就已经做完了，其大概情况就是如此。这是唐尧、虞舜、文、武、周公之所以治理天下首先要建立学校的根本用心。

后世没有了井田之法，而学校也就有的保留有的荒废。大部分用来治理天下的人，也不再强调必须经过学校的培育。那些有学问的士子，与众人群居一处，给弟子们当老师的人，无外乎讲解古书章句、解说古书文字而已。等到学校衰败久了，四方而来的学者们便将校舍改成了孔子庙，天下各处都只能用来祭祀孔子，砍些树木和些泥土，如同佛教、道教的方法，做成文宣王泥像。州县长官逢到春、秋，率领僚属到庙里去为孔子祭祀，而学子们竟然有无权参与的。随着孔子庙的兴起，学校渐渐被废除，直到近代依然是这种规矩。

当今天子即位已经数年，大力修补国家法度，废止革除那些经近世施行已经证明是不善的政令。这个时候，学校陆续在天下州县建立,但还是强调县里的生员要满二百人,才有资格建立学校。于是慈溪的士子没有得到就学的机会,只有资格拥有一座孔子庙,如今孔子庙又年久失修。刘君在中将此事报告给知州,号召本县百姓出钱,准备修缮翻新,还没来得及做这件事便离任了,那是在庆历某年。

  随后林君肇到任,说道:"上古时代如何建立学校,我没有机会见到,而朝廷的法令,我却不能不遵循。即使如此,我一县百姓生活在这里,不能不让他们接受教育。"便用已经募来的钱修建了孔子庙,如前面所说,同时在庙的四周建立了学舍,并在其内又建了一座学堂,率领县里的优秀子弟,恭请杜醇先生为老师,终于建成了县学。啊!林君果然是位有道德的君子。做官的人,没有改变现今的法令,又没有丧失上古教育子弟的实际,这一定是有道德的人才能做到的。林君的所作所为,差不多达到了这个境界。

  林肇君的确是位贤明的县令,而慈溪则是个不大的县,没有珍奇物产和特殊之货吸引四面八方游览贩卖的人;田地桑麻收成很好,足够本县之民自给自足,也很少有水旱之灾。没有游览贩卖的人往来,所以此地民俗淳朴而不杂乱;能自给自足,所以此地之民惧怕刑罚而易于治理。而我所见此县中的士子,也有不少俊美丰茂的人才,是很容易成就事业的。杜醇君,是越中隐居的君子,他的学问道德很适合做老师。一个小县里得到一位贤能的县令,又得到一位可以为人师表的君子,以此来教化县里容易治理的淳朴民俗,再向朝廷贡献俊美丰茂容易做出事业的人才,虽然限于成法,限于大势,不可能全部像上古那样人尽其才,我也坚信此县的教化即将盛行,醇美的风俗即将形成。教化可以使风俗变得醇美,即使如此,也必然需要很长时间才能达到尽善尽美。而当今的官吏,根据朝廷规定不可能长期在一地为官。我虽然对林肇任期将满即将调任感到欣喜,同时担心继任者未必能继承和发扬林君的美政,于是阐发林君的心愿告诉即将继任的人。

扬州新园亭记

诸侯宫室台榭,讲军实,容俎豆①,各有制度②。扬,古今大都,方伯所治处③。制度狭庳,军实不讲,俎豆无以容,不以偪诸侯哉?宋公至自丞相府④,化清事省,喟然有意其图之也。今太常刁君实集其意⑤,会公去镇郓⑥,君即而考之,占府乾隅⑦,夷茀而基⑧,因城而垣,并垣而沟,周六百步,竹万个覆其上。故高亭在垣东南,循而西三十轨⑨,作堂曰"爱思",道僚吏之不忘宋公也。堂南北向,袤八筵⑩,广六筵。直北为射埒⑪,列树八百本,以翼其旁。宾至而享,吏休而宴,于是乎在。又循而西十有二轨,作亭曰"隶武",南北向,袤四筵,广如之,埒如堂,列树以向,岁时教士战、射、坐、作之法,于是乎在。始庆历二年十二月某日,凡若干日卒功云。初,宋公之政,务不烦其民,是役也,力出于兵,材资于宫之饶,地瞰于宫之隙,成公志也。噫!扬之物与监⑫,东南所规仰,天子宰相所垂意,而选继乎宜有若宋公者,丞乎有若刁君者,金石可弊,此无废已。庆历三年四月某日,临川王某记。

[题解]

这是作者庆历三年刚中进士担任淮南节度判官时所作的一篇记文。文章主要彰显的是知州宋庠、通判刁约仁民爱物、不虐使民众的仁善用心。作者初涉仕途，就具有以天下苍生为念的仁爱思想，是难能可贵的。

[注释]

①俎豆：古代祭祀时所用的案板和盛器，亦指祭祀的礼节或祭祀之事。《论语·卫灵公》："俎豆之事，则尝闻之矣。"杨伯峻注解说："俎和豆都是古代盛肉食的器皿，行礼时用它，因之藉以表示礼仪之事。"②制度：谓各种建筑的规制和要求。③方伯：上古镇守一方的大员。④宋公：宋庠。《长编》卷一三二载，庆历元年五月，参知政事宋庠出任扬州知州。⑤太常刁君：刁约。《宋史翼·刁约传》载，刁约，字景纯，丹徒（今江苏丹徒）人。天圣八年进士第。庆历初，与欧阳修同知太常礼院。其冬，又为三馆秘阁官员。庆历四年，坐苏舜钦进奏院祠神饮酒事，出为海州通判。此时刁约担任扬州通判。⑥公去镇郓：《宋史·宋庠传》载："知扬州。未几，以资政殿学士徙郓州。"郓州属京东路，在今山东东平。⑦占府乾隅：在府治的西北方。《周易·说卦》说："乾，西北之卦也。"⑧夷荆：除去杂草和杂树。⑨轫：按，据文意，此当指一定长度而言，然"轫"字义谓古代车与辕连接处的销钉，并无表示长短之意。此是误字，或为"步"字之讹。⑩筵：古谓一丈为筵。⑪射埒：马射场，因周匝有矮墙，故名。⑫物与监：指建筑的规模和形制。古称方伯为监，此处指方伯所居之堂庑。

[译文]

古代诸侯修筑宫室台榭，用来讲求军事，进行祭祀，每一个建筑都有它的形制和规格。扬州自古至今一直是南方大都会，是一方侯伯统治的地方。如今宫室园亭的规模狭窄卑陋，军务无处讲论，祭祀所用之器无处摆放，这不是让身为诸侯的人感到难堪吗？宋公从丞相府来到扬州，教化清简民事不多，喟然感慨于此，而有心兴建一座园亭。今太常礼院官刁君约领会了宋公的意图，刚好赶上宋公离开扬州到郓州去了，刁君随即对府衙附近的地形进行考察，在府衙的西北方除去杂草修建了一座园亭，傍着城墙直到城垣。又沿着城垣开挖了沟渠，周长六百步左右，栽培翠竹万株覆盖于亭上。高亭在城垣的东南，沿着城垣向西约三十步远，修建了一间堂室，取名叫做"爱思",以表达官属僚吏们不忘记宋公的美意。此堂南北朝向,长八丈,宽六丈。正北方向为射箭的场所,又植树八百株,用来遮护射场。宾客来到这里的招待会,官吏休闲时的饮宴,都可以在这里进行了。沿着此处再往西十二步左右,建了一座亭,取名叫"肄武"。南北朝向,长、宽各四丈,亭前的场所和爱思堂相仿,也种植了一些树木作为遮护。按时教练士卒战斗、习射、后退前进等战法的活动,都可以在这里进行了。该园亭开始于庆历二年十二月某天,共计若干天而告完工。当初宋公为政时,要求不烦扰州民,这项工程,主要劳动力出于驻军,材料有赖于旧官的剩余,地址又选在旧官的空隙处,也算成全了宋公绝不扰民的意愿。啊!扬州的景物和建筑是东南地区的典范和依据的榜样,天子、宰相都很重视此地,选择像宋公这样的仁爱君子为知州,选择像刁公这样的君子为通判,那就可以做到金石腐烂,这座园亭都不会颓败。庆历三年四月某日,临川王某记。

信州兴造记①

晋陵张公治信之明年②，皇祐二年也，奸强贴柔③，隐讪发舒④，既政大行，民以宁息。夏六月乙亥，大水。公徙囚于高岳，命百隶戒，不共有常诛⑤。夜漏半，水破城，灭府寺，苞民庐居⑥。公趋谯门⑦，坐其下，敕吏士以桴收民⑧，鳏孤老癃与所徙之囚，咸得不死。

丙子，水降。公从宾佐按行隐度⑨，符县调富民水之所不至者夫钱户七百八十六⑩，收佛寺之积材一千一百三十有二。不足，则前此公所命富民出粟以赒贫民者二十三人，自言曰："食新矣，赒可以已⑪，愿输粟直，以佐材费。"七月甲午，募人城水之所入，垣郡府之缺⑫，考监军之室⑬，立司理之狱⑭，营州之西北亢爽之墟⑮，以宅屯驻之师，除其故营，以时教士刺伐坐作之法，故所无也。作驿曰饶阳，作宅曰回车。筑二亭于南门之外，左曰仁，右曰智，山水之所附也⑯。梁四十有二，舟于两亭之间，以通车徒之道。筑一亭于州门之左，曰宴，月吉所以属宾也⑰。凡为梁一，为城垣九千尺，为屋八。以楹数之，得五百五十二。自七月九日，卒九月七日，为日五十二，为夫一万一千四百二十五。中家以下，见城郭室屋之完，而不知材之所出；见徒之合散，而不见役使之及己。凡故之所有必具，其所无也，乃今有之，故其经费卒不出县官之给⑱。公所以救灾补败之政如此，其贤于世吏远矣。

今州县之灾相属，民未病灾也，且有治灾之政出焉。弛舍之不适⑲，裒取之不中，元奸宿豪舞手以乘民⑳，而民始病。病极矣，吏乃始謷然自喜㉑，民相与诽且笑之而不知也。吏而不知为政，其重困民多如此。此予所以哀民，而闵吏之不学也。由是而言，则为公之民，不幸而遇害灾，其亦庶乎无憾矣。十月十二日，临川王某记。

[题解]

这是一篇记录抚州救灾的记文。皇祐二年，作者在京城等候差遣时，家乡抚州遭遇水灾，知州张衡亲自指挥救灾。他一方面号召没有受灾的富户捐赠钱财，另一方面保护了囚徒没被水淹，随后成为重建中的主力，又调动军队参与救灾，可谓有钱出钱有力出力，结果没有花费官府的钱，把抚州建设得比灾前更好。文章不但歌颂了张知州对百姓的仁爱之心，还赞美了他临危不惧、开动脑筋的胆略和智慧。

[注释]

①信州：属江南东路，在今江西上饶。②晋陵张公：据民国《江西通志》载，仁宗皇祐二年信州知州为张衡，晋陵（今江苏常州）人。③奸强贴柔：谓当地的豪族大姓、地方奸恶都望风束手，不敢放肆。④隐诎发舒：意谓为民做主，使受害百姓多年的沉冤得以昭雪。隐诎，压在心底的冤屈。⑤不共有常诛：意谓在目前这种极特殊的情况下，对犯人不再采取平常的强硬管理。常诛，按照朝廷法令所进行的常规性处罚和拘管。⑥苞民庐居：吞噬了百姓的屋舍。苞，水流汇聚。⑦谯门：建有瞭望楼的城门。⑧以桴收民：意谓命令属吏划着小船去救助被困在水里的百姓。桴，小竹木筏子。⑨从宾佐按行隐度：带着州中的幕僚属吏亲自下去调查灾情。隐，审核。⑩符县：传符于信州所属各县。相当于今所谓向属县下达命令，规定指标。⑪赒（zhōu）可以已：意谓官府救济的粮食可以停止了。赒，赈济。⑫垣郡府之缺：将府城城垣缺毁之处修好。⑬考监军之室：将监军的庐舍修建完善。监军，地方军队中负责监察工

作的下级武官。⑭立司理之狱：指建好监狱。司理，司理参军的简称，宋朝州、县中掌管司法的幕职官名。因监狱归司理管辖，故称司理之狱。⑮亢爽：地势高旷。⑯左曰仁，右曰智，山水之所附也：取自《论语·雍也》："子曰：'智者乐水，仁者乐山。'"⑰月吉：每月的初一。⑱县官：朝廷，官府。⑲弛舍之不适：谓救灾之时，不能根据实际情况摊派钱物。此处特指对豪门大户的征派过于宽弛。⑳元奸宿豪舞手以乘民：谓地方奸猾和豪门大族拍手称快，乘机大肆渔利于民。乘民，即乘人之危。㉑謷然：傲慢之貌。

[译文]

　　晋陵人张公担任信州知州的第二年，是皇祐二年，豪族大姓和地方奸恶都望风束手，不敢放肆，受害百姓多年的沉冤得以昭雪。仁政得以施行，百姓得以安宁休息。当年六月乙亥，突降大雨。张公将州牢羁押的囚徒迁徙到高岳之上，只派了一百名吏人守卫警戒，并下令对犯人不再采取平常的强硬管理。半夜时分，大水冲毁城门，淹没了府衙和其他衙门，吞噬了百姓的屋舍。张公急忙赶到城门前，坐在城门之下，下令官员士卒用小船收救百姓，鳏寡孤独老迈生病的人和迁徙到高处的囚徒都得以保全性命。

　　丙子这一天，大水开始下降。张公带领宾客僚佐亲自下去调查灾情，传符各县征调没有遭受水灾的富民钱财共计七百八十六缗，征收佛教寺庙的剩钱一千一百三十二缗。还不够用，于是此前张公所命出粮救济灾民的二十三个富户自告奋勇地说："新粮已经下来了，官府的赈济可以停止了，我等愿意捐赠买粮的钱，作为帮助州里修缮屋舍的资费。"七月甲午这一天，张公召募工人将大水灌入之处重新修好，将损坏的城垣补足，将监军的庐舍修建完善，将司理参军衙门的监狱也加以修整，在州城西北高且干爽的地上修建军营，用来安顿屯驻在本州的军队，废除了他们的旧营地，按时教练士卒击刺、进退的战法，这种条件是旧营地中没有的。又修了一座驿站叫饶阳驿，修建了一座宅院叫回车院。在州城南门外修筑了两座亭子，左边的叫仁亭，右边的叫智亭，分别有山和水环绕在它们四周。架横梁四十二座，舟船可以行走于两亭之间，并可到达车子行走的大道旁。又建一座小亭于州门的左侧，取名叫宴亭，每月初始时在这里饮宴宾客。共架了一道桥梁，修补城墙达九千尺，新建屋舍共计八间。如果按竖楹计算，总计是五百五十二根。开始于七月九日，竣工于九月七日，共计五十二天，调集夫役一万一千四百二十五人次。中等人家以下，见到城郭室屋全部修整如新，却不知道建筑材料是从何处筹集的；只见到工人们或是聚合或是分散，却没见到夫役派到自己身上。凡是原来有的一切保存完好，原来没有的如今也有了，所用经费最终没有由官府支付。张公用来救灾和灾后重建的政令就是这样的，他比当今的官吏们贤明得多了。

如今州县里灾害频发，百姓还没有受到灾害折磨之前，就有救灾的政令传下来了。然而对豪门大户的征派普遍过于宽弛，收取救灾物资又宽严不当，地方奸猾和豪门大族则拍手称快，乘机大肆渔利于民，百姓这才感到患苦。百姓贫困之极时，官吏们却傲慢无礼沾沾自喜，百姓的谩骂嘲讽，他们却一无所知。当官却不懂得如何为政，加重百姓的痛苦到了如此地步，这便是我之所以哀怜百姓又慨叹官吏们不学习圣人教诲的原因。从这点上来说，作为张公治下的百姓，不幸而遭遇灾害，他们几乎可以没有遗憾了。十月十二日，临川人王某记。

桂州新城记①

侬智高反南方②，出入十有二州③，十有二州之守吏，或死或不死，而无一人能守其州者，岂其材皆不足欤？盖夫城郭之不设，兵甲之不戒，虽有智勇，犹不能以胜一日之变也。唯天子，亦以为任其罪者不独守吏④，故特推恩褒广死节⑤，而一切贷其失职⑥。于是遂推选士大夫所论以为能者，付之经略，而今尚书户部侍郎余公靖当广西焉⑦。

寇平之明年，蛮越接和⑧，乃大城桂州。其方六里，其木、甓⑨、瓦、石之材，以枚数之，至四百万有奇。用人之力，以工数之，至一十余万。凡所以守之具，无一求而不给者焉。以至和元年八月始作⑩，而以二年之六月成。夫其为役亦大矣，盖公之信于民也久，而费之欲以卫其材，劳之欲以休其力，以故为是有大费与大劳，而人莫或以为勤也。

古者君臣、父子、夫妇、兄弟、朋友之礼失，则夷狄横而窥中国。方是时，中国无城郭也，卒于陵夷⑪、毁顿、陷灭而不救。然则城郭者，先王有之，而非所以恃而为存也。及至喟然觉寤⑫，兴起旧政，则城郭之修也，又尝不敢以为后。盖有其患而图之无其具，有其具而守之非其人，有其人而治之无其法，能以久存而无败者，皆未之闻也。故文王之兴也，有四夷之难，则城于朔方⑬，而以南仲⑭；宣王之起也⑮，有诸侯之患，则城于东方，而以仲山甫⑯。此二臣之德协于其君，于为国之本末与其所先后，可谓知之矣。虑之以悄悄之劳，而发赫赫之名；承之以翼翼之勤⑰，而续明明之功，卒所以攘夷狄，而中国以全安者，盖其君臣如此，而守卫之有其具也。

今余公亦以文武之材，当明天子承平日久，欲补弊立废之时，镇抚一方，修扞其民，其勤于今，与周之有南仲、仲山甫盖等矣，是宜有纪也。故其将吏相与谋而来取文，将刻之城隅，而以告后之人焉。至和二年九月丙辰，群牧判官⑱、太常博士王某记。

[题解]

仁宗皇祐末年，广源州侬智高突然叛宋，大举进攻宋朝的两广地区。经过坚苦卓绝的抗击，才算平息了战事。余靖作为战后的经略安抚使抵达桂林后，积极组织当地军民修建城池。城修完后，王安石写了这篇记文。文章肯定了余靖修城的功绩，并认为城池的坚固应在其次，最主要的还是能够选择出有勇有谋、忠于朝廷、热爱人民的优秀守臣。

[注释]

①桂州：属广南西路，为广南西路经略安抚司所在地，在今广西桂林。②侬智高反南方：据文献记载，仁宗皇祐末年，广南蛮夷侬智高在广源州造反，势力迅速扩大，在不长时间内，扫平广西，攻到广州，岭南陷入战火和屠杀。③出入十有二州：谓侬智高攻陷邕州、横州、贵州、龚州、藤州、梧州、封州、康州、端州等两广十二个州郡。④任其罪者不独守吏：谓失去城池的罪责不能都由知州们承担。⑤推恩褒广死节：对死难者施以恩惠，并尽量扩大为国死难人员的范围。如《宋史·曹觐传》说封州知州曹觐为国捐躯，朝廷赠官太常少卿，并收录他的四个儿子做官。⑥一切贷其失职：意思是本该处死的官员特赦贷命免死，处以相对较轻的刑罚。据《续资治通鉴》卷五三载：贷知邕州宋克隆死，除名，杖脊，刺配沙门岛。溪洞都巡检刘庄除名，杖脊，刺配福建牢城。宾州通判王方、灵山县主簿杨德言并除名免杖，刺配湖南牢城。

⑦尚书户部侍郎余公：余靖。《东都事略》本传载：余靖，字安道，韶州（今广东韶关）人。当时余靖在广南，不久朝廷又派狄青与余靖合兵，去败侬智高。邕州平，除工部侍郎，仍旧广西经略安抚使，拜集贤院学士。后知广州，代还，卒于金陵，年六十五。⑧蛮越接和：意思是境外的越人与境内的蛮夷恢复了和平睦邻关系。侬智高起事的广源州在今越南共和国境内，与广南西路的邕州（今广西南宁）接壤，故云。⑨甓（zhòu）：砖。⑩至和元年：1054 年。⑪陵夷：衰败。⑫喟然：感叹的样子。觉寤：即觉悟，觉醒。⑬"故文王之兴也"三句：按，此处所言有误。城朔方乃是周宣王时事，与文王无关。《诗经·小雅·出车》："王命南仲，往城于方；出车彭彭，旗旐央央。天子命我，城彼朔方。赫赫南仲，猃狁于襄。"高亨注解说："周宣王时代，北方猃狁侵犯周国。宣王派大将南仲领兵出征，击退猃狁，胜利回朝。"⑭南仲：宣王时的大将。当时尹吉甫为内史，方叔为卿士，南仲为将，并事宣王。⑮宣王：《史记·周本纪》载："召公、周公二相行政，号曰'共和'。共和十四年，厉王死于彘。太子静长于召公家，二相乃公共立之为王，是为宣王。宣王即位，二相辅之，修政，法文、武、成、康之遗风，诸侯复宗周。"⑯仲山甫：周文王时的卿士。《诗经·大雅·烝民》高亨注解说："周宣王的大臣尹吉甫作这首诗，赠给仲山甫，大力赞扬仲山甫的美德及其辅佐宣王的忠直，并描写了仲山甫往东方去筑城的事迹。"⑰翼翼：繁盛之貌。⑱群牧判官：北宋群牧司的属官，协助群牧使管理马政。这是王安石的实职，而下云"太常博士"，则是他的"官"。

[译文]

侬智高在南方造反，接连攻破了十二个州郡，这十二个州的太守，有的死于兵乱，有的侥幸没死，但没有一个人能守住州城不受荼毒的，这难道是他们的才干都不够吗？恐怕是由于那些州郡的城池都似有若无，兵器甲胄都很缺乏，即使是有智有勇，还是无法抵御突然之间发生的巨变。当今天子也认为应该承担罪责的不仅仅是当地的太守们，所以对死难者特别施加恩惠，并尽量扩大为国死节者的范围，应该处死者一律饶其性命，处以流放等轻刑。形势稳定之后，接着推选士大夫心目中有能力守边的强悍官员，准备把经略安抚一路的重任交付给他们，今尚书户部侍郎余公靖被选为广南西路经略安抚使。

侬智高被削平的第二年，境内的蛮部和境外的交趾恢复了和睦，于是大兴土木修建桂州州城。城方圆六里，所有木料、砖瓦、石材，以每块为单位计算，多达将近四百万。所用的人力，以每人每天一个工计算，多达十多万个工。凡用来修建守城用的物品，没有一件是有求而得不到的。工程起始于至和元年的八月，至次年的六月全部完成。论其劳役数量，可谓是相当浩大的工程了，这完全是因为余公取信于民时间已久。今天耗用经费，是想在未来保卫州民的财产；今天辛劳了州民，是想在未来休养州民的气力。因此兴造州城虽然用去了巨额的经费和繁重的劳役，而州民当中没有一个人喊苦喊累的。

古代君臣之义、父子之亲、夫妇之和、兄弟之悌、朋友之敬的礼义一旦缺失，很快就会有蛮夷戎狄骄横起来并虎视眈眈地觊觎中国。那个时代里，中国内地是没有城郭的，最终导致衰败，遭受毁坏，甚至陷落灭亡而无法拯救。虽然这么说，先王已经陆续修建城郭，但并非有了城郭就可以凭恃而得以保全。等到慨然醒悟，兴起旧政，那么城郭的修建又都不敢落在他人之后。不过有了战乱再考虑守卫则往往没有坚固的城池，有了坚固的城池而守城官员又不得其人，有了好的官吏而治理民众不得其法，能够长久保持而没有失败的，从来没有听说过。所以周文王的兴起，有四方蛮夷的祸患，那就在朔方修筑城池，当时修城的是南仲；周宣王的兴起，有各路诸侯的祸患，那就在东方修筑城池，当时修城的是仲山甫。这两位大臣大大协助了他们的君王，对于如何管理国家和为政的本末先后，可以说了解得十分透彻了。他们没有大张旗鼓，一直在默默地劳作，却同样给他们带来了赫赫的大名；接受了君王十分繁重的嘱托，建立了永远辉煌的功业，最终拒蛮夷戎狄于国门之外，而华夏得以安宁。当时的君王和大臣如此契合，守卫疆土才算有了金城汤池。

  如今余公凭着文韬武略的才干，在圣明天子承平很久，想要修补弊政振兴颓风的时候镇抚一方，修仁政以保护当地人民，今天他的勤苦，可以说和周代南仲、仲山甫的功劳相当了，所以这件事应该有文章将它记录下来。他的将校和官吏相互商议来找王某求取记文，打算把这篇记文镌刻在城的一隅，用来告知后来之人。至和二年九月丙辰，群牧判官、太常博士王某记。

繁昌县学记①

奠先师先圣于学而无庙，古也。近世之法，庙事孔子而无学②。古者自京师至于乡邑皆有学，属其民人相与学道艺其中，而不可使不知其学之所自，于是乎有释菜、奠币之礼，所以著其不忘。然则事先师先圣者，以有学也。今也无有学，而徒庙事孔子，吾不知其说也。而或者以谓孔子百世师，通天下州邑为之庙，此其所以报且尊荣之。夫圣人与天地同其德，天地之大，万物无可称德，故其祀，质而已，无文也。通州邑庙事之，而可以称圣人之德乎？则古之事先圣，何为而不然也？

宋因近世之法而无能改，至今天子始诏天下有州者皆得立学，奠孔子其中，如古之为。而县之学士满二百人者，亦得为之。而繁昌，小邑也，其士少，不能中律，旧虽有孔子庙，而庳下不完，又其门人之像，惟颜子一人而已。今夏君希道太初至③，则修而作之，具为子夏、子路十人像④。而治其两庑，为生师之居，以待县之学者。以书属其故人临川王某，使记其成之始。夫离上之法，而苟欲为古之所为者无法；流于今俗而思古者，不闻教之所以本，又义之所去也。太初于是无变今之法，而不失古之实，其不可以无传也。

[题解]

本文是为繁昌县新改建的县学写的一篇记文。作者认为，祭奠和尊重孔子一定要在学校里进行，让学生明确知道所学的内容就来自这位伟大的圣人，这是对学生起码的要求和最基础的培养。即今天经常说的"饮水思源"之意。

[注释]

①繁昌：宋县名，属江南东路太平州，在今安徽繁昌县西北。②庙事孔子而无学：意谓现在各地都建了孔庙，但并没有建立学校。③夏君希道太初至：指夏太初刚刚来任繁昌县知县。希道，夏太初的字。④为子夏、子路十人像：古代学校正堂两旁的廊庑里要供奉先贤像。宋初无确切记载，盖各郡县自行供奉。熙宁以后，朝廷渐有条令，元丰后遂统一之。子夏，孔子门人。《史记·仲尼弟子列传》说："卜商字子夏，少孔子四十四岁。"子路，孔子门人。《史记·仲尼弟子列传》说："仲由字子路，少孔子九岁。"

[译文]

在学校里祭奠先师颜子等人以及祭奠先圣孔子并没有先师先圣庙，这是古来的习俗。近代的规矩是，要在孔子庙里敬事孔子，学校却没有了。上古时代从京城乃至乡党城邑都有学校，要求人们都到那里去学习道义和技艺，而不能让他们不懂得所学的知识和道理是从哪儿来的，于是乎有释菜、奠币的礼仪，是警示人们不能忘了孔老夫子。既然如此，那么所谓祭奠先师和先圣的礼仪，是因为有学校才得以传承。如今没有了学校，而仅仅在庙里敬事孔子，我不知道这种做法来自何处。有人说孔子是百世师表，天下所有州县都为他立庙，这种做法正是报答他、尊重他，并使他万世尊显荣耀。圣人之德可以和天地大德相媲美，天地如此之大，万物当中没有任何一种事物可以和孔子之德相提并论，所以祭祀他，那才是最实际的，没有任何的文饰。天下所有州县都为他立庙并且尊奉他，就可以和圣人高尚之德相称了吗？如果这样，那么古人侍奉先圣孔子，又为什么不那样做呢？

由于宋朝遵循近代的规矩而不愿更改，直到如今，天子才颁下诏命，命天下所有州府都要建立学校，在学校里祭奠孔子，其章程与上古完全一致。而县立学校里学生满二百人的，也必须照此办理。繁昌县是个小县，县里的读书人不多，也无法遵照规定祭奠先师先圣。以往虽然有孔子庙，但地势低洼，建筑残缺，还有孔子门人的塑像，只有颜回一个人而已。如今夏君字希道名太初者来为县令，对孔子庙进行了修整，并使之焕然一新而成为县中的学校，新塑了子夏、子路等十哲的塑像。并整修了正房左右两廊，作为学生和老师的住所，以此来接待县里愿意求学的士人。他写信要求他的故友临川人王某写篇文章记述此庙修成的原委始末。如果脱离当今朝廷的法度，而只想按照上古时的做法，那就等于藐视了当今之法；完全按照当今的流俗而一味模仿上古，就无法晓得所教内容的来由，也无法晓得仁义所要施及的对象。在这方面太初没有改变当今的法令，又没有失去上古时期那种实实在在的风气，故而不可以没有记文为他传诵。

芝阁记

祥符时,封泰山以文天下之平①,四方以芝来告者万数②。其大吏,则天子赐书以宠嘉之,小吏若民,辄锡金帛。方是时,希世有力之大臣,穷搜而远采,山农野老,攀缘狙杙③,以上至不测之高,下至涧溪壑谷,分崩裂绝,幽穷隐伏,人迹之所不通,往往求焉。而芝出于九州四海之间,盖几于尽矣。

至今上即位,谦让不德。自大臣不敢言封禅。诏有司以祥瑞告者皆勿纳,于是神奇之产,销藏委翳于蒿藜榛莽之间,而山农野老不复知其为瑞也。则知因一时之好恶,而能成天下之风俗,况于行先王之治哉?

太丘陈君④,学文而好奇。芝生于庭,能识其为芝,惜其可献而莫售也⑤,故阁于其居之东偏,掇取而藏之。盖其好奇如此。噫!芝一也,或贵于天子,或贵于士,或辱于凡民,夫岂不以时乎哉?士之有道,固不役志于贵贱,而卒所以贵贱者,何以异哉?此予之所以叹也。皇祐五年十月日记。

[题解]

本文是作者任舒州通判时所作。文章通过不同时代里灵芝的不同价值,揭示出一个君子只须修养自身,向古代圣贤学习和看齐,其他身外之物用不着过多考虑,患得患失。身外的得失荣辱其实是无足轻重的。

[注释]

①封泰山以文天下之平：真宗景德年间，宋朝与契丹发生了大规模的战争，最终是宋朝打败了契丹，但宋真宗却一味妥协求和，在澶州（今河南濮阳）订立了一个投降和约：宋朝每年缴纳银十万两、绢二十万匹。事后真宗也感到屈辱，大臣王钦若献策：要想挽回面子，只有封禅泰山，夸示外国。真宗采纳了他的建议，于是大规模封泰山、祠后土，进行了一系列祭祀活动。②四方以芝来告者万数：意思是说朝廷为了证实天降祥瑞，故意制造全国各地都生出灵芝的假象，于是造假活动便在全国上下展开。《宋史·五行志》载："（大中祥符元年五月辛未）王钦若祭文宣王庙，于孔林得芝五株，色黄紫，如云色及人戴冠冕之状。诏内侍杨怀玉祭谢。复得芝四本，轻黄，如云气之状。癸未，内侍江德明于白龙潭石上，得紫黄芝一本以献。六月，瑕丘县民宋固于尧祠前得黄紫芝九本，连理者四；又县民蔡珍得芝一本，王钦若以献。钦若又于岱岳及尧祠前再得芝二十二本，连理者二，及有贯石草者。七月，钦若亲获芝十一本，又州长及民所得二十六本。"其后各地都有献瑞的记载，形成了宋朝规模最大的一场闹剧。③狙杙：系猴的木桩。此处指攀缘到非常危险的地方去采摘芝草。④太丘：旧县名，在今河南永城西北。⑤惜其可献而莫售：意谓芝草本可以作为瑞异之物献给朝廷，然而仁宗皇帝看重民瘼，于祥瑞之事并无兴趣，所以当此之时，想要献上也没有可能。

[译文]

大中祥符年间，朝廷用东封泰山的手段来文饰天下太平，四面八方以灵芝向朝廷献瑞的竟达上万人。如果是地方大员献瑞，那么天子便会赐以诏书来表彰嘉奖他；如果是小官或百姓献瑞，便会赏锡金帛。那个时期，希望有宠于朝廷又有权势的大臣，尽力搜求并不惜深入荒远之处寻觅采摘，山中农夫、田间老农，竟至攀登悬崖绝壁，上可以到达无限之高，下可以到达不测的涧溪深谷。岩石即将崩裂之处，幽深阴暗从无人迹之处，到处都有人在采摘灵芝。而生长在九州四海之内的灵芝，一时间几乎被采摘殆尽了。

直到当今皇帝即位，谦逊礼让不夸示仁德。自大臣为始，不敢再提起当年封禅的事。皇帝下诏有关部门，凡是有以祥瑞来献的，一律不准受纳。于是神奇珍异的物产便自生自灭，掩藏消亡在野蒿、蒺藜和榛莽之间，而山间农夫、田野老农不再晓得它们本是祥瑞之物。由此可知，一个时期天子的好恶就能形成普天之下的风俗，更何况是推行前代圣王的政治呢？

太丘人陈君，学作文章而又颇好奇异之事。有灵芝生长在庭院当中，他也能辨识出那就是灵芝，虽然可以用来呈献，可惜此时没有谁肯接受它，因此他在居所的东面修建了一座小阁，将灵芝掘出并收藏在阁中。此君就是如此喜好珍奇之物。啊！同样都是灵芝，有时候能让天子认为珍贵，有时候能让士大夫认为珍贵，有时候却连普通百姓都认为它一文不值，这难道不是因为时俗不同造成的吗？士子如果修养道德，完全可以不为自身的尊贵和卑贱所动，最终究竟谁为贵谁为贱，能有多大区别呢？这是我所以兴发感慨的原因。皇祐五年十月某日记。

送孙正之序①

时然而然②,众人也;已然而然③,君子也。已然而然,非私己也,圣人之道在焉尔。夫君子有穷苦颠跌,不肯一失诎己以从时者,不以时胜道也。故其得志于君,则变时而之道④,若反手然,彼其术素修而志素定也。时乎杨、墨⑤,己不然者,孟轲氏而已。时乎释、老,己不然者,韩愈氏而已。如孟、韩者,可谓术素修而志素定也,不以时胜道也,惜也不得志于君,使真儒之效不白于当世,然其于众人也卓矣。呜呼!予观今之世,圆冠峨如⑥,大裙襜如⑦,坐而尧言,起而舜趋,不以孟、韩之心为心者,果异众人乎?

予官于扬,得友曰孙正之。正之行古之道,又善为古文,予知其能以孟、韩之心为心而不已者也。夫越人之望燕⑧,为绝域也,北辕而首之⑨,苟不已,无不至。孟、韩之道去吾党,岂若越人之望燕哉?以正之之不已,而不至焉,予未之信也。一日得志于吾君,而真儒之效不白于当世,予亦未之信也。正之之兄官于温⑩,奉其亲以行,将从之,先为言以处予。予欲默,安得而默也?庆历二年闰九月十一日,送之云尔。

[题解]

作者中进士后到扬州做官,结识了孙正之,孙正之要到温州去之前,作者和他结为朋友。文章感情激越,议论纵横,胸有大志、不随俗浮沉的主要内容也很能激励读者。

[注释]

①孙正之:孙侔,字少述,吴兴(今浙江湖州)人。文章风格奇古。庆历、皇祐年间曾与王安石、曾巩游,名闻江淮。②时然而然:意谓世俗认为什么事最荣耀,自己也认为什么事最荣耀。③己然而然:谓明白圣人之道而一切言行遵从着圣人所说去做,唯圣人之言为是。④得志于君,则变时而之道:谓明圣人之学者一旦得到君主的信任,便会轻而易举地用自己所学改变天下风气。⑤时乎杨、墨:在杨子、墨子思想盛行的时代。杨子的核心思想是拔一毛以利天下而不为;墨子的核心思想是主张尚同。⑥圆冠:古代儒者的装束。峨如:帽子高高的样子。⑦襜如:衣衫整齐的样子。⑧越人之望燕:越国人北望燕国。越、燕都是春秋时期的诸侯国名。越国都城在今浙江绍兴,燕国都城在今北京,相距甚远,故下文称"绝域"。⑨北辕而首之:一直驾辕向北走,不改变方向。首之,认定目标。⑩温:属两浙路,在今浙江温州。

[译文]

世俗认为什么事最荣耀,自己也认为什么事最荣耀,那就是芸芸众生;明白圣人之道而一切言行遵从着圣人所说去做,唯圣人之言为是,那就是君子。一切言行遵从着圣人所说去做,并不是自私自利,因为那言行之中有圣人之道在内。君子可以有失意、奔波、所求无获种种磨难,而不愿意有丝毫的过失和用屈辱自己的方式来迎合世俗需要,是他们不愿意因世俗利益掩盖圣人之道。所以他们能得到君王的信任和使用,就会变革世俗而使之接近于圣人大道,那会容易得如同将手背翻转过来,因为他的学养和积淀已经如成竹在胸。在杨子、墨子学说通行的时代,表示坚决不认同的,只有孟轲一人而已。在佛教、道教通行的时代,表示坚决不认同的,只有韩愈一人而已。像孟子、韩愈这样的人,可以说是学养和积淀已经如成竹在胸,绝不为迎合世俗而改变圣人大道的人。可惜他们都得不到君王的信任和重用,使真正儒学的精髓无法彰显于当世,然而和当时一般的人相比，也算得上是卓尔不群了。啊！我看当今之世，戴着高高的儒冠，穿着宽大的袍衫，坐下便是尧说如何，起来便是舜做得如何，却不以孟子、韩愈的用心为用心的人，果真和世俗庸人有什么不同吗？

我在扬州为官时，认识了一位朋友叫孙正之。正之君行的是上古圣贤之道，又善于写古文，我明白他是一位能以孟子、韩愈的用心为用心并且永不知止的人。比如越地人远望燕地，已经是绝域了，但他如果能套上马车一直向北，任何情况下都坚持到底，就没有到达不了的道理。孟子、韩愈坚持的大道距离我们这些人难道比越地人远望燕地更难吗？凭着孙正之的坚持不懈，还达不到孟子、韩愈的高度，我是不相信的。有朝一日得到君王的任用，而真正儒学的收效还不能推广于当世，我也同样是不相信的。正之的兄长在温州做官，带着他的双亲到那里去，正之也要随行，先写了书信来评判我。我想不说几句，能做得到吗？庆历二年闰九月十一日，送正之之前所说如此。

《灵谷诗》序

　　吾州之东南有灵谷者，江南之名山也。龙蛇之神，虎豹犀翟之文章①，梗楠、豫章、竹箭之材②，皆自山出。而神林、鬼冢、魑魅之穴，与夫仙人、释子恢谲之观③，咸付托焉。至其淑灵和清之气④，盘礴委积于天地之间⑤，万物之所不能得者，乃属之于人，而处士君实生其址⑥。

　　君姓吴氏，家于山阯，豪杰之望⑦，临吾一州者，盖五六世，而后处士君出焉。其行，孝悌忠信；其能，以文学知名于时。惜乎其老矣，不得与夫虎豹、犀翟之文章，梗楠、豫章、竹箭之材，俱出而为用于天下，顾藏其神奇，而与龙蛇杂此土以处也。然君浩然有以自养，遨游于山川之间，啸歌讴吟，以寓其所好，终身乐之不厌，而有诗数百篇，传诵于闾里。他日，出其《灵谷》三十二篇，以属其甥曰："为我读而序之。"惟君子之所得，盖有伏而不见者，岂特尽于此诗而已？虽然，观其镂刻万物⑧，而接之以藻缋⑨，非夫诗人之巧者，亦孰能至于此？

[题解]

　　本文是为作者的舅舅吴蕡的《灵谷诗》写的序言，文中赞美了吴蕡在历经多次科举不第后放情山水的达观胸怀，其中虽不乏溢美之辞，但作者认为人不应为名利所束缚，在任何条件下都要具有旷达的人生态度，这点是可取的。

[注释]

①虎豹翚翟之文章：虎、豹、采雉、长尾山鸡身上的文采。②櫄楠、豫章：黄櫄木、楠木、樟木，皆南方所产大木，质地坚密。后皆用以喻栋梁之才。竹箭：细竹。《尔雅·释地》说："东南之美者，有会稽之竹箭焉。"③仙人：道教所谓的神仙。释子：佛教徒。恢谲：离奇怪异。④淑灵和清之气：泛指天地之间的种种灵气。⑤盘礴：即磅礴，广大的意思。委积：丛聚，聚集。⑥处士君：王安石的母舅吴蕃。据作者所作《金溪吴君蕃墓志铭》载，吴蕃，字彦弼。性格和易，曾四次考进士不中，皇祐六年，年四十三而卒。址：山根。与下文的"山阯"意思相同。⑦豪杰之望：豪杰当中为首者。⑧镌刻万物：指诗歌当中对世间万物的描述和裁剪。⑨藻缋：即藻绘，谓图画之美者。

[译文]

我们抚州东南有个灵谷，是江南的名山之一。通神的龙与蛇，虎、豹、采雉、长尾山鸡身上的斑斓文采，黄櫄木、楠木、樟木以及质地优良的竹箭，此山都有出产。而神仙居住的丛林、野鬼出没的荒坟、魑魅居处的洞穴和仙道、高僧们那些奇奇怪怪的庙宇，丛聚在这座山上。以至于这些灵秀清朗之气，聚汇散播于天地之间，山间万物无法获得滋养的，便都成为人的陶冶之物。而处士吴君就生活在这座山下。

君姓吴，其家就在山脚之处。吴氏为一州豪杰当中的佼佼者，历经五六代之后，吴处士才出现。论他的德行，孝悌忠信；论他的才能，则是以文学知名于当时。可惜如今年事已高，无法和虎、豹、采雉、长尾山鸡身上的文采，黄櫄木、楠木、樟木以及质地优良的竹箭一同被天下所采用，只是掩藏他自身的神奇，而与龙蛇杂处在这块土地之上。然而吴君心怀浩然之气以涵养自己，在高山大川之间遨游，时而放歌时而吟诵，以此满足精神的需要，终其一生乐此不疲，曾写过诗歌数百篇，被闾里乡党之人传诵不歇。有一天，他拿出自己写的《灵谷》诗三十二篇，叮嘱他的外甥王安石说："你认真读读这些诗，给它写一篇序文。"王某以为：君子内心的收获，往往有所掩抑而无法昭示别人的，岂止是寄托在诗歌当中而已？虽然如此，看诗歌当中对世间万物的描述和裁剪，又有绚丽的词语作为修饰，如果不是诗人当中的杰出者，谁又能到达这样高的境界呢？

《老杜诗后集》序[①]

予考古之诗,尤爱杜甫氏作者,其辞所从出,一莫知穷极,而病未能学也[②]。世所传已多,计尚有遗落,思得其完而观之。然每一篇出,自然人知非人之所能为而为之者,惟其甫也,辄能辨之。

予之令鄞[③],客有授予古之诗世所不传者二百余篇。观之,予知非人之所能为,而为之实甫者,其文与意之著也。然甫之诗其完见于今者,自予得之。世之学者,至乎甫而后为诗,不能至,要之不知诗焉尔。呜呼!诗其难,惟有甫哉?自《洗兵马》下序而次之[④],以示知甫者,且用自发焉。皇祐壬辰五月日,临川王某序。

[题解]

本文是作者皇祐四年通判舒州时所作。此前作者任鄞县县令时,曾得到二百多首杜甫逸诗,作者把这些诗编成了《老杜诗后集》,并写了这篇书序。我们今天看到的杜诗,其中相当一部分是出于王安石的收集,从这一点上说,王安石是杜诗研究和辑佚的大功臣。

[注释]

①《老杜诗后集》序:据宋人李壁注解,王安石不喜欢李白的诗,而非常推重杜诗。他认为杜甫"一饭不忘君,而志常在民"。②病未能学:别人想

学杜诗却无从学起。③令鄞：指仁宗皇祐初年担任鄞县县令。④《洗兵马》：现收在《杜甫诗集》卷五，是杜甫诗中著名的篇章。最后两句说："安得壮士挽天河，净洗甲兵长不用。"可以看出杜甫非常渴望国家安定富强。

[译文]

我考察古诗，尤其喜欢杜甫所作的诗歌，他的诗歌遣词用语非常隽永，几乎没有穷极之处，他的毛病在于别人无法学习模仿。当世传诵的杜诗已经很多，但估计还有一些散落民间没收集起来的，我很想得到一部完整的杜甫诗集来欣赏。每当有杜甫诗篇被人发现流传，人们断定此诗不是一般人能写出来却出现在人们面前的，只有杜甫一个人的作品，所以能够清晰地辨别出来。

我担任鄞县县令的时候，有位客人给了我二百多篇古诗，都是世间没有流传的。我仔细阅读，知道这些诗绝非一般人能写出来，能写这种诗的一定是杜甫，这从诗歌的行文和表达特点上就能断定。如此说来，杜甫的诗歌完完整整流传于世，应该从我这里开始。今世的学者，以至杜甫之后的人作诗无法达到最高境界，说穿了是还不懂得什么叫诗。啊！作诗之难，难道只有杜甫才能把诗写好吗？从《洗兵马》以下一篇一篇编辑排列，留给后世了解杜甫的人，同时也用来自我激励。皇祐四年五月某日，临川人王某谨序。

送胡叔才序

叔才，铜陵大宗①，世以赀名。子弟豪者，驰骋渔弋为己事；谨者，务多辟田以殖其家。先时，邑之豪子弟有命儒者，耗其千金之产，卒无就。邑豪以为谚，莫肯命儒者，遇儒冠者，皆指目远去，若将浼己然②，虽胡氏亦然。独叔才之父母不然，于叔才之幼，捐重币，逆良先生教之。既壮可以游，资而遣之无所靳③。居数年，朋试于有司④，不合而归⑤，邑人之訾者半⑥，窃笑者半。其父母愈笃不悔，复资而遣之。

叔才纯孝人也，悱然感父母所以教己之笃，追四方才贤，学作文章，思显其身以及其亲。不数年，遂能褎然为材进士⑦，复朋试于有司，不幸复诎于不己知⑧。不予愚而从之游⑨，尝为予言父母之思，而惭其邑人，不能归⑩。予曰："归也！夫禄与位，庸者所恃以为荣者也。彼贤者道弸于中⑪，而襮之以艺⑫，虽无禄与位，其荣者固在也。子之亲矫群庸而置子于圣贤之途⑬，可谓不贤乎？或訾或笑而终不悔，不贤者能之乎？今而舍道德而荣禄与位，殆不其然。然则子之所以荣亲而释惭者，亦多矣。昔之訾者窃笑者，固庸者尔，岂子所宜惭哉？姑持予言以归，为父母寿，其亦喜无量，于子何如？"因释然寤，治装而归。予即书其所以为父母寿者送之云。

[题解]

本文是作者为弟子胡叔才进士下第写的一篇送行文字。文中赞扬了胡氏乐于学习、积极进取的人生态度,同时鼓励他勇于面对现实,只要有坚定的信念,最终就能成为有用的人才。

[注释]

①铜陵:宋县名,属江南东路池州,在今安徽铜陵。大宗:子孙繁茂、家财丰厚的大户人家。②浼(měi)己:玷污了自己。浼,玷污。③无所靳:无所吝惜。④朋试:与许多人一同参加科场考试。朋,比。⑤不合而归:没有符合考官的心思而落第回家。⑥訾(zǐ):指责。⑦褎然:谓超出同辈而居于首席。为材进士:才干出众的新进士。按,此处所谓材进士,指的是在乡试中的举人。唐宋时期,举子往往被人赞为进士,只是一种世俗的溢美之词。⑧复诎于不己知:再次由于没能遇到理解自己的考官而被排斥于科场之外。不己知,不了解、不赞赏自己的人。⑨不予愚:不认为我愚蠢。⑩惭其邑人,不能归:担心在邑人面前感到羞惭而不敢回家。⑪archived(péng):本指弓强硬有力。喻深藏于中。⑫襮(bó):锦绣。⑬矫群庸:高于那些平庸之辈。

[译文]

胡叔才是铜陵大户子弟,当世以巨富而知名。铜陵的豪门子弟当中,不少是以驰骋游侠或钓鱼打猎为事;谨肃些的,则一心只想多垦殖田地使其家更富有。前些年时,乡里的富豪也有聘请读书人教其子弟的,耗费了他家千金的资产,最终其子弟也没有成才。乡里的富豪为此编了一句谚语,此后再也没有人聘请儒者教学,偶尔遇到戴儒冠的,都指指戳戳远远地避开,好像怕他玷污了自己一样,即使胡氏家族的人也是如此。只有叔才的父母不是这样看的。在叔才还很小的时候,父母就拿出很多钱来,迎聘优秀的先生教导他。长大成人可以出门游学时,又给他钱财打发他外出就学,毫不吝惜。数年之后,叔才与举子们同试于场屋,没遇到知音而回到家里,乡里人指责他的占了一半,私下里笑话他的又占了一半。可他父母却越来越坚定,再次给他资用打发他外出求学。

叔才是个很孝顺的人,深深感激父母支持他求学的那份心意,所以寻求四方贤人,学习如何作文章,一心想进身仕途来报答他的父母。没有几年,终于以优异成绩高居举子之首,成为乡贡进士。又与举子们比试于礼部,不幸又由于知音难遇而被迫落第。此后不以王某为愚而跟随王某游学,曾对王某讲过他父母是何等思念他,但自己羞于见到家乡故旧,无法回去探亲。我对他说:"该回去就回去!所谓利禄和名位,是平庸之辈倚恃的荣耀之物。那些贤人学习圣贤之道,会把所学藏在心中,而将其才学用锦绣文章的形式表达出来,即使是没有利禄和名位,他的荣耀也是肯定存在的。你的双亲见识高于那群庸人之上而把你放在追求圣贤道德的路上,还能说他们不够贤良吗?有人指责有人嘲笑,他们始终没有后悔,不是贤良之人能做到这一点吗?如今你放弃了道德追求却把虚荣的利禄名位看得如此之重,恐怕不对了吧?如此说来,你用以使双亲感到荣耀而抛开所谓羞惭的理由,也就很多了嘛!当初指责你和嘲笑你的,本来就是些平庸之辈,你难道应该在他们面前感到羞惭吗?只管带着我这些话回家乡去,给你的父母贺寿,他们定会非常欣喜,对你来说又会如何呢?"叔才听罢顿时开悟,收拾行装准备回乡了。我也立刻书写了叔才为什么可以理直气壮地为他父母贺寿的文字送他启程。

《善救方》后序[①]

孟子曰:"先王有不忍人之心,斯有不忍人之政。"[②]臣某伏读《善救方》而窃叹曰:"此可谓不忍人之政矣!"夫君者,制命者也。推命而致之民者,臣也。君臣皆不失职,而天下受其治。方今之时,可谓有君矣。生养之德,通乎四海,至于蛮夷荒忽[③],不救之病,皆思有以救而存之。而臣等虽贱,实受命治民,不推陛下之恩泽而致之民,则恐得罪于天下而无所辞诛。谨以刻石,树之县门外左,令观赴者自得而不求有司云。皇祐元年二月二十八日序。

[题解]

本文是作者皇祐元年知鄞县时所作。《宋史·仁宗本纪》说:庆历八年二月,颁《庆历善救方》于天下。作者既为县令,遂将此方刻于石,使全县百姓都能得知。可见作者在地方官任上是非常关心百姓疾苦的。

[注释]

①《善救方》:朝廷向各州县颁发的用于百姓自行治疗一般性疾病的常用药方汇编。《王荆公年谱考略》说王安石将此方"刻石而布之,必推本于先王不忍人之政。其言简而明,大而非夸"。②"先王有不忍人之心"二句:出自《孟子·公孙丑上》:"孟子曰:'人皆有不忍人之心。先王有不忍人之心,斯有不忍人之政矣。'"杨伯峻译:"孟子说:'每个人都有怜恤别人的心情。先王因为有怜恤别人的心情,这就有怜恤别人的政治了。'"③荒忽:荒远之貌。

[译文]

　　孟子说:"先王因为有怜恤别人的心情,于是便有了怜恤别人的政治。"臣王某拜读《善救方》后慨然感叹道:"这不就是孟子所谓的'不忍人之政'吗?"一国之君,是颁布圣命的人。推行圣命而达于万民,那是为臣者的职分。君王和臣下都不失其职,那么天下之民就能得到仁爱之治。当今的时代,可以说是有了圣君。好生爱养的仁德,通达于九州四海,甚至于流布到蛮荒辽远的夷狄之邦,哪怕是不治之症,都要想方设法来拯救并使他能够生存下去。臣等虽为小官贱吏,也实实在在接受王命治理百姓,不推广陛下的恩泽而通达到所有县民,那就深恐获罪于天下之人而没有理由请求不受谴责。谨以朝廷所赐《善救方》刻在石上,树在县门外的大道之左,使前来观看的人自行抄录,而无须再到衙门里去索取。皇祐元年二月二十八日序。

送陈升之序①

今世所谓良大夫者有之矣，皆曰：是宜任大臣之事者。作而任大臣之事②，则上下一失望③，何哉？人之材有小大，而志有远近也。彼其任者小而责之近，则煦煦然仁④，而有余于仁矣；孑孑然义⑤，而有余于义矣。人见其仁义有余也，则曰：是其任者小而责之近，大任将有大此者然。上下竦之云尔，然后作而任大臣之事。作而任大臣之事，宜有大此者焉，然则煦煦然而已矣，孑孑然而已矣，故上下一失望。岂惟失望哉？后日诚有堪大臣之事，其名实爀然于上，上必惩前日之所竦而逆疑焉；暴于下，下必惩前日之所竦而逆疑焉。上下交疑，诚有堪大臣之事者，莫之或任。幸欲任，则左右小人得引前日之所竦惩之矣。噫！圣人谓知人难，君子恶名之溢于实为此，难之则奈何⑥？亦精之而已矣；恶之则奈何？亦充之而已矣。知难而不能精之，恶之而不能允之，其亦殆哉！

予在扬州，朝之人过焉者，多堪大臣之事，可信而望者，陈升之而已矣。今去官于宿州⑦，予不知复几何时乃一见之也。予知升之作而任大臣之事，固有时矣。煦煦然仁而已矣，孑孑然义而已矣，非予所以望于升之也。

[题解]

本文虽为赠序文字，内容却是在探讨人才，这是王安石毕生都在关注的问题。文中提出的理论是：见到一个官员表现良好，便期望他能在更高的职位上作出更大的贡献，这是一种不切实际的期望。只有那些具有超凡才干的人才，才能担负起国家栋梁的大任。

[注释]

①陈升之：陈旭，字旸叔。仁宗景祐初举进士。后因避神宗讳，改名升之。《宋史·陈升之传》说他在熙宁初期与王安石共事。数月后，拜同中书门下平章事。此人深狡多智数，善于附会以取富贵。王安石变法后，打算引升之自助。升之心知其不可，却假装敷衍，王安石很感激他。刚刚得志，即请求废除条例司，当时谓之"筌相"。此时的陈升之还是个年轻的地方官，王安石对他期以大任，实际上王安石虽有理论，看人却很不准确。②作而任大臣：意谓将其提拔为宰辅大臣。作，此处指提拔任用。③上下一失望：谓天子和百官都对他很失望。一，此处意谓统统，全部。④煦煦：惠爱之貌。⑤孑（jié）孑：特立出众的样子。语本《诗经·鄘风·干旄》："孑孑干旄，在浚之郊。"⑥难之则奈何：对（知人）感到难有什么实际意义呢？⑦官于宿州：此指陈升之自知封州北行赴宿州任通判事。《名臣碑传琬琰集·陈成肃公升之传》："知南安军南康县。徙知封州，通判宿州，知汉阳军。"宿州，属淮南路，在今安徽宿州。

[译文]

当今世上好的士大夫的确是有的，人们都说：这个人是担任宰辅重臣的材料。等到他兴起而担任了重臣处置大事，那么上下都很失望，为什么呢？因为人的才干有小有大，志向有远有近。给他的责任轻对他的期望也不高，那他就会有和煦的惠爱，且这种惠爱绰绰有余；他也会有与众不同的道义，且这种道义也会绰绰有余。人们见到他的惠爱道义绰绰有余，于是便说：这个人的责任太轻期望太低，如果给他增加重任，他的惠爱和道义也会增多增大。于是上上下下对他寄予期待，然后提拔他担任重臣处置大事。提拔他并且授予他重臣之位让他处置大事，本应该有大于原职的惠爱和道义，然而其人仍旧只是原来体现出来的那点惠爱、那点道义，所以上上下下都很失望。岂止是一般的失望？后来再有确实能够担当大任堪为重臣的人，他的名声赫然传到天子耳中，天子也肯定会联想到此前那种期待能否真的令自己满意而产生怀疑；名声在下层的官员当中流传，下层的官员也肯定会想到此前那种期待能否真的令他们满意而产生怀疑。上上下下都有怀疑，即使真有堪为重臣能处置大事的人，也未必能够得到重用了。有幸天子想任用他，那么天子左右的小人们也会征引此前所寄予的期望得不到实现的实例而提出反对意见。啊！古圣人都说了解人是最难的，所以君子都厌恶名不符实，就是这个道理。对此感到难又有什么用处呢？只有精选才是办法。厌恶他们有什么用处呢？只有充实有真才的人才是办法。明知困难却不能精选，厌恶平庸又不能充实有真才的人，那就很危险了！

　　王某在扬州为官时，朝廷大臣来到此处的，大多数是能胜任重任的，然而可以信赖并可以寄予厚望的，却只有陈升之一人而已。如今离开旧职到宿州去做通判，真不知道还要多久才能再见一面。但我深知升之崛起而担当重臣处置大事，肯定已经为时不远了。升之为重臣，只有和煦的惠爱而已，只有与众不同的仁义而已，至于其他，都不是我对升之的期望。

张刑部诗序[1]

刑部张君诗若干篇，明而不华，喜讽道而不刻切，其唐人善诗者之徒欤！君并杨、刘生[2]，杨、刘以其文词染当世[3]，学者迷其端原，靡靡然穷日力以摹之[4]，粉墨青朱，颠错丛庞，无文章黼黻之序[5]，其属情藉事，不可考据也。方此时，自守不污者少矣。君诗独不然，其自守不污者邪？子夏曰："诗者，志之所之也。"[6]观君之志，然则其行亦自守不污者邪，岂唯其言而已！畀予诗而请序者，君之子彦博也。彦博字文叔，为抚州司法[7]，还自扬州识之，日与之接云。庆历三年八月序。

[题解]

北宋初年，杨亿、刘筠、钱惟演等西昆诗派代表人物统治着文坛。西昆体讲求语言华美，辞藻绚丽，又强调多用典故，以炫耀他们丰富的学识。但此体往往无病呻吟，内容苍白。直到仁宗中期，这种华而不实的诗风才渐渐被言之有物的现实主义诗歌所取代。作者赞扬张保雍的诗歌创作很少浮靡之气，有出淤泥而不染的独立风格。

[注释]

①张刑部：刑部郎中张保雍。《曾巩集》卷四七有《刑部郎中张府君神道碑》，说此人字粹之，真宗景德二年进士。仁宗即位后，知汉州。还朝，为度支判官、契丹国信使、荆湖北路转运使。改任两浙转运使。明道二年九月五日去世。②君并杨、刘生：谓张公与当时文坛领袖杨亿、刘筠生活在同一时

代。③杨、刘以其文词染当世：谓在真宗时期，杨亿、刘筠以他们的文章风格影响了当时文坛。④靡靡然：谓群起而模仿。⑤文章黼黻：本指为布织染花纹。此处喻文章的情采。⑥"子夏曰"此句：按，此句王安石所记有误，这话是孔子所说，而非子夏之言。《礼记·孔子闲居》："子夏曰：'民之父母，既得而闻之矣；敢问何谓五至？'孔子曰：'志之所至，诗亦至焉。诗之所至，礼亦至焉。礼之所至，乐亦至焉。乐之所至，哀亦至焉。'"⑦司法：唐、宋两代司法参军的简称。《宋史·职官志》说："司法参军，掌议法断刑。"

[译文]

刑部郎中张君所作诗歌若干篇，格调鲜明而不尚华丽，喜好讽谕世道却并不尖刻，是否可以称为唐朝善于为诗者的后学呢？张君和诗坛名流杨亿、刘筠为同时代人，杨亿、刘筠以他们的文词熏染当世，学者们迷失了诗歌的本来功能，纷纷耗费巨大精力，没日没夜地去模仿他们，粉白墨黑青蓝朱紫，颠倒错杂如同堆砌，反倒缺乏斑斓华美的次第，他们抒情写事的依据，几乎没办法进行考察。那个时期，能够有独立的操守不随时俗的人是很少的。张君的诗歌却不是那样，可以说是具有独立情操而不随俗的人了吧？子夏曾说："诗歌，是人的志向所蕴藏之处。"看张君的志向，可以说他的行为也属于有独立操守而不随俗之类，岂止是言辞而已。把诗送给我并请我写序的，是他的儿子张彦博。彦博字文叔，现任抚州司法参军，我是从扬州回来后结识他的，经常和他在一起交游。庆历三年八月序。

祭欧阳文忠公文

　　夫事有人力之可致，犹不可期；况乎天理之溟漠①，又安可得而推？惟公生有闻于当时，死有传于后世，苟能如此足矣，而亦又何悲？如公器质之深厚，智识之高远，而辅学术之精微，故充于文章，见于议论，豪健俊伟，怪巧瑰琦。其积于中者，浩如江河之停蓄；其发于外者，烂如日星之光辉。其清音幽韵，凄如飘风急雨之骤至；其雄辞闳辩，快如轻车骏马之奔驰。世之学者，无问乎识不与识，而读其文，则其人可知。

　　呜呼！自公仕宦四十年，上下往复，感世路之崎岖。虽屯邅困踬②，窜斥流离，而终不可掩者，以其公议之是非。既厌复起③，遂显于世。果敢之气，刚正之节，至晚而不衰。方仁宗皇帝临朝之末年，顾念后事，谓如公者，可寄以社稷之安危。及夫发谋决策，从容指顾，立定大计，谓千载而一时。功名成就，不居而去，其出处进退，又庶乎英魄灵气，不随异物腐散，而长在乎箕山之侧与颍水之湄④。然天下之无贤不肖，且犹为涕泣而歔歔。而况朝士大夫，平昔游从，又予心之所向慕而瞻依。

　　呜呼！盛衰兴废之理，自古如此。而临风想望，不能忘情者，念公之不可复见，而其谁与归⑤？

[题解]

本文盛赞欧阳修一生英伟磊落的气节及其在文章创作上的光辉成就,两者之间的内在联系又拴系得很紧,所以说"世之学者,无问乎识与不识,而读其文,则其人可知"。文章简练凝重,气势豪放,同时又蕴涵着无尽的情思。欧阳修死后,祭奠他的文章很多,当时独推此篇为第一。

[注释]

①溟漠:广袤无际。②屯邅:困于道穷。《东都事略·欧阳修传》载,范仲淹贬为饶州知州时,欧阳修写了一篇《朋党论》,指出君子以同道为朋,小人以同利为朋。被贬为峡州夷陵县令。后为河北都转运使。又遭小人栽赃陷害,贬为滁州知州。辗转州郡十余年,才得回朝。③既厌复起:贬黜之后再次起用。④箕山之侧与颍水之湄:这里是双关语,字面用上古高士许由的故事,又含欧阳修死于颍州。《史记·伯夷列传》载,尧让天下于许由,许由不受,耻之逃隐。皇甫谧《高士传》说许由字武仲。退遁于中岳颍水之阳,箕山之下隐居。尧又召他为九州长,许由不欲闻之,洗耳于颍水滨。⑤其谁与归:我还能与谁为交游同道呢。此处化用范仲淹《岳阳楼记》"微斯人,吾谁与归"之句而成。

[译文]

事情有以人之力就可以做成的,尚且不可期待;何况乎天理之高远莫测,又从何可得而推进它呢?欧阳公生前有大名于当时,死后流传于后世,一个人能做到这一步已经相当知足了,还有什么值得悲哀的呢?欧阳公器局才智既深且厚,智慧见识既高且远,加之以学术的精微,故而能充满其文章之中,表现于议论之上,雄豪俊杰,奇巧瑰丽。他胸中的积蓄,浩浩如大江大河之丰沛;他宣泄到外面的,又如日月群星之灿烂。他的清丽之音悠远之韵,来时就像漂浮的风或突降的雨忽然而至;他的雄辩文辞,就像轻车快马在飞速奔驰。世上的学者,不论认识不认识,读到他的文章,便能知道他的为人。

啊!欧阳公出仕为官四十年,数上数下,深感世路的崎岖坎坷。虽然屡遭困顿，贬黜流离，而最终无法掩盖他的光辉，那是由于欧阳公议论是非总能合于公论，贬谪之后还会重新起用，最终彰显于这个世界。他的果敢之气、刚正之节，直到晚年依旧不衰。仁宗皇帝临朝问政的末年，留意身后之事，曾说像欧阳公这样的臣子才可以托付江山社稷。等到他提出劝谏决立太子，从容镇定地指出利害，很快定下大计，真可谓定千载于一时。功成名就之后，不居高位辞官而去。他的出仕与谪居，进身与退处，又几乎充满英雄魂魄和天地灵气，不随着杂物而腐散，而永久地留在了箕山之侧和颍水之滨。普天之下无论贤与不贤，都禁不住为他流泪欷歔，更何况朝中的士大夫和平日相从游学之人。而我的心更是无比向往钦慕，久久地瞻仰和依恋。

啊！人盛衰兴败的道理，自古以来就是如此。临风向往瞻望而不能忘怀的，是想到欧阳公从此不能再见，而我还能和谁同道而行呢？

祭丁元珍学士文①

我初闭门②，屈首《书》《诗》。一出涉世，茫无所知。援挈覆护③，免于阽危④。壅培浸灌，使有华滋。微吾元珍，我始弗殖。如何弃我，陨命一昔？以忠出恕，以信行仁。至于白首，困厄穷屯⑤。又从挤之，使以踬死⑥。岂伊人尤？天实为此。有磐彼石⑦，可志于丘。虽不属我，我其徂求⑧。请著君德，名之九幽⑨。以驰我哀，不在醪羞⑩。

[题解]

本文的写作方法与《祭范学士文》迥然不同。文章的开始从自我入手，渐渐落到丁元珍身上，把二人的友情缓缓交代出来，同时使自己和元珍融合为一个整体。其后用语从深沉到激昂，最后戛然而止，文章很短，感情却表达得淋漓尽致。

[注释]

①丁元珍：丁宝臣，字元珍。王安石的朋友。②闭门：为求取功名而闭门读书。③援挈覆护：谓帮助提携，遮蔽护翼。此为感激之辞。挈，提起。④阽危：本指将从高处坠落，也泛指危险。⑤至于白首，困厄穷屯：《丁君墓志铭》载："御史论君尝废矣，不当复用，遂出通判永州。……则君之流离穷困，几至老死。""屯"是《周易》中的卦名，表示困顿。⑥踬（zhì）：跌倒。此处指迁徙频繁，辛苦而死。⑦有磐彼石：有这样一块磐石。指祭文应该镌刻在磐石之上。⑧徂求：去请求。⑨九幽：地下极深之处。⑩不在醪羞：谓祭奠

元珍不必非要美酒佳肴。

[译文]

  想当初我闭门读书，细细研读的都是《尚书》、《诗经》。一旦步入人世，却觉得茫茫然一无所知。赖元珍的帮助提携，遮蔽护翼，才避免了巨大的危险。又是元珍不断栽培浇灌，才使我得到了滋润。如果没有元珍，我几乎不可能生长壮大。如今为什么抛弃王某，转瞬之间便失去了性命？出于忠诚故而能以恕为德，出于诚信故而能以仁行事。就这样直到头发全白，却总是处在困顿艰难之中。又有人极力排挤，最终流离道路郁郁而死。难道元珍真有什么过错吗？这实在是上天之意而已。假如有这样一块磐石，把元珍的事迹矗在山丘，即使并不属于我，我也会不遗余力前往寻求。请把元珍君的德行写下来，使九泉之下的他恢复应有的佳名。写下这几句祭奠文字表达我的哀思，请不要苛求美酒与珍馐。

祭王回深甫文①

嗟嗟深甫,真弃我而先乎?孰谓深甫之壮以死,而吾可以长年乎?虽吾昔日执子之手,归言子之所为,实受命于吾母,曰如此人,乃与为友。吾母知子,过于予初②。终子成德,多吾不如。呜呼天乎!既丧吾母,又夺吾友,虽不即死,吾何能久?抟胸一恸③,心摧志朽,泣涕为文,以荐食酒。嗟嗟深甫,子尚知否?

[题解]

这是英宗治平二年作者在江宁府守丧时写的一篇祭文。当时作者的母亲过世,朋友王回又不幸早逝,作者为此深感悲恸。本文虽属应用文字,但感情真挚,对友情的看重也让读者为之动容。

[注释]

①王回深甫:王回,字深甫,即本书所选《游褒禅山记》当中的王深父。作者年轻时所交的朋友。《宋史》有传。②过于予初:比我自己更加了解我自己。③抟(tuán)胸:抚着前胸。抟,揉弄。

[译文]

深甫啊,深甫啊,你真的抛下我先走了吗?谁说深甫英年早逝,而我倒可以活得长久?想当年我拉着你的手回到家中,向母亲诉说你的所为所守,我和你成为朋友,真的是得到母亲的首肯。她老人家告诉我说：像深甫这样的君子，当然可以交为挚友。我的母亲对我的了解胜过当初我自己的认知。最终你成就了君子之德，很多方面我自叹不如。呜呼苍天啊！为什么夺去我的母亲，还要夺去我的挚友？这样的摧残就算我还挺得住，真不知我还能存活多久！抚着前胸我不胜悲恸，心如刀绞意志顿无，痛哭失声写下这篇祭文，连同酒食来祭奠朋友。深甫啊，深甫啊，你能不能感受到我这片真情？

兵部员外郎知制诰谢公行状^①

公讳绛,字希深,其先陈郡阳夏人^②,以试秘书省校书郎起家,中进士甲科,守太常寺奉礼郎^③,七迁至尚书兵部员外郎以卒。尝知颍之汝阴县^④,校理秘书,直集贤院,通判常州、河南府^⑤,为开封府、三司度支判官^⑥,与修真宗史,知制诰^⑦,判吏部流内铨^⑧,最后以请知邓州^⑨,遂葬于邓,年四十六,其卒以宝元二年。

公以文章贵朝廷,藏于家凡八十卷。其制诰,世所谓常、杨、元、白不足多也^⑩。而又有政事材,遇事尤剧,常若简而有余^⑪。所至辄大兴学舍,庄懿、明肃太后起二陵于河南^⑫,不取一物于民而足,皆公力也。后河南闻公丧,有出涕者,诸生至今祠公像于学。邓州有僧某诱民男女数百人,以昏夜聚为妖,积六七年不发。公至,立杀其首,弛其余不问。又欲破美阳堰^⑬,废职田^⑭,复召信臣故渠^⑮,以水与民而罢其岁役,以卒故不就。于吏部所施置,为后法。

其在朝,大事或谏,小事或以其职言。郭皇后失位^⑯,称《诗·白华》以讽^⑰,争者贬^⑱,公又救之。尝上书论四民失业,献《大宝箴》^⑲,议昭武皇帝不宜配上帝^⑳,请罢内作诸奇巧,因灾异推天所以谴告之意^㉑。言时政,又论方士不宜入宫,请追所赐诏[22]。又以为诏令不宜偏出数易,请繇中书、密院然后下[23]。其所尝言甚众,不可悉数。及知制诰,自以其近臣,上一有所不闻,其责今豫我[24],愈慷慨欲以论谏为己事。故其葬也,庐陵欧阳公铭其墓,尤叹其不寿,用不极其材云。卒之日,欧阳公入哭其堂,椸无新衣[25];出视其家,库无余财。盖食者数十人,三从孤弟姊皆在,而治衣栉才二婢。平居宽然,貌不自持,至其敢言自守,矫然壮者也。

谢氏本姓任[26],自受氏至汉、魏无显者,而盛于晋、宋之间。至公再世有名爵于朝,而四人皆以材称于世[27]。先人与公皆祥符八年进士,而公子景初等以历官行事来曰[28]:"愿有述也,将献之太史[29]。"谨撰次如右。谨状。

[题解]

这是作者为已故知制诰谢绛写的一篇行状。谢绛为北宋名臣,曾与欧阳修同官。本文可谓行状类文字中最为精简者,文字不多,裁剪十分大胆,在很短的篇幅里既概括了谢绛一生的主要经历,又能抓住重点,突出强调了谢绛为官的干练、廉洁和忠诚几个主要方面,使谢绛的形象栩栩如生,跃然纸上。

[注释]

①兵部员外郎知制诰谢公:谢绛。《东都事略》卷六四、《宋史》卷二九五有传。②其先陈郡阳夏人:欧阳修为谢绛写的《谢公墓志铭》说:"公之皇考曰太子宾客讳涛,其爵陈留伯,至公开国,又为阳夏男,皆在陈郡,故用其封,复因为陈郡人。"陈郡,旧郡名,在今河南淮阳。阳夏,旧县名,在今河南太康。③太常寺奉礼郎:北宋低级官员,大多为门荫所授。④颍之汝阴县:汝阴为京西北路颍州州治所在县,在今安徽阜阳。⑤河南府:北宋西京,在今河南洛阳。⑥为开封府、三司度支判官:指谢绛先为开封府判官,继又为三司度支判官。谢为开封府判官在天圣末年。明道中改任三司度支判官。⑦知制诰:属中书省,负责草拟圣旨的官员。按,谢绛任知制诰自仁宗景祐中至宝元二年。⑧判吏部流内铨:宋朝前期主管官员的部门有两个,一个叫审官东院,一个叫流内铨。流内铨负责的是州县幕职官员的考课。⑨知邓州:《长编》卷一二三载,宝元二年二月,知制诰谢绛知

邓州。邓州，属京西南路，在今河南邓州。⑩常、杨、元、白：指唐代曾任中书舍人的常衮、杨绾、元稹、白居易。⑪若简而有余：谓处理难事如同处理小事一样绰绰有余。⑫庄懿、明肃太后：真宗的两位皇后，即仁宗生母李宸妃和垂帘听政的刘皇后。⑬美阳堰：古堤堰名。《宋史·谢绛传》载："知邓州。距州百二十里有美阳堰，引湍水溉公田。水来远而少，利不及民。濒堰筑新土为防，俗谓之墩者，大小又十数，岁数坏，辄调民增筑。奸人蓄薪茭，以时其急，往往盗决堰墩，百姓苦之。绛按召信臣六门故迹，距城三里，壅水注钳庐陂，溉田至三万顷。请复修之，可罢州人岁役，以水与民，未就而卒。"⑭职田：宋代禄给的一种形式。凡外任州县主要官员，朝廷按规定配给职田，依等差分配，作为官员收入的一种补充。⑮召（shào）信臣：汉代循吏。任南阳太守。好为民兴利，躬劝耕农，开通沟渎，起水门堤坝数十处，以广溉灌，南阳人为他立祠。⑯郭皇后失位：仁宗天圣初年，立皇后郭氏。时张美人有宠，故后虽立而见疏。明道二年末，因与尚美人、杨美人忿争被废。⑰《诗·白华》：《诗经·小雅·白华》诗序："幽王娶申女以为后，又得褒姒，而黜申后。周人为之作是诗也。"⑱争者贬：指为郭皇后被废而廷争的范仲淹等人遭到贬斥。《长编》卷一一三载，明道二年十二月，郭皇后失宠被废。右司谏范仲淹与权御史中丞孔道辅率知谏院孙祖德，侍御史蒋堂、郭劝、杨偕，马绛，殿中侍御史段少连，左正言宋郊，右正言刘涣等人诣垂拱殿门伏奏皇后不当废，愿赐对以尽其言。次日，孔道辅出知泰州，范仲淹出知睦州。⑲献《大宝箴》：《东都事略·谢绛传》载，谢绛担任三司度支判官时，曾进《圣治箴》五篇。⑳议昭武皇帝不宜配上帝：意谓太祖之父宣祖不应该配享上帝。《宋史·太祖纪》载，建隆元年九月，追封赵匡胤的父亲赵弘殷为昭武皇帝，庙号宣祖。据《宋史·礼志》三载，谢绛此疏是在他担任同判太常礼院的乾兴元年九月奏上的。㉑因灾异推天所以谴告之意：据《东都事略·谢绛传》载，仁宗天圣初年，天下水、旱、蝗灾频发，黄河决口，谢绛上疏引《尚书·洪范》、京房《易传》陈述灾异之变，认为这是上天在警告仁宗"政道未茂，天时未顺"，应当"更进直道，宣德流化，以休息天下"。仁宗欣然采纳。㉒论方士不宜入宫，请追所赐诏：仁宗末年因膝下无子，曾召方士入后宫炼丹。谢绛认为这种做法很失皇家体统，应该追还诏书。㉓"又以为诏令不宜偏出数易"二句：《宋史·谢绛传》载，当初下旨罢织密花透背，禁止人们服用，而且要从后宫开始作出表率。不久内廷宫人赐衣,又命从相关部门提取。谢绛说:"号令数变则亏国体,利害偏听则惑聪明。"请求废除内降制度,一切诏令都必须经过中书省、枢密院等正常渠道发出,然后施行。㉔其责今豫我:意思是言责如今给了我。豫,给予。㉕椸(yí)无新衣:衣架上没有新衣裳。椸,衣架。㉖谢氏本姓任:清人沈钦韩注解此句认为此说不正确,谢姓和任姓不出于同一祖先,并说王安石这样说是沿袭了欧阳修所写墓志铭的错误。㉗四人皆以材称于世:《宋史·谢绛传》说谢绛有四个儿子:景初、景温、景平、景回。景平好学,终官秘书丞。景回早卒。景温字师直,中进士第,通判汝、莫二州,升任江东转运判官。神宗朝提点江西刑狱、京西、淮南转运使。㉘景初:范纯仁《范忠宣公集·朝散大夫谢公墓志铭》说他字师厚。历通判秀州、汾州、唐州、海州,湖北转运判官、成都府路提点刑狱,元丰中卒。㉙太史:古官名,掌修纂史书。宋朝修史的机构叫史馆。

[译文]

　　谢公名叫绛,字希深,他的先人是陈郡阳夏人。谢公以试秘书省校书郎步入仕途,考中进士甲科,授予太常寺奉礼郎之官,多次迁转最后升至尚书兵部员外郎而辞世。曾任颍州汝阴县知县,秘阁校理,直集贤院,通判常州、河南府,又为开封府和三司度支两处判官,参与修纂真宗一朝的国史,升为知制诰,判吏部流内铨,最后自己请求任邓州知州,死后就葬在邓州,享年四十六岁,去世在宝元二年。

　　谢公以文章典丽为朝廷所重,收藏在他家里的共计八十卷。他的制诰文章,当世人认为即使是唐朝的常衮、杨绾、元稹、白居易也未必能赶得上。又具有为政治民的才干,越是遇到难办的事,越是显得轻松,绰有余力,所到州县都要大兴学舍。朝廷要为章懿太后、明肃太后在河南府修建两座陵墓,没有一件东西取自民间,事情就办妥,都是凭借了谢公的才力。后来河南府士民听到谢公去世的消息,有忍不住流下眼泪的,河南府的诸生直到今天还把谢公的画像供奉在府学当中。邓州有个坏和尚某某引诱了数百名男女,在夜间聚众为妖,一连六七年也没有被揭露。谢公到任之后,很快诛杀了他们的首领,释放其余从犯不再问罪。又打算改造美阳堤堰,废官员的职田,修复汉朝太守召信臣所建的旧渠,把水利交还百姓并免除他们每年应服的劳役,因病故而没有如愿。他给吏部提出的建议,在他死后被定为朝廷的法令。

谢公在朝廷任职时,遇到大事差不多都有谏言,小事则有时候只限于本职之内而言。郭皇后遭到罢废,谢公吟诵《诗经·白华》来讽谕仁宗,为此事争辩的谏官御史遭到贬黜时,谢公又出面营救他们。曾上书论述四民失业的弊端,又献《大宝箴》一篇,议论昭武皇帝不应该配享上帝,还请求不要继续制作内廷赏玩的奇巧之物,借着天灾来推论上天所以谴责警告之意。说到时政得失,又论奏朝廷不应该允许方士进入后宫炼丹,请求追还赐给方士的诏书。并认为帝王的诏令不应该私下发出,也不应该朝令夕改,请一切圣旨都要经由中书省和枢密院发下。谢公曾发表过的言论很多,这里无法全部记录。他担任了知制诰之后,自认为是近侍之臣,一旦觉得帝王有未闻之事,便认为朝廷既然把说话的责任交给了自己,就更应该慷慨陈词,把议论劝谏当成自己的职事。故而他下葬之时,庐陵欧阳修为他写了墓志铭,特别感叹他年寿太短,任用没能极尽其才干。谢公去世那一天,欧阳公来到他的灵堂失声痛哭,才发现他家里的衣架上居然没有一件新衣;出门环视他家,也没有一点余财。跟随他生活的有几十口人,三个叔伯弟侄都在,而家中缝制衣裳的只有两个女婢。平时居处时宽和文静,如同不会讲话一般,至于敢于直言而坚持操守的方面,则昂然威武如同壮士。

谢氏原本为任姓,自从受命任氏直到汉朝、曹魏没有很显贵的,而兴盛于晋朝和南朝宋期间。到谢公,已经两代在朝廷中拥有名位爵禄,他的四个儿子也都以有才干著称于时。王某的父亲和谢公都是大中祥符八年的进士,谢公的儿子谢景初等带着谢公所任官职和所做的大事履历来找我,说:希望王某作篇记述文字,准备交到史馆留存。于是谨撰谢公履历如上。王安石谨状。

彰武军节度使侍中曹穆公行状①

公讳玮，字宝臣，真定府灵寿县人②。少以荫为天平、武宁二军牙内都虞候③。至道中，李继迁盗据河西银、夏等州④，后又击诸部，并其众。李继隆、范廷召等数出无功⑤，而朝廷终弃灵武⑥，继迁遂强，屡入边州为寇。当是时，公为东头供奉官、阁门祗候，年十九。太宗问大臣谁可使当继迁者，武惠王以公应诏⑦。太宗以知渭州，而欲除诸司使以遣之，武惠王为公固让，乃以本官知渭州⑧。真宗即位，改内殿崇班、阁门通事舍人、西上阁门副使，移知镇戎军⑨。当是时，继迁虐使其众，人多怨者。公即移书言朝廷恩信，抚纳之厚以动之。羌人得书，往往感泣，于是康奴诸族皆内附⑩。咸平六年，继迁死，其子德明求保塞⑪。公上书言继迁擅中国要害地，终身旅拒，使谋臣狼顾而忧。方其国危子弱，不即捕灭，后更盛强，无以息民⑫。当是时，朝廷欲以恩致德明，寝其书不用。而河西大族延家妙等，遂拔其部人来归⑬，诸将犹豫，未知所以应。公曰："德明野心，去就尚疑。今不急折其羽翮而长养就之，其飞必矣。"即自将骑士入天都山取之内徙⑭。德明由此遂弱，而至死不敢窥边⑮。大中祥符元年，召还，除西上阁门使、邠宁环庆路兵马都钤辖兼知邠州⑯。

[题解]

本文是为北宋名将曹玮写的一篇行状。曹玮是开国大将曹彬之子,自小在军中长大,在抗击契丹、西夏入侵的战斗中屡立战功。所谓"行状",即在某人去世之后,由后人收集其生平事迹,撰写成文,然后交到史馆,以备日后修史参考的文字。这类文章一般要求尽可能真实客观,避免个人好恶加入其中,这就是所谓的"史笔"。

[注释]

①彰武军:宋代延州的军额。此处为曹玮所带节镇名,不是实任。曹穆公:曹玮,北宋开国名将曹彬之子。《宋史》有传。②真定府:在今河北正定,北宋为河北西路帅司所在地。灵寿:北宋熙宁以前县名,在今河北灵寿。③以荫:由长辈的门荫而授官。宋代有门荫制度,中高级文武官员遇祭祀或国家庆典,可以荫子入官。天平:天平军节度,北宋郓州军额,军府治所在今山东东平。武宁:武宁军节度,北宋徐州军额,军府治所在今江苏徐州。牙内都虞候:即衙内都虞候,宋代军府里的高级参谋官。④李继迁盗据河西银、夏等州:据《东都事略·夏国传》载,太宗太平兴国七年,西夏首领李继捧以夏、银、绥、宥、静五州之地归降宋朝,其弟李继迁留居银州,时年十七。率众为寇,奔入蕃族地斤泽叛宋。朝廷屡次发兵征讨,李继迁更加肆无忌惮。太宗用宰相赵普之策,召赴京师,赐姓赵,名保忠,任命他为定难军节度使,赐予甚厚。然李继迁并无真降之心,再次进攻灵州。河西银、夏等州,指黄河以西的夏州、银州等原属于中原政权的几个州郡。唐代在西北地区置安西大都护府,统西北大部州郡。五代战乱,西北军阀各自为政,但中原政权始终没有放弃对其地的领属权。宋代建国后,封夏州节度使李彝兴为定难节度使,领夏、绥、银、宥诸州军事。灵州在今宁夏青铜峡东黄河东岸,夏州在今内蒙古乌审旗南,银州在今陕西横山县东,盐州在今陕西定边,宥州在今陕西定边、靖边二县之间,廓州在今青海尖扎县北,会州在今甘肃靖远县,宕州在今青海宕昌县,叠州在今青海叠部县,甘州在今甘肃张掖,肃州在今甘肃酒泉。⑤李继隆、范廷召等数出无功:《东都事略·夏国传》载,李继迁进攻清远军,太宗命白守荣、马绍忠护送刍粟四十万于灵州,被李继迁截获。太宗大怒,命李继隆等五路出兵,行数日,不见继迁,引军退还。《宋史·范廷召传》载,至道

中，朝廷以五路讨李继迁，命范廷召为环庆都部署从延州出兵，俘虏夏卒数万。⑥朝廷终弃灵武：朝廷最终放弃了灵州。咸平五年三月，李继迁调集各路兵马攻陷灵州，建为西平府。咸平六年春，遂定国都于此地。⑦武惠王：曹彬。《宋史·曹彬传》载，曹彬死后，赠中书令，追封为济阳郡王，谥曰武惠。⑧知渭州：《长编》卷五五载，曹玮知渭州在咸平六年。当时西夏李继迁反叛朝廷，太宗问曹彬谁可守卫西北，曹彬推荐了其子曹玮。曹玮当时为供奉官，太宗召见，想要给他加官，曹彬坚决辞让，于是以供奉官任渭州知州。渭州当时为泾原路经略安抚使司所在地，在今甘肃平凉。⑨移知镇戎军：改为镇戎军知军，曹玮知镇戎军在景德元年真宗即位之初。镇戎军，北宋军名，属秦凤路，在今宁夏固原，当时是面对西夏的前沿要地。⑩康奴诸族：西夏境内的蕃落部族名。内附：归顺宋朝。宋代西北地区的少数民族部落因处在宋、夏交界之地，所以叛服不常，往往是哪一国强盛，他们就归顺哪一国。⑪继迁死，其子德明求保塞：真宗景德元年，西北蕃部及者龙族合击李继迁，继迁中流矢而死。其子德明遣使来贡，明年，上表归款。真宗嘉之，以德明为定难军节度使，封西平王。终其身三十余年，不敢窥边。德明累迁至太傅，封夏王。求保塞，指德明请求将盐州归还其节度。⑫"公上书言继迁擅中国要害地"七句：据《西夏书事》卷八载，景德元年四月，环庆路帅臣因德明初立，乞行招抚。知镇戎军曹玮言：不乘此机会消灭西夏，后更强盛，便不可制。真宗不欲以武力解决，诏德明自行审度去就，失去了一次收复西夏的大好机会。⑬河西大族延家妙等，遂拔其部人来归：按：妙族为西北部族名，又分为各聚落之妙。此处所言"延家妙"，乃诸妙之一支。⑭天都山：在宁夏固原西北一百五十里。⑮德明由此遂弱，而至死不敢窥边：《东都事略》卷一二七载，德明封西平王后。终其身三十余年，不敢窥边。⑯邠宁环庆路兵马都钤辖兼知邠州：《长编》卷六五载，景德四年六月，曹玮代周莹为邠宁环庆路兵马都钤辖，兼知邠州。邠宁环庆路，宋代沿边军事路分名。统庆州、环州、邠州、宁州、乾州，凡五州。邠州，在今陕西彬县。

[译文]

曹公名叫玮，字宝臣，真定府灵寿县人。年轻时以门荫先后授予天平军、武宁军两军府的牙内都虞候。至道年间，西夏李继迁非法占据河西银、夏等州郡，后又攻陷其他部落，收编了那些部落的民众。宋朝大将李继隆、范廷召等多次出击都没有明显的成效，朝廷最终放弃了灵武，李继迁的势力随之不断增强，屡屡进入我边境地区大肆寇掠。那时候曹公为东头供奉官、阁门祗候，年方十九岁。太宗问大臣能派出谁抗击李继迁，武惠王曹彬以曹公应召。太宗任命曹公为渭州知州，而想加他诸司使之官后再派遣，武惠王曹彬坚决辞让，于是以原官出知渭州。真宗即位后，改内殿崇班、阁门通事舍人、西上阁门副使，调任镇戎军知军。那时候李继迁对属下部落残酷暴虐，许多西夏人都怨恨他。曹公随即往西夏部落写信讲明朝廷的恩义和诚信，许诺他们很丰厚的绥抚接纳之资来打动他们。部落首领接到书信，往往感动得哭泣不止，不久西夏境内的康奴等部落纷纷归顺宋朝。咸平六年，李继迁死，他儿子德明请求朝廷归还原属西夏的堡寨及城镇。曹公上书说：李继迁占据着我朝要害之地，故而敢于终生抗拒我朝，使我大臣不得不时时顾及他们的动向，不敢放松。如今正当其国遇到危难，其子德明年纪尚小势力不强，不趁此良机追捕歼灭，日后其势力强盛，就无法使宋朝百姓安定不扰了。那时朝廷的意思是想示以恩信使德明归顺，将他的上书压了下来，没有采纳他的意见。而河西大族延家妙等部落，已经率其全部人马前来归顺宋朝，守边的各位将领内心犹豫，不知道应该如何应对此事。曹公说："德明是个有野心的人，何去何从尚在犹疑之间。如今不赶紧折断他的翅膀，反而助长和养护他，一旦日后羽翼丰满，他肯定会高飞了。"即刻自带骑兵进入天都山接取延家妙等部落迁往内地。德明从此渐渐衰弱，直到他去世也没敢袭扰我朝边境。大中祥符元年，召曹公回朝，除授西上阁门使、邠宁环庆路兵马都钤辖，兼任邠州知州。

东封[①]，迁东上阁门使、高州刺史，再移真定府、定州路都钤辖②。已而又以为泾原路都钤辖兼知渭州③。公乃图泾原、环庆两路山川城郭战守之要以献，真宗留其一枢密院，而以其一付本路，使诸将出兵皆按图议事。祀汾阴，迁四方馆使。初，章埋骄于武延碱泊，拨臧掘强于平凉④，公皆诛之，而汧、渭之间⑤，遂无一羌犯塞。八年，迁英州团练使、知秦州⑥。秦西南羌唃厮啰、宗哥立遵始大⑦，遵献方物，求称赞普⑧。公上书言夷狄无厌，足其求，必轻中国。大臣方疑其事，会得公书，遂不许，而犹以为保顺军节度使⑨。公曰："我狙遵矣，又将为寇，吾治兵以俟耳。"遵使其舅赏样丹招熟户郭厮敦为乡导，公即诱样丹捕厮敦，而许以一州。样丹终杀厮敦。公遂奏以为颍州刺史，而样丹亦举南市城以献⑩。先是，张佶知秦州生事⑪，熟户多去，为遵耳目，及公诛样丹⑫，即皆惶恐避逃，公许之入赎自首，还故地，而至者数千人。后遂帖服，皆为用。至明年，啰、遵果悉众号十万，寇三都⑬。公帅三将破之，追北至沙州⑭，所俘斩以万计。事闻，除客省使、康州防御使⑮。其后又破灭马波、叱腊、鬼留等诸羌⑯，啰、遵遂以穷孤逃入碛。而公斥境陇上，置弓门、威远凡十寨⑰，自是秦人无事矣。

[注释]

①东封：大中祥符初年，在奸臣王钦若等的怂恿下，真宗东封泰山，这也是中国历史上最后一次封禅活动。②真定府、定州路都钤辖：按：真定府、定州路为河北沿边两个军事钤辖路分名，不属于行政区划，而专由武官辖制，直属于枢密院。此为宋代在外禁军的基本组成形式。都钤辖，总掌两路禁军的军事长官，掌总治军旅屯戍、营防守御之政令。曹玮任真定府定州路都钤辖在大中祥符四年至五年。③泾原路都钤辖兼知渭州：据《宋史·地理志》载，仁宗庆历元年，分陕西沿边为秦凤、泾原、环庆、鄜延四路。泾原路都钤辖兼任渭州知州。④"章埋骄于武延碱泊"二句：《宋史·曹玮传》载，曹玮和大将秦翰破章埋族于武延川，分兵灭拨臧于平凉，于是陇山各部落都来献地。

⑤汧、渭之间:指今甘肃平凉、陕西千阳一带地区。汧,汧阳郡,即陇州,北宋州名,在今陕西千阳。渭,渭州,旧名平凉郡。⑥迁英州团练使、知秦州:《长编》卷八五载,大中祥符八年九月甲寅,知渭州曹玮知秦州,兼缘边都巡检使、泾原仪渭镇戎军缘边安抚使。秦州,北宋为秦凤路治所,在今甘肃天水。⑦秦西南羌唃(gū)厮啰、宗哥立遵始大:意谓秦州西南方的羌族首领唃厮啰、宗哥立遵等逐渐强大起来。《东都事略·西藩传》载:当时西羌大姓牟昌厮均等迎唃厮啰至河州,欲立文法。于是宗哥立遵与邈川温逋奇辅佐唃厮啰立文法,部族归之。大中祥符七年,徙居于宗哥城(在今青海西宁北),以立遵为辅。有胜兵六万,以对抗西夏。真宗命曹知秦州,征服了西北几个小的羌人部落,戎族闻之皆畏服。⑧遵献方物,求称赞普:意谓宗哥立遵向宋朝贡献地方特产并请求宋朝皇帝封他为赞普。赞普是吐蕃语,意为大王、可汗。⑨以为保顺军节度使:《长编》卷八六载,真宗大中祥符九年三月,以西蕃总噶尔族立遵为保顺军节度,赐绯衣、金带、器币、鞍马、铠甲等。遵,一名埒克遵,一名郢城林布且。初为高僧,后自还俗,甚有威名。多次向宋朝请求封爵。⑩"遵使其舅赏样丹招熟户郭厮敦为乡导"六句:沈钦韩注解说:此处的说法和正史不同。《曹玮传》说:唃厮啰使其舅赏样丹与厮敦立文法,阴谋入寇宋朝。曹玮分化厮敦,厮敦感激,求自效,后十余日,斩赏样丹首级来降。曹玮表请朝廷任命厮敦为顺州刺史。⑪张佶知秦州生事:《宋史·曹玮传》载,当初张佶知秦州,置四门砦,侵夺羌地,羌人多叛,畏罪不敢出。曹玮招出之,还故地,至者数千人。⑫样丹:西北大族。《西夏书事》卷九载,样丹为西凉大族,有自己的文字和法律。一向不臣服西夏。按:诛样丹在真宗大中祥符九年。⑬三都:地名,即三都谷,在今甘肃甘谷西。《东轩笔录》说:大中祥符中,唃厮啰用蕃僧立遵之策,将众十万,穿过古渭州入寇,时曹玮以引进使知秦州,领骑卒六千,守伏羌城。闻贼已过毕利城,玮率诸将渡渭逆之,遂合战于三都谷。贼军虽众,然器甲殊少,贼大溃,斩首三千级。⑭追北至沙州:沈钦韩注解说:据《长编》"追北二十余里",应该不是沙州,而是河州。沙州,在今甘肃敦煌。⑮除客省使、康州防御使:《长编》卷八八载,大中祥符九年十一月,客省使、康州防御使、知秦州曹玮为秦州都部署,依前兼泾原仪渭镇戎军缘边安抚使。客省使,北宋武官的官阶名。⑯其后又破

灭马波、叱腊、鬼留等诸羌：《西夏书事》卷十载，天禧初年，宗哥族酋长马波、叱腊等与伏羌砦蕃部厮鸡波联结为乱，知秦州曹玮率神武军破之于野吴谷，余众遁走沙漠。⑰置弓门、咸远凡十寨：《长编》卷八七载，大中祥符九年，曹玮增修弓门、冶坊、和尔、静戎、三阳、定西、伏羌、永宁、小洛门、咸远等寨，凿浚堑壕三百八十里，朝廷下诏褒奖。弓门、咸远等寨，均在今甘肃天水以北。

[译文]

东封泰山期间，迁官东上阁门使、高州刺史，再次移知真定府，兼任定州路都钤辖。不久又任命他为泾原路都钤辖，兼任渭州知州。曹公于是将泾原、环庆两路的山川形势、城郭方位、战守要塞画成地图献给朝廷，真宗将其中一份留给枢密院，而把另一份交还本路，命各位将军今后出兵都要按照这份地图议论军事。祭祀汾阴后土期间，又迁官四方馆使。当初章埋在武延碱泊逞强发威，拨臧在平凉一带专横跋扈，曹公将他们统统除掉，汧阳、渭水之间，再也没有一个羌人敢于入侵边塞。大中祥符八年，迁官英州团练使、调任秦州知州。秦州西南的羌人唃厮啰、宗哥立遵开始强大，宗哥立遵给宋朝贡献了地方特产，请求朝廷准许他自称赞普。曹公上书说：夷狄的贪心是没有满足的，如果今天答应了他的请求，他必然会轻视宋朝，以为我朝胆怯。宰辅大臣们正对此事不知所措，恰赶上曹公的书信到达，于是朝廷最终没有答应宗哥立遵的请求，不过还是任命他为保顺军节度使。曹公说："我朝既然逆了宗哥立遵的心思，他必然会再次入寇，我要整顿兵马严阵以待。"宗哥立遵派他舅舅赏赐样丹，招纳归顺宋朝的大户郭厮敦作为向导，曹公立即引诱样丹捕杀郭厮敦，并许诺给他一个州郡的好处。样丹终于将郭厮敦杀死。于是曹公奏请朝廷委任样丹为颍州刺史，而样丹也把他占据的南市城献给了宋朝。当初张佶任秦州知州时妄生事端，已经归顺的羌人有很多又叛归西夏，成为宗哥立遵的耳目。等到曹公诛杀样丹后，纷纷惶恐逃跑。曹公许诺他们可以回来自首赎罪，归还他们的故地，陆续重新返回的达到数千人。后来都服从统治，全部为曹公所用。第二年，唃厮啰、宗哥立遵果然召集羌众号称十万大军，入寇三都谷。曹公亲自率领三位大将击败了他们，一直追赶到沙州，俘虏斩杀的羌人数以万计。事情传到朝廷，又除授曹公客省使、康州防御使。此后曹公又攻破并歼灭了马波、叱腊、鬼留等各羌人部落，唃厮啰、宗哥立遵因途穷而孤身逃入戈壁滩。曹公将边境推进到陇上，修筑了弓门、威远等共计十寨，从此以后秦州百姓再也没有边患的侵扰了。

天禧三年①，召还，除华州观察使。以西人之恃公也，复以为鄜延路马步军都部署。四年，遂除宣徽北院使、镇国军节度观察留后、签书枢密院事②。丁晋公用事③，稍除不附己者，既贬寇莱公，即指公为党，改宣徽南院使，出为环庆路都部署，又降容州观察使、知莱州④。晋公贬，乃以公为华州观察使、知青州⑤。天圣三年，除彰化军节度观察留后、知天雄军⑥，又移知永兴军，而诏使来朝。至则除昭武军节度使而复还之⑦。天圣五年，以疾病求知孟州⑧，得之。会言事者以公宿将，有威名，不当置之闲处，乃以为真定路马步军都部署、知定州。七年，换彰武军节度使。八年正月，薨于位，年五十八。皇帝为罢朝两日，赠侍中，谥曰武穆。

公为将几四十年，用兵未尝败衄，尤有功于西方。旧，羌杀中国人，得以羊马赎死如羌法。公以谓如此非所尊中国而爱吾人，奏请不许其赎。又请补内附羌百族以为上军主，假以勋阶爵秩如王官，至今皆为成法。陕西岁取边人为弓箭手，而无所给。公以塞上废地募人为之，若干亩出一卒，若干亩出一马⑨，至其重敛，发兵戍守，至今边赖以实，所募皆为精兵。在渭州，取陇外笼干川筑城⑩，置兵以守，曰："后当有用此者。"及李元昊叛，兵数出，卒以笼干川为德顺军⑪，而自陇以西，公所措置，人悉以为便也。自三都之战，威震四海，啀厮啰闻公姓名，即以手加额。在天雄，契丹使过魏地，辄阴勒其从人，无得高语疾驱。至，多惮公不敢仰视。契丹既请盟，真宗于兵事尤重慎，即有边事⑫，手诏诘难，至十余反，而公每守一议，终无以夺。真宗后愈听信，有论边事者，往往密以付公可否。

好读书，所如必载书数两，兼通《春秋公羊》、《谷梁》、《左氏传》，而尤熟于《左氏》。始娶潘氏，冯翊郡夫人，忠武军节度使、同中书门下平章事韩国公美之子⑬。后娶沈氏，安国太夫人，故相左仆射伦之孙、光禄卿继宗之子⑭。子男四人⑮：僖，礼宾使，知仪州⑯，当元昊叛时，以策说大将，不能用，反罪之，迁韶州以死⑰；倚，终内殿崇班；侁，供备库副使，拒元昊于瓦亭⑱，战死，赠宁州刺史⑲；倩，右侍禁。一女子，适四方馆使、荣州刺史王德基⑳。孙五人：谅、讽，东头供奉官；谊，右侍禁、阁门祗候；谓，三班奉职；谘，右班殿直。

[注释]

①天禧三年：1019 年。②签书枢密院事：枢密院的副职。《宋史·宰辅表》载，曹玮签书枢密院事在天禧四年正月。③丁晋公用事：指真宗末年丁谓将寇准挤垮后担任宰相。下文"寇莱公"即寇准，曾封为莱国公。④知莱州：《长编》卷九八载，乾兴元年二月，镇国军留后曹玮责授左卫大将军、知莱州。曹玮当时任镇定都部署，丁谓怀疑曹玮不归附自己，诏河北转运使韩亿往收其兵。⑤以公为华州观察使、知青州：《长编》卷九九载，曹玮知青州在乾兴元年十二月。那时仁宗刚刚即位。⑥除彰化军节度观察留后、知天雄军：宋庠《元宪集·曹公行状》说："知青州，天圣三年春，进领彰化军节度观察留后，徙知天雄军。"天雄军是大名府的军额，在今河北大名。⑦"又移知永

兴军"三句：谓朝廷有诏改知天雄军曹玮知永兴军，命其来朝再行赴任。曹玮朝见，旋改命为昭武军节度使，遣还天雄继续留任。永兴军是京兆府的军额，在今陕西西安。⑧以疾病求知孟州：《长编》载此在天圣五年八月。孟州，属京西北路，在今河南孟州。⑨"公以塞上废地募人为之"三句：沈钦韩注解说，这段话叙述不清，不知何意。引《长编》说：募弓箭手，使驰射较强弱，胜者予田二顷。再更秋获，课市一马。马必胜甲，然后官籍之，则加田五十亩。至三百人已上，因为一指挥。要害处为筑堡，使自垦其地，为方田环之。⑩陇外笼竿川筑城：《宋史·曹玮传》载："玮筑堡山外，为笼竿城，募土兵守之，曰：'异时秦、渭有警，此必争之地也。'"⑪以笼竿川为德顺军：《元丰九域志》卷三载，德顺军，庆历三年以渭州陇竿城置军。沈钦韩注解说，陇干川在隆德县界。⑫即有边事：只要有边关紧急事务。⑬忠武军节度使、同中书门下平章事韩国公美：北宋初年开国大将潘美。《宋史·潘美传》说他是大名府人，曾参加过征讨淮南李重进、南汉刘鋹、南唐李煜、北汉刘继元等重大战役。晚年因没有制止监军使王侁对杨业的诽谤，致使杨业战死而贬官，死在太原。⑭左仆射伦：沈伦。《宋史·沈伦传》说他是开封太康人。曾参加过征讨后蜀孟昶的战役，归朝后为宰相。雍熙四年卒。《宋史·沈继宗传》说继宗字世卿。历知单州、淮南转运使。大中祥符五年卒。⑮子男四人：《元宪集·曹公行状》说曹玮有三子：长子曰偫，礼宾副使；次子曰倚，内殿崇班，早卒；三子曰倭，供备库副使。⑯仪州：北宋前期州名，在今甘肃华亭。⑰韶州：属广南东路，在今广东韶关。⑱瓦亭：寨名，属泾原路渭州平凉县，在今宁夏隆德东北。庆历二年，元昊入侵，宋与夏战于此，宋军大败，大将任福就死在这里。⑲宁州：属环庆路，在今甘肃宁县。按：此为曹侯死后的赠官。⑳王德基：据《长编》载，此人曾任雄州、澶州、郦州知州。

[译文]

　　天禧三年，召还京城，除授华州观察使。因西北百姓依赖曹公为仗恃，又命为鄜延路马步军都部署。天禧四年，终于除授宣徽北院使、镇国军节度观察留后、签书枢密院事。晋国公丁谓把持朝政，陆续剪除不附和他的人，把莱国公寇準贬黜之后，旋即指斥曹公为寇準党羽，改官宣徽南院使，出京担任环庆路都部署，继而又降官为容州观察使、知莱州。丁谓贬黜后，朝廷才任命曹公为华州观察使、青州知州。天圣三年，除授彰化军节度观察留后、知天雄军府事，又改为知永兴军，同时下诏命他到京城朝见皇帝。到京之后，除授昭武军节度使，命他返回永兴军继续任职。天圣五年，因病请求任孟州知州，得到了允许。正赶上言官提出曹公为久经战阵的老将，威名赫赫，不应该把他放在闲散之地，于是朝廷又任命他为真定路马步军都部署、兼任定州知州。天圣七年，改换彰武军节度使号。天圣八年正月，薨逝于定州官位，时年五十八岁。仁宗皇帝为他的去世罢朝两天，赠官侍中，谥号为武穆。

曹公当军将近四十年，用兵打仗未尝有过失败，尤其在对付西夏方面卓有功勋。以往羌人杀害宋朝人，可以用羊或马赎取免死，国人也有此法，与羌人相同。曹公认为这样做并非尊重宋朝、爱护子民，奏请朝廷不允许羌人赎死。又奏请如能劝归百户以上的羌人，可以担任上军的首领，授予他们官勋官阶、爵位秩禄，一切都和宋朝官员一样对待，如今已经成为沿用已久的好办法。陕西路每年都要收取部分边地百姓充当弓箭手，却没有军需粮饷发给他们。曹公拿出边塞地区废弃的土地招募人前去开垦，规定若干亩土地中要产生一名士卒，若干亩土地上要产出一匹战马。到了夏人前来索要大量赋税时，便发兵前往戍守，至今西北边境靠这种方法充实军粮，所召募的都是精兵。在渭州时，选取陇山之外的笼干川修筑城堡，安排士卒在那里戍守，他曾预言说："日后会有用得着此城的那一天。"等到元昊反叛后，王师多次出征，最终把笼干川建成了德顺军，而从秦陇往西，只要是曹公措置安排的，人们都认为很便利。自从三都谷大战之后，曹公的威名震动四海，唃厮啰只要听到曹公的姓名，都会将手举过额头表示崇敬。在天雄军任职时，契丹国使节经过大名府地界，都要叮嘱他的属官侍卫，千万不可大声讲话或吆喝马匹。到了大名府，大多都惧怕曹公乃至不敢正面而视。

契丹与宋朝订立澶渊之盟后，真宗对于战争方面的事务尤其小心慎重，只要一有边事，必会亲手写信前往征询，有时甚至能达到往返十多次才最终定下。而曹公每提出一项建议，必会坚守到底，不为他人的议论所左右。后来真宗越来越尊重曹公，有议论边事的奏折，往往会密封之后直接交到曹公手上，以他的态度决定可行还是不可行。

曹公喜好读书，所到之处一定要装载几辆车的书籍，能通晓《春秋公羊传》、《春秋穀梁传》和《春秋左氏传》，而尤其精通《左氏传》。初婚娶潘氏为妻，封为冯翊郡夫人，是忠武军节度使、同中书门下平章事韩国公潘美的女儿。继娶沈氏，封为安国太夫人，是已故丞相左仆射沈伦的孙女、光禄卿沈继宗的女儿。有男儿四人：曹偆，官礼宾使，仪州知州，元昊反叛宋朝的时候，他用自己的策略说服大将，大将不能采用，反而加罪于他，贬官到韶州并死在那里；曹倚，终官内殿崇班；曹俣，官供备库副使，在瓦亭寨狙击元昊时不幸战死，赠官宁州刺史；曹倩，官右侍禁。一个女儿，嫁给了四方馆使、荣州刺史王德基。孙子五人：曹谅、曹讽，均官东头供奉官；曹谊，官右侍禁、阁门祗候；曹谞，官三班奉职；曹谘，官右班殿直。

泰州海陵县主簿许君墓志铭①

君讳平,字秉之,姓许氏。余尝谱其世家②,所谓今泰州海陵县主簿者也。君既与兄元相友爱称天下,而自少卓荦不羁③,善辩说,与其兄俱以智略为当世大人所器。宝元时,朝廷开方略之选④,以招天下异能之士,而陕西大帅范文正公⑤、郑文肃公争以君所为书以荐⑥。于是得召试为太庙斋郎⑦,已而选泰州海陵县主簿。贵人多荐君有大才,可试以事,不宜弃之州县。君亦尝慨然自许,欲有所为,然终不得一用其智能以卒。噫,其可哀也已!

士固有离世异俗,独行其意,骂讥笑侮,困辱而不悔。彼皆无众人之求,而有所待于后世者也,其龃龉固宜⑧。若夫智谋功名之士,窥时俯仰⑨,以赴势利之会,而辄不遇者,乃亦不可胜数。辩足以移万物,而穷于用说之时;谋足以夺三军,而辱于右武之国⑩。此又何说哉?嗟乎,彼有所待而不悔者,其知之矣。

君年五十九。以嘉祐某年某月某甲子,葬真州之扬子县甘露乡某所之原⑪。夫人李氏。子男瓌,不仕;璋,真州司户参军⑫;琦,太庙斋郎;琳,进士。女子五人,已嫁二人,进士周奉先、泰州泰兴令陶舜元⑬。铭曰:

有拔而起之,莫挤而止之。呜呼许君!而已于斯。谁或使之？

[题解]

这篇墓志单就主人公怀才不遇这一点反复申说，在讲述中列举出两种不同的不遇，一种是离世异俗的高士，作者认为这种人不为世所容是合乎情理的；另一种是智谋功名之士，这样的人才而不为世用，就让人大为感慨了。

[注释]

①海陵：宋代泰州州治所在县，在今江苏泰州。主簿：这里指县里主管簿书等杂事的属官。许君：江淮发运使许元的弟弟许平。②余尝谱其世家：王安石曾为许元写过《许氏世谱》。③卓荦（luò）不羁：有独立的个性与人格，不受世俗的左右。④朝廷开方略之选：宝元二年五月，仁宗曾下诏近臣荐举有方略材武之士各二人。十二月，命文武大臣所举有方略者参加考试。⑤陕西大帅范文正公：范仲淹。此时西夏主元昊背叛宋朝，并在延安一线向宋朝发起进攻。朝廷召范仲淹担任永兴军经略安抚使，应付西北战局。⑥郑文肃公：郑戬，死后谥为文肃。当时西北形势极为严峻，朝廷又派郑戬为陕西四路都总管兼经略安抚招讨使、知永兴军。⑦太庙斋郎：宋代低级官员名，多因荫补而安置达官的子弟。⑧龃龉（jǔ yǔ）：意见不合。⑨窥时俯仰：窥测时局的变化而决定自己的态度。⑩右武之国：崇尚武功的国家。⑪真州：宋代州名，在今江苏仪征。⑫司户参军：宋代州郡当中的属吏，掌一州中的户籍、田亩等事。⑬泰兴：在今江苏泰兴。

[译文]

君单名为平，字秉之，姓许。我曾为许君写过《世谱》，许平君即那篇《世谱》中所说的泰州海陵县主簿。许君和他哥哥许元以相互友爱著称于天下，而他从小就卓尔不群，自有主见，善于言辞，和他哥哥都以智术谋略受到当世显贵人物的器重。宝元年间，朝廷大开招贤之门，广招天下懂得武略的奇异之士，陕西帅臣范文正公仲淹、郑文肃公戬争相写成荐书举荐许君的才能，于是得以召试，任为太庙斋郎，不久经拣选担任了泰州海陵县的主簿。达官贵人有不少都举荐许君有超群的才干，认为应当以重要的职务检验他的能力，不应该弃置在州县小吏的位置上。许君也曾慷慨自任，想为国家作出更大的贡献，可惜最终没能得到丝毫重用以施展才能智慧便过世了。唉，实在是太悲哀了！

士子当中确实有超脱世俗、我行我素、任凭他人谩骂讥笑侮辱、处在困顿当中而没有丝毫后悔的人。那都是些根本不想得到当世人重视，而只把希望寄托在后世的人，他们与世俗不合是正常的。另有一些足智多谋渴望功名的士子，窥测时局变化而决定自己的进退，寻到机会便踏入权势名利之争，而始终没有得到机遇的人，倒也多得数都数不清。如果是机辩足以改变万物，却找不到辩论的机会；智谋足以破敌三军，却受辱于崇尚武功的国家，这又该怎么解释呢？啊，那个心怀期待却从来没有懊悔过的人，我太了解他了。

许君终年五十九岁。嘉祐某年某月某日，下葬于真州扬子县甘露乡某地某原。夫人姓李氏。儿子许瑰，没有做官；许璋，现任真州司户参军；许琦，现为太庙斋郎；许琳，进士。女儿五人，已经出嫁的有两人，一位嫁给了进士周奉先，一位嫁给了泰州泰兴县令陶舜元。铭文说：

有人提拔就能崛起，无须排挤便自行退止。许君啊，许君！你的仕进仅仅如此。是谁造成这样可悲的结果？

王深父墓志铭

吾友深父，书足以致其言，言足以遂其志。志欲以圣人之道为己任，盖非至于命弗止也①，故不为小廉曲谨以投众人耳目②，而取舍、进退、去就必度于仁义。世皆称其学问文章行治③，然真知其人者不多，而多见谓迂阔，不足趣时合变。嗟乎！是乃所以为深父也。令深父而有以合乎彼，则必无以同乎此矣！

尝独以谓天之生夫人也，殆将以寿考成其才，使有待而后显，以施泽于天下。或者诱其言，以明先王之道，觉后世之民。呜呼！孰以为道不任于天，德不酬于人，而今死矣。甚哉，圣人君子之难知也！以孟轲之圣，而弟子所愿，止于管仲、晏婴④，况余人乎？至于扬雄，尤当世之所贱简⑤，其为门人者，一侯芭而已⑥。芭称雄书以为胜《周易》。《易》不可胜也，芭尚不为知雄者。而人皆曰：古之人生无所遇合，至其没久，而后世莫不知。若轲、雄者，其没皆过千岁，读其书，知其意者甚少。则后世所谓知者，未必真也。夫此两人以老而终，幸能著书，书具在，然尚如此。嗟乎深父，其智虽能知轲，其于为雄⑦，虽几可以无悔⑧，然其志未就，其书未具，而既早死，岂特无所遇于今，又将无所传于后。天之生夫人也，而命之如此，盖非余所能知也。

深父讳回，本河南王氏，其后自光州之固始迁福州之侯官⑨，为侯官人者三世。曾祖讳某，某官；祖讳某，某官；考讳某⑩，尚书兵部员外郎。兵部葬颍州之汝阴⑪，故今为汝阴人。深父尝以进士补亳州卫真县主簿⑫，岁余自免去。有劝之仕者，辄辞以养母。其卒以治平二年七月二十八日⑬，年四十三。于是朝廷用荐者，以为某军节度推官、知陈州南顿县事⑭，书下而深父死矣。夫人曾氏，先若干日卒。子男一人⑮，某；女二人，皆尚幼。诸弟以某年某月某日，葬深父某县某乡某里，以曾氏祔⑯。铭曰：

呜呼深父！维德之仔肩⑰，以迪祖武⑱。厥艰荒遐，力必践取。莫吾知庸⑲，亦莫吾侮⑳。神则尚反，归形此土。

[题解]

王回是北宋较知名的一位学者。作者并没有直接赞扬王回的学问道德，而是半路横出说："世皆称其学问文章行治，然真知其人者不多，而多见谓迂阔，不足趣时合变。"巧妙而深刻地刻画出一个富于个性的鲜活形象。同时作者又深深感慨：这样一位有所发明的学者，却鲜为世人所深知。表达出作者对世俗的厌恶。

[注释]

①非至于命弗止：大致相当于今言不到生命结束是不会终止的。②小廉曲谨：细微之处表现出的廉洁谨慎。意谓王回有大气度，不拘于小节，与小廉曲谨之人不同。③行治：普遍很好。④"以孟轲之圣"三句：意谓在孟子那个时候，弟子公孙丑感到值得佩服的人，不过管仲、晏婴两人而已。管仲、晏婴，春秋时期齐国的两位宰相。⑤贱简：因看不起而待之简慢。⑥侯芭：《汉书·扬雄传》载，扬雄晚年以病免官，家素贫，又喜欢喝酒，时人却很少到他这里来。钜鹿人侯芭经常跟随在扬雄左右，跟着他学习《太玄经》和《法言》。扬雄死后，侯芭为他起坟，守丧三年。⑦其于为雄：就算把他看成是扬雄。⑧几：差不多。⑨光州之固始：宋代州、县名，属淮南路，光州在今河南潢川，固始在今河南固始。侯官：福建路福州治所所在县，在今福建福州。

⑩考讳某：据王明清《挥麈后录》说，王回的父亲名叫王平，字保衡，曾任许州司理参军。⑪汝阴：北宋县名，为京西北路颍州州治所在县，在今安徽阜阳。⑫卫真：北宋县名，属淮南路亳州，在今河南鹿邑。⑬治平二年：英宗即位的第三年，1054年。⑭以为某军节度推官：《长编》卷二〇五载，英宗治平二年六月，前亳州卫真县主簿王回为忠武军节度使推官。任命刚下王回便去世了。南顿：北宋初县名，熙宁六年废。在今河南淮阳西南。⑮子男一人：王回的儿子叫王汾。《挥麈后录》说："深父子汾，字道原，诗文尤奇。"⑯祔（fù）：夫妇合葬。特指妻子死后安葬在丈夫旁边。⑰仔肩：在肩。《诗经·周颂·敬之》："佛时仔肩，示我显德行。"高亨注解说："仔肩，负担、责任。"⑱迪：蹈行。祖武：先人的事业或足迹。⑲莫吾知庸：没有把我当成庸人。⑳亦莫吾侮：也没对我有丝毫的轻侮。

[译文]

我的朋友王深父，文章足以表达他想要说的话，说出的话足以见他平生的志向。他的志向就是想以传播圣人大道为己任，一副生命不息、奋斗不止的气象，所以从不在细节之处过于表现廉洁谨慎以求得众人的好评，他的取舍、进退、去就一切行为都以符合仁义道德为限。世人都称赞他的学问深文章好，然而真正了解他的人实在不多，而且很多人都认为他为人迂阔，不会适应时俗而改变自己。唉！这正是深父的本色啊。假使让深父懂得去适应时俗，那肯定就不是这个深父了！

我曾经说过，认为上天之所以降生这样一个人才，恐怕是打算给他寿命使他成为不世之贤才，使他在人们的期待中得到显扬，然后将恩泽普施于天下。或是让他把话语吐尽，来阐明先王的圣道，使后世的人们闻之而觉悟。唉！谁知道他的道德还没有感动上天，还没有酬答万民，而今却死去了。这真是太不可思议了，圣人和君子都难以预料啊！凭着孟轲的圣贤，弟子公孙丑感到值得佩服的人，不过管仲、晏婴两人而已，更何况其他的人呢？至于汉代的扬雄，尤其被当世之人看不起，能称得上是他的弟子的，只有一个侯芭而已。侯芭称扬雄的著作可以胜过《周易》。《周易》是不可能超越的，侯芭还不能说是真正了解扬雄的人。而人们都说：古代圣贤活着的时候没能得到世人的看重，等到他死去之后，后世的人们反倒没有不了解他的。可是孟轲、扬雄，二人死去都已经超过了一千年，读他们的著作，通晓大义的人还是很少。如此说来，所谓后世的人们了解他们，未必是真正的了解。这两个人毕竟是年老之后才去世的，有幸能够著书立说，他们的著作都还在，尚且不过如此。可惜深父，他的智慧虽然能达到了解孟轲的深度，他和扬雄相比，即使说差不多也没什么值得反悔的，然而他的大志没有来得及实现，他的书也还没有写出来，就已经离开这个世界了，岂止是今世没有机遇，连后世也很难流传了。上天降生这样一个人才，却让他的寿命如此之短，这是我无论如何也难以理解的。

深父名叫回，本为河南王氏，后来从光州固始迁到了福州的侯官，成为侯官人已经三代了。曾祖名叫某，担任某官；祖父名叫某，担任某官；父亲名叫某，官尚书兵部员外郎。其父兵部君葬在颍州的汝阴，故而如今应该算是汝阴人。深父曾以进士及第授予亳州卫真县主簿，一年多后自请免官而去。有劝他继续做官的，便以需要孝养老母为由加以拒绝。他死于治平二年七月二十八日，年仅四十三岁。当时朝廷采纳了高官的举荐，任命他为某军节度推官、知陈州南顿县事，诏旨刚下而深父恰好去世。夫人曾氏，先于深父若干天去世。儿子一人，名某；女儿二人，年纪都还小。几个弟弟于某年某月某日，将深父葬在某县某乡某里，并与其故妻曾氏合葬一处。铭文说：

啊，深父！道德就在你的肩上，你本该光大先儒的事业。就算是在难以行走的荒远之地，你也会克服困难亲自获取。你没有把我当成庸夫，也没有丝毫轻视于我。神明如果能让你起死回生，就让你从这块土地中重新归来吧！

给事中赠尚书工部侍郎孔公墓志铭^①

宋故朝请大夫、给事中、知郓州军州事、兼管内河堤劝农同群牧使、上护军、鲁郡开国侯,食邑一千六百户,食实封二百户,赐紫金鱼袋孔公者^②,尚书工部侍郎、赠尚书吏部侍郎讳勖之子^③,兖州曲阜县令、袭封文宣公^④、赠兵部尚书讳仁玉之孙,兖州泗水县主簿讳光嗣之曾孙^⑤,而孔子之四十五世孙也。其仕当今天子天圣、宝元之间,以刚毅谅直名闻天下。尝知谏院矣^⑥,上书请明肃太后归政天子^⑦,而廷奏枢密使曹利用^⑧,上御药罗崇勋罪状^⑨。当是时,崇勋操权利,与士大夫为市^⑩;而利用悍强不逊^⑪,内外惮之。尝为御史中丞矣^⑫,皇后郭氏废,引谏官、御史伏阁以争,又求见上,皆不许,而固争之,得罪然后已^⑬。盖公事君之大节如此。此其所以名闻天下,而士大夫多以公不终于大位为天下惜者也。

公讳道辅^⑭,字原鲁。初以进士释褐,补宁州军事推官^⑮。年少耳,然断狱议事,已能使老吏惮惊。遂迁大理寺丞、知兖州仙源县事,又有能名。其后尝直史馆,待制龙图阁^⑯,判三司理欠凭由司、登闻检院、吏部流内铨、纠察在京刑狱^⑰,知许、徐、兖、郓、泰五州^⑱,留守南京^⑲。而兖、郓、御史中丞皆再至^⑳。所至官治,数以争职不阿,或绌或迁,而公持一节以终身,盖未尝自诎也。其在兖州也,近臣有献诗百篇者,执政请除龙图阁直学士。上曰:"是诗虽多,不如孔道辅一言。"[21]乃以公为龙图阁直学士。于是人度公为上所思,且不久于外矣。未几,果复召,以为中丞。而宰相使人说公稍折节以待迁,公乃告以不能。于是人又度公且不得久居中,而公果出。初,开封府吏冯士元坐狱[22],语连大臣数人[23],故移其狱御史。御史劾士元罪止于杖,又多更赦。公见上,上固怪士元以小吏与大臣交私,污朝廷,而所坐如此,而执政又以谓公为大臣道地,故出知郓州。公以宝元二年如郓,道得疾[24],以十二月壬申,卒于滑州之韦城驿[25],享年五十四。其后诏追复郭皇后位号[26],而近臣有为上言公明肃太后时事者,上亦记公平生所为,故特赠公尚书工部侍郎[27]。

公夫人金城郡君尚氏,尚书都官员外郎讳宾之女。生二男子,曰淘,今为尚书屯田员外郎;曰宗翰[28],今为太常博士,皆有行治,世其家。累赠公金紫光禄大夫、尚书兵部侍郎,而以嘉祐七年十月壬寅,葬公孔子墓之西南百步[29]。公廉于财,乐振施。遇故人子,恩厚尤笃。而尤不好鬼神禨祥事。在宁州,道士治真武像[30],有蛇穿其前,数出近人,人传以为神。州将欲视验以闻,故率其属往拜之,而蛇果出。公即举笏击蛇,杀之[31],自州将以下皆大惊,已而又皆大服。公由此始知名。然余观公数处朝廷大议,视祸福无所择,其智勇有过人者,胜一蛇之妖,何足道哉?世多以此称公者,故余亦不得而略也。铭曰:

展也孔公,维志之求。行有险夷,不改其辀。权强所忌,谗谄所仇。考终厥位,宠禄优优。维皇好直,是锡公休。序行纳铭,为识诸幽。

[题解]

本文作于仁宗嘉祐七年,当时作者担任知制诰。孔道辅是北宋中期著名的骨鲠直臣，其名气与范仲淹、包拯相当。作者在这篇墓志铭中，没有过多地罗列孔氏的履历，所做数官、所知数州，只用一笔带过，而反复强调的则是孔氏的刚直不阿和不计个人得失荣辱的真君子之风，这当中很显然隐含着作者深深的敬意。

[注释]

①给事中赠尚书工部侍郎孔公：孔道辅，《宋史》有传，《阙里志》有张宗益写的《御史中丞孔公后碑》。②上护军：宋代勋官之第三阶。赐紫金鱼袋：朝廷赐给臣下金鱼袋由臣下佩带，唐宋时期加给文官的一种荣誉。③尚书工部侍郎、赠尚书吏部侍郎讳勖：《长编》卷一〇三载，天圣三年五月时，右正言孔道辅按资历应迁官，孔道辅请求自己不迁官，而用来转赐其父。仁宗大为赞赏，于是加孔勖为工部侍郎致仕。④兖州：属京东路，在今山东兖州。曲阜：孔子的故乡，在今山东曲阜。⑤泗水：北宋县名，属京东西路，在今山东泗水。⑥知谏院：据《御史中丞孔公后碑》载，孔道辅天圣元年知谏院，在谏院前后共七年。⑦请明肃太后归政天子：真宗去世时，太子（即仁宗）年纪尚幼，根据真宗的遗命，由太后刘氏垂帘听政。后仁宗渐渐长大，所以不少大臣上书请求太后将权柄交还仁宗。⑧曹利用：当时担任枢密使，后被刘太后害死。《宋史·曹利用传》说："利用性悍梗少通，力裁侥幸，而其亲旧或有因缘以进者，故及于祸。然在朝廷忠荩有守，始终不为屈，死非其罪，天下冤之。"⑨上御药：专为皇帝伺候医药调理的内廷宦官名。罗崇勋：《长编》卷一〇六载，天圣六年二月，上御药供奉蓝元用、张怀德、罗崇勋并落供奉官，为上御药。⑩崇勋操权利，与士大夫为市：意谓罗崇勋倚仗刘太后的恩宠卖官谋利。⑪利用悍强不逊：《宋史·曹利用传》载，刘太后临朝后，宦官贵戚飞扬跋扈，而曹利用根本不看他们的脸色。哪怕是刘太后亲笔任命安插的官员，他也不予接受，太后对他惧怕三分，称他为"侍中"而敢直呼其名。⑫尝为御史中丞：《长编》卷一一三载，明道二年十一月，孔道辅为御史中丞。御史中丞是宋代御史台的最高首长。⑬"皇后郭氏废"六句：《长编》卷一一三载，仁宗即位之后，立郭氏为皇后。郭氏性格倔强，对取媚仁宗的杨、尚两位美人很看不惯。有一次尚美人当着仁宗的面羞辱郭皇后，郭皇后大怒，出手去打尚美人，却误将上前拦阻的仁宗的脖项抓破。仁宗大为不满，宰相吕夷简不

喜欢郭皇后，其亲信范讽借此机会上书称郭皇后立九年而无子，又犯欺君之罪，理当废黜。仁宗犹豫未决，右司谏范仲淹极陈其不可，又与御史中丞孔道辅率知谏院孙祖德，侍御史蒋堂、郭劝、杨偕、马绛，殿中侍御史段少连，左正言宋郊，右正言刘涣等人到垂拱殿门伏奏皇后不当废。次日，孔道辅出知泰州，范仲淹出知睦州。又遣人押送二人立即出城。⑭公讳道辅：《宋史》本传说孔道辅初名孔严鲁，后改名为道辅。⑮宁州：属环庆路，在今甘肃宁县。⑯待制龙图阁：即授予龙图阁待制的学士官。⑰三司理欠凭由司：北宋三司中的部门之一。登闻检院：掌受纳文武官及士民章奏表疏。凡是陈说朝政得失、公私利害、军期机密、理雪冤滥，及奇方异术、改正过名，无法通进者，先经登闻鼓院进状，再到登闻检院处理。二院都在朝廷大门之前。⑱知许、徐、兖、郓、泰五州：据《孔公后碑》及《长编》等书记载，孔道辅天圣十年知许州，明道二年四月移知应天府兼南京留守司。景祐二年四月移知兖州，明道二年十一月知泰州，景祐元年知徐州，宝元二年十一月知郓州。许州在今河南许昌，徐州在今江苏徐州，兖州在今山东兖州，郓州在今山东东平，泰州在今江苏泰州。⑲留守南京：宋代知应天府例兼南京留守司公事。此即上面所说"明道二年四月，就移知应天府兼南京留守司"事。⑳兖、郓、御史中丞皆再至：意谓孔道辅两次知兖、郓二州，两次为御史中丞。道辅第一次知兖州在景祐二年，见上注⑱。第二次知兖州当亦在景祐间。道辅第一次知郓州在天圣七年至九年。第二次知郓州在宝元二年。其第一次任御史中丞在明道二年。第二次任御史中丞在宝元二年。㉑是诗虽多，不如孔道辅一言：王辟之《渑水燕谈录》卷二说："孔道辅以刚毅直谅名闻天下。知谏院日，请明肃太后归政天子；为中丞日，谏废郭后。其后知兖州日，近臣献诗百篇者，执政请除龙图阁直学士，仁宗曰：'是诗虽多，不如孔某一言。'"㉒开封府吏冯士元坐狱：《宋史·郑戬传》载，有人告发开封府小吏冯士元接受贿赂私藏禁书，开封府尹郑戬亲自审问，牵连到宰相吕夷简、知枢密院盛度、参知政事程琳，于是逮捕了吕夷简的儿子吕公绰、吕公弼，随后冯士元被流放沙门岛，盛度、程琳也因与冯士元有过交往而遭罢免，其余受到处罚的还有御史中丞孔道辅、天章阁待制庞籍等十几个人。㉓语连大臣数人：《长编》卷一二五载，宝元二年十一月，降知枢密院事盛度知扬州，参知政事程琳知颍州，御史中丞孔道辅知郓州，天章阁待制庞籍知汝州。㉔宝元二年如郓，道得疾：《宋史·孔道辅传》载，孔道辅被诬为朋党大臣，出知郓州。当时大寒上道，发病而卒。㉕韦城驿：韦城县的驿站。韦城为北宋县名，在今河南滑县东南。㉖其后诏追复郭皇后位号：据《长编》卷一一八载，景祐三年正月，仁宗追册郭氏为皇后。㉗特赠公尚书工部侍郎：据《长编》卷一七一载，皇祐三年八月，龙图阁直学士王素入对，提到孔道辅，仁宗思其忠，故有赠官之命。㉘宗翰：《宋史》有传，云宗翰字周翰，由通判陵州为夔峡路转运判官，提点京东刑狱、知虔州。历陕、扬、洪、兖州。元祐初，召为司农少卿，迁鸿胪卿。㉙孔子墓：《史记·孔子世家》载，孔子葬于曲阜城北泗水上。㉚真武：即玄武，本为北方七宿斗、牛、女、虚、危、室、壁的总称，因以为北方神名。㉛举笏击蛇，杀之：《渑水燕谈录》载，孔道辅担任宁州军事推官时，击杀大蛇，后石介专为此举写了一篇《击蛇笏铭》。

[译文]

　　大宋已故朝请大夫、给事中、知郓州军州事、兼管内河堤劝农同群牧使、上护军、鲁郡开国侯，食邑一千六百户，食实封二百户，赐紫金鱼袋孔公，是尚书工部侍郎、赠尚书吏部侍郎名叫勖的儿子，兖州曲阜县令、袭封文宣公、赠兵部尚书名叫仁玉的孙子，兖州泗水县主簿名叫光嗣的曾孙，也是孔子的第四十五世孙。他出仕于当今皇帝天圣、宝元年间，以刚正坚毅、廉洁正直的美名为天下所知晓。曾任知谏院官，上书敦请章献明肃皇太后把朝政归还给天子，又当廷弹劾枢密使曹利用，奏上勾当御药院宦官罗崇勋的罪状。那个时候，罗崇勋掌握着内廷大权，和士大夫做着种种政治交易；而曹利用则是妄自尊大、目无君上，朝廷上下都惧怕他。又曾担任御史中丞，皇后郭氏被废，带领谏官、御史伏在殿门前为郭氏辩争，又请求参见皇上，都没有得到允许，却不停地争辩，直到获罪才算中止。孔公侍奉君主的大节就是这样，这也是他以耿直之名闻于天下而士大夫多以孔公没能死在宰辅之位而为天下叹惜的原因。

孔公名叫道辅，字原鲁。最初以中进士第入仕，填补宁州军事推官的官缺。当时他年纪还轻，但审理案件、议论州事已经能让年老的吏人感到震惊了。不久迁官大理寺丞、任兖州仙源县知县，再次获得为政干练的美名。其后又升为直史馆，龙图阁待制，判三司理欠凭由司、判登闻检院、吏部流内铨、纠察在京刑狱，知许、徐、兖、郓、泰五州，为南京留守。而兖州、郓州、御史中丞分别干了两次。所到地方和部门都吏治肃然。他多次因为职事争论不屈，有时贬黜有时迁官，而他始终如一地坚持自己的操守直到生命终结，从没有违心地迎合上意。他在兖州知州任上时，朝廷近臣有个献诗百篇的人，宰相请求除授他龙图阁直学士。仁宗说："此人献诗虽然不少，却不如孔道辅一句话。"最终除授孔公为龙图阁直学士。于是人们揣摩孔公受到了仁宗的思念，估计不会在地方官任上待太久了。没多久，果然再次召他回朝，担任了御史中丞。宰相派人劝告他做事要稍微和缓一些，以便继续升迁，孔公竟然告诉来人说：那做不到。于是人们又揣度孔公大概不会长期待在朝中，而孔公果然又放了外任。当初，开封府属官冯士元犯案，供词牵连到数位大臣，因此把案件移交到御史台审理。御史审理的结果，判了冯士元杖刑，其余牵连者大多也被赦免。孔公见到仁宗，仁宗很奇怪冯士元以一个小吏的身份和大臣们有私下交往，有辱朝廷尊严，而所判却如此之轻，宰相又认为孔公在有意为大臣遮掩开脱，故而命他外出任郓州知州。孔公于宝元二年前往郓州，途中得了病，于十二月壬申，死于滑州的韦城官驿，享年五十四岁。不久仁宗传旨追复郭皇后的地位名号，而近侍大臣中有人提起孔公在章献明肃太后时的事迹，仁宗也记起孔公平生的所作所为，所以特赠孔公为尚书工部侍郎。

　　孔公的夫人金城郡君尚氏，是尚书都官员外郎名叫宾的女儿。她生了两个儿子，一个名叫淘，今为尚书屯田员外郎；另一个名叫宗翰，今为太常博士，都很有德行和能力，能传承孔公的家风。其后再赠孔公为金紫光禄大夫、尚书兵部侍郎。嘉祐七年十月壬寅，埋葬孔公于孔子墓西南一百步。孔公在物质方面十分廉洁，喜好赈济施与。遇到故友的后代，施恩赠予尤其丰厚。他特别不喜欢装神弄鬼、求神拜佛一类的事。在宁州时，有道士修真武像，有条蛇爬过他面前，多次窜出逼近别人，人们相传这条蛇是当地神灵。州里的守将想检验之后上报朝廷，所以率领官属前往庙中参拜，那条蛇果然又爬出来了。孔公当即举起笏板狠狠朝蛇砸去，将其杀死，自州守将以下都大惊失色，旋即又全都深深佩服，孔公也由此开始知名。然而我观察孔公屡屡处在朝廷大争议当中，根本不把自身的得失祸福当成一回事，他的智慧和勇气大有过人之处，杀死一条蛇妖又何足挂齿？只不过世人大多喜欢拿那件事称赞孔公，所以我也不能不说几句而已。铭文说：

　　真诚如一的孔公，毕生都在为自己的理想孜孜以求。不论仕途艰险还是平坦，都绝不改变既定的方向。你是权贵强横者所忌恨的对象，你是逸佞谄谀之徒的仇敌。你不愧于所担任的任何官职，你的荣宠也本应从优。当今皇帝喜好正直君子，所以对你的赐予非常优厚。我在这里缕述你的品行、彰扬你的美名，是想让未来的人们知道这里埋葬着一个多么杰出的人。

王逢原墓志铭[①]

呜呼！道之不明邪，岂特教之不至也，士亦有罪焉。呜呼！道之不行邪，岂特化之不至也，士亦有罪焉。呜呼！盖无常产而有常心者，古之所谓士也[②]。士诚有常心以操圣人之说而力行之，则道虽不明乎天下，必明于已；道虽不行于天下，必行于妻子。内有以明于已，外有以行于妻子，则其言行必不孤立于天下矣。此孔子、孟子、伯夷、柳下惠、扬雄之徒所以有功于世也[③]。

呜呼！以予之昏弱不肖，固亦士之有罪者，而得友焉。余友字逢原，姓王氏，广陵人也。始予爱其文章，而得其所以言；中予爱其节行，而得其所以行；卒予得其所以言，浩浩乎其将沿而不穷也，得其所以行，超超乎其将追而不至也。于是慨然叹，以为可以任世之重而有功于天下者，将在于此，余将友之而不得也。呜呼！今弃予而死矣，悲夫！

逢原，左武卫大将军讳奉諲之曾孙，大理评事讳琪之孙，而郑州管城县主簿讳世伦之子[④]。五岁而孤，二十八而卒，卒之九十三日，嘉祐四年九月丙申，葬于常州武进县南乡薛村之原[⑤]。夫人吴氏[⑥]，亦有贤行，于是方娠也，未知其子之男女[⑦]。铭曰：

寿胡不多？天实尔啬。曰天不相[⑧]，胡厚尔德？厚也培之，啬也推之，乐以不罢⑨，不怨以疑。呜呼天民，将在于兹！

[题解]

本文作于嘉祐四年作者提点江东刑狱之时。他的朋友王令因脚气病去世，作者怀着极为悲痛的心情，写下了这篇墓志铭。文章盛赞王令文学道德俱佳，甚至认为如果他不死，很可能成为公辅之器。曾巩认为王安石对王令的评价过高，已经不切实际。这的确是对王安石性格容易走极端的一种善意批评。但王安石对王令的赞赏，还是出于至诚之心的。

[注释]

①王逢原：王令，字逢原，北宋中期著名诗人，是王安石在江南担任地方官时所交的朋友。②无常产而有常心者，古之所谓士：古人以为人只有有了资产才能有道德，没有资产就不容易有道德。没有资产却能够保持操守的，只有士子这一类人。《孟子·梁惠王上》说："无恒产而有恒心者，惟士为能。若民，则无恒产，因无恒心。苟无恒心，放辟邪侈，无不为已。"③伯夷：古贤人，孤竹君之子。武王灭商，伯夷认为这是欺君之举，故不食周粟，逃到首阳山，最后饿死在那里。柳下惠：春秋鲁大夫展获，字季，又字禽。曾为士师官，食邑于柳下，谥惠，故称其为展禽、柳下季、柳士师、柳下惠等。《史记·仲尼弟子列传》载孔子多次称道臧文仲、柳下惠。扬雄：西汉武帝时人，字子云，成都人。少好学，不为章句训诂，博览无所不见。成帝时召对承明殿，奏《甘泉》、《长杨》等赋。所著有《法言》、《太玄经》等。《汉书》有传。④管城县：北宋县名，为郑州州治所在县，在今河南郑州。⑤武进：宋县名，为常州州治所在县。在今江苏武进。⑥夫人吴氏：江宁府司法参军吴蕡的女儿，二十四岁嫁给王令，不到一年王令就去世了。⑦未知其子之男女：按：吴氏后来产下一女，成人后嫁给了浙江人吴师礼。⑧不相：不佑。⑨不罢：即不疲。罢，通"疲"。

[译文]

啊！大道没有彰明，岂止是政教没有使人们驯服，士子也是有罪的。啊！大道没有推行，岂止是教化没有深入人心，士子也是有罪的。啊！没有资产却具有恒心的人，古人称之为士子。士子果然有恒心遵照圣人的教导身体力行，那么大道即使不彰明于天下，也必定会使他自身明达；大道即使不推行于天下，也必定会施于他的妻子儿女。在内用来使自身明达，在外用来影响于妻子儿女，那么他的言行也就必定不会孤立于天下了。这就是孔子、孟子、伯夷、柳下惠、扬雄等人之所以有大功劳于人世的原因。

啊！以我的昏昧不贤，应该是士林中的有罪之人，却有幸交上了很好的朋友。我的朋友字逢原，姓王，广陵人。最初我喜爱他的文章，了解了他想说的话；其后喜爱他的节操品行，了解了他的为人行事；最后我了解到了他何以要说那些话，浩然磅礴将会世代相传而无穷无尽；了解了他为什么有那样的品行，超然高远即使想要追逐也无法企及。于是乎慨然感叹，认为可以任天下重任而有大功劳于天下的人就在于他了，可惜我希望与他为友却做不到。啊！如今他丢弃了我而离开了人世，实在太可悲了！

王逢原是左武卫大将军名叫奉諲的曾孙，大理评事名叫琪的孙子，郑州管城县主簿名叫世伦的儿子。五岁失去父亲，二十八岁就死了，死后九十三天，嘉祐四年的九月丙申，下葬在常州武进县南乡薛村的坟地。他夫人吴氏也颇为贤惠，此时正怀着身孕，不知道是男是女。铭文说：

寿命为什么如此之短？苍天啊你实在是过于吝啬。既然苍天不给予他应有的寿命，却又为什么把如此深厚的仁德加在他身上？德行深厚是需要培育的，对寿命的吝啬却来得如此之快，对德行的追求永不疲倦，对苍天厚德薄命的疑惑也无须埋怨。啊！上天之民，就将在这里永世长存！

图书在版编目(CIP)数据

唐宋名家文集.王安石集/李之亮注译.—郑州：
中州古籍出版社,2010.5(2012.2重印)
(国学经典)
ISBN 978 – 7 – 5348 – 3336 – 6

I.①唐…Ⅱ.①李…Ⅲ.①古典文学 – 作品集 – 中国 – 唐代②古典文学 – 作品集 – 中国 – 宋代③古典散文 – 作品集 – 中国 – 北宋 Ⅳ.①I214.01②I264.41

中国版本图书馆 CIP 数据核字(2010)第 059974 号

出版社：中州古籍出版社
（地址：郑州市经五路66号　邮政编码：450002）
发行单位：新华书店
承印单位：郑州市毛庄印刷厂
开本：640mm×960mm　　1/16　印张：20.5
字数：230 千字　　　　　　　　印数：5 001 – 10 000 册
版次：2010 年 5 月第 1 版　　　印次：2012 年 2 月第 2 次印刷

定价：28.00 元

本书如有印装质量问题，由承印厂负责调换。